#홈스쿨링
#혼자공부하기

우등생
사회

Chunjae
Makes
Chunjae

▼

우등생 사회 6-1

기획총괄　　박상남
편집개발　　윤순란, 박진영, 김운용
디자인총괄　김희정
표지디자인　윤순미, 강태원
내지디자인　박희춘
본문 사진 제공　국립민속박물관, 뉴스뱅크, 대한민국역사박물관, 서울역사박물관, 셔터스톡,
　　　　　　　　연합뉴스, 전쟁기념관, 한국정책방송원
제작　　　　황성진, 조규영

발행일　　　2023년 12월 1일 2판 2023년 12월 1일 1쇄
발행인　　　(주)천재교육
주소　　　　서울시 금천구 가산로9길 54
신고번호　　제2001-000018호
고객센터　　1577-0902

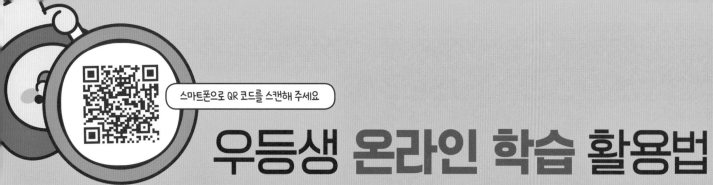

우등생 온라인 학습 활용법

01 학년, 학기 선택

02 과목 선택

마이 페이지

사회

스케줄표

온라인 학습북
개념 강의
서술형 논술형 강의
단원평가

학습 자료실
정답
핵심 정리 + 묻고 답하기
개념 웹툰

검정 교과서 자료

· 학년별, 과목별로 제공되는 서비스 내용에는 차이가 있습니다.

스케줄표

꼼꼼

꼼꼼
우등생 사회를 한 학기 동안 차근차근 공부하기 위한 스케줄표

1회~10회

마이 페이지에서 첫 화면에 보일
스케줄표의 종류를 선택할 수 있어요.

통합 스케줄표
우등생 국어, 수학, 사회, 과학 과목이 함께 있는 12주 스케줄표

꼼꼼 스케줄표
과목별 진도를 회차에 따라 나눈 스케줄표

스피드 스케줄표
온라인 학습북 전용 스케줄표

과목 클릭

온라인 학습북 클릭

개념 강의 / 서술형 논술형 강의 / 단원평가

❶ 개념 강의

*온라인 학습북 단원별 주요 개념 강의

❷ 서술형 논술형 강의

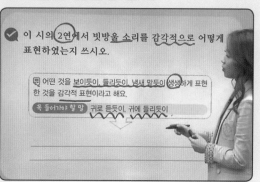

*온라인 학습북 서술형 논술형 강의

❸ 단원평가

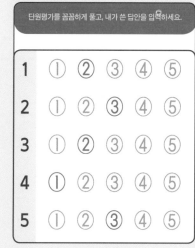

① 내가 푼 답안을 입력하면

② 채점과 분석이 한번에

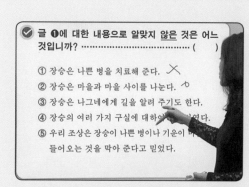

③ 틀린 문제는 동영상으로 꼼꼼히 확인하기!

· 스마트폰의 동영상 구동이 느릴 경우, 기본으로 설정된 비디오 재생 프로그램을 다른 앱으로 교체해 보세요.

· 사용자 사용 환경에 따라 서비스가 원활하지 않을 시에는 컴퓨터를 통한 접속을 권장합니다. 우등생 홈스쿨링 홈페이지(https://home.chunjae.co.kr)로 접속하거나 검색 엔진에서 우등생 홈스쿨링을 입력하여 접속해 주세요.

우등생 사회로 살펴보는 11종 교과서 가이드

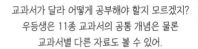
	1. ❶ 민주주의의 발전과 시민 참여		1. ❷ 일상생활과 민주주의		1. ❸ 민주정치의 원리와 국가기관의 역할		2. ❶ 경제주체의 역할과 우리나라 경제체제		2. ❷ 우리나라의 경제 성장과 경제생활의 변화		2. ❸ 세계 속의 우리나라 경제	
우등생 사회 6-1	· 4·19 혁명 · 박정희 정부와 독재 정치 · 5·18 민주화 운동	교과서 진도북 8~11쪽 온라인 학습북 4쪽	· 민주주의의 의미 · 민주주의의 중요성 · 민주주의를 실천하는 바람직한 태도	교과서 진도북 20~23쪽 온라인 학습북 10쪽	· 민주정치의 기본 원리 · 국회의원 · 국회(입법부)가 하는 일	교과서 진도북 32~35쪽 온라인 학습북 16쪽	· 가계와 기업 · 가계의 합리적 선택 · 기업의 합리적 선택	교과서 진도북 52~55쪽 온라인 학습북 30쪽	· 1950~1960년대 우리나라의 경제 성장 · 1970~1980년대 우리나라의 경제 성장 · 우리나라 경제가 빠르게 성장할 수 있었던 까닭 · 1990년대 이후 우리나라의 경제 성장 · 우리나라의 국내 총생산과 1인당 국민 총소득의 변화	교과서 진도북 64~67쪽 온라인 학습북 36쪽	· 무역 · 우리나라의 경제 교류 · 우리나라와 다른 나라의 경제 교류 사례 · 우리나라와 다른 나라의 경제 관계 · 자유 무역 협정(FTA)	교과서 진도북 76~79쪽 온라인 학습북 42쪽
	· 6월 민주 항쟁 · 6월 민주 항쟁 이후 민주주의의 발전 · 사회 문제를 해결하기 위한 정치 참여	교과서 진도북 12~15쪽 온라인 학습북 5쪽	· 양보와 타협을 통해 문제 해결하기 · 다수결의 원칙을 통해 문제 해결하기 · 민주적 의사 결정 원리에 따른 민주주의의 실천	교과서 진도북 24~27쪽 온라인 학습북 11쪽	· 정부(행정부) · 법원(사법부) · 삼권 분립	교과서 진도북 36~39쪽 온라인 학습북 17쪽	· 우리나라 경제의 특징 · 불공정한 경제활동으로 생기는 문제 · 바람직한 경제활동을 위한 노력	교과서 진도북 56~59쪽 온라인 학습북 31쪽	· 경제 성장으로 변화한 사회 모습 · 경제 성장 과정에서 있었던 사건 · 경제 성장 과정에서 나타난 문제점과 해결 노력	교과서 진도북 68~71쪽 온라인 학습북 37쪽	· 경제 교류가 우리 경제생활에 미친 영향 · 경제 교류를 하면서 생기는 문제점 · 무역 문제의 해결 방안	교과서 진도북 80~83쪽 온라인 학습북 43쪽
천재교육	1. ❶ 민주주의의 발전과 시민 참여		1. ❷ 일상생활과 민주주의		1. ❸ 민주정치의 원리와 국가기관의 역할		2. ❶ 경제주체의 역할과 우리나라 경제체제		2. ❷ 우리나라의 경제성장과 경제생활의 변화		2. ❸ 세계 속의 우리나라 경제	
천재교과서	1. ❶ 민주주의의 발전과 시민 참여		1. ❷ 일상생활과 민주주의		1. ❸ 민주 정치의 원리와 국가 기관의 역할		2. ❶ 우리나라 경제 체제의 특징		2. ❷ 우리나라의 경제 성장		2. ❸ 세계 속의 우리나라 경제	
교학사	1. ❶ 민주주의의 발전과 시민 참여		1. ❷ 일상생활과 민주주의		1. ❸ 민주 정치의 원리와 국가 기관의 역할		2. ❶ 우리나라 경제 체제의 특징		2. ❷ 우리나라의 경제 성장		2. ❸ 세계 속의 우리나라 경제	
금성출판사	1. ❶ 민주주의의 발전과 시민 참여		1. ❷ 일상생활과 민주주의		1. ❸ 민주 정치의 원리와 국가 기관의 역할		2. ❶ 우리나라 경제 체제의 특징		2. ❷ 우리나라의 경제 성장		2. ❸ 세계 속의 우리나라 경제	
김영사	1. ❶ 민주주의의 발전과 시민 참여		1. ❷ 일상생활과 민주주의		1. ❸ 민주정치의 원리와 국가기관의 역할		2. ❶ 우리나라 경제체제의 특징		2. ❷ 우리나라의 경제성장		2. ❸ 세계 속의 우리나라 경제	
동아출판	1. ❶ 민주주의의 발전과 시민 참여		1. ❷ 일상생활과 민주주의		1. ❸ 민주 정치의 원리와 국가기관의 역할		2. ❶ 우리나라 경제체제의 특징		2. ❷ 우리나라의 경제 성장		2. ❸ 세계 속의 우리나라 경제	
미래엔	1. ❶ 민주주의의 발전과 시민 참여		1. ❷ 일상생활과 민주주의		1. ❸ 민주 정치의 원리와 국가 기관의 역할		2. ❶ 경제 주체의 역할과 우리나라 경제 체제의 특징		2. ❷ 경제생활의 변화와 우리나라 경제의 성장		2. ❸ 세계 속의 우리나라 경제	
비상교과서	1. ❶ 민주주의의 발전과 시민 참여		1. ❷ 일상생활과 민주주의		1. ❸ 민주 정치의 원리와 국가 기관의 역할		2. ❶ 우리나라 경제 체제의 특징		2. ❷ 우리나라의 경제 성장		2. ❸ 세계 속의 우리나라 경제	
비상교육	1. ❶ 민주주의의 발전과 시민 참여		1. ❷ 일상생활과 민주주의		1. ❸ 민주 정치의 원리와 국가 기관의 역할		2. ❶ 경제 주체의 역할과 우리나라 경제 체제의 특징		2. ❷ 우리나라의 경제 성장		2. ❸ 세계 속의 우리나라 경제	
아이스크림 미디어	1. ❶ 민주주의의 발전과 시민 참여		1. ❷ 일상생활과 민주주의		1. ❸ 민주정치의 원리와 국가기관의 역할		2. ❶ 경제주체의 역할과 우리나라 경제체제의 특징		2. ❷ 경제생활의 변화와 우리나라 경제의 성장		2. ❸ 세계 속의 우리나라 경제	
지학사	1. ❶ 민주주의의 발전과 시민 참여		1. ❷ 일상생활과 민주주의		1. ❸ 민주정치의 원리와 국가기관의 역할		2. ❶ 우리나라 경제체제의 특징		2. ❷ 우리나라 경제의 성장 과정		2. ❸ 세계 속의 우리나라 경제	

홈스쿨링 꼼꼼 스케줄표(24회)
우등생 사회 6-1

꼼꼼 스케줄표는 교과서 진도북과 온라인 학습북을
24회로 나누어 꼼꼼하게 공부하는 학습 진도표입니다.

우등생 홈스쿨링
홈페이지에는
다양한 스케줄표가 있어요!

● 교과서 진도북　　● 온라인 학습북

1. 우리나라의 정치 발전

1회 교과서 진도북 8~15쪽	**2**회 교과서 진도북 16~19쪽	**3**회 온라인 학습북 4~9쪽
월　　일	월　　일	월　　일

1. 우리나라의 정치 발전

4회 교과서 진도북 20~27쪽	**5**회 교과서 진도북 28~31쪽	**6**회 온라인 학습북 10~15쪽
월　　일	월　　일	월　　일

1. 우리나라의 정치 발전

7회 교과서 진도북 32~39쪽	**8**회 교과서 진도북 40~43쪽	**9**회 온라인 학습북 16~21쪽
월　　일	월　　일	월　　일

1. 우리나라의 정치 발전

10회 교과서 진도북 44~49쪽	**11**회 온라인 학습북 22~25쪽	**12**회 온라인 학습북 26~29쪽
월　　일	월　　일	월　　일

홈스쿨링 24회
꼼꼼 스케줄표

● 교과서 진도북   ● 온라인 학습북

2. 우리나라의 경제 발전

13회 교과서 진도북 52~59쪽	**14**회 교과서 진도북 60~63쪽	**15**회 온라인 학습북 30~35쪽
월 일	월 일	월 일

2. 우리나라의 경제 발전

16회 교과서 진도북 64~71쪽	**17**회 교과서 진도북 72~75쪽	**18**회 온라인 학습북 36~41쪽
월 일	월 일	월 일

2. 우리나라의 경제 발전

19회 교과서 진도북 76~83쪽	**20**회 교과서 진도북 84~87쪽	**21**회 온라인 학습북 42~47쪽
월 일	월 일	월 일

2. 우리나라의 경제 발전

22회 교과서 진도북 88~91쪽	**23**회 온라인 학습북 48~51쪽	**24**회 온라인 학습북 52~55쪽
월 일	월 일	월 일

온라인 학습이 강화된

우등생 사회 사용법

1 단원

진도 완료 체크

QR로 학습 스케줄을 편하게 관리!

공부하고 나서 날개에 있는 QR 코드를 스캔하면
온라인 스케줄표에 학습 완료 자동 체크!

학습 완료!

※ 스케줄표에 따라 해당 페이지 날개에
[진도 완료 체크] QR 코드가 있어요!

동영상 강의
개념 / 서술형 · 논술형 평가 / 단원평가

온라인 채점과 성적 피드백
정답을 입력하면 채점과 성적 분석이 자동으로

온라인 학습 스케줄 관리
나에게 맞는 내 스케줄표로 꼼꼼히 체크하기

우등생 온라인 학습

구성과 특징

교과서 진도북

1 쉽고 재미있게 개념을 익히고 다지기

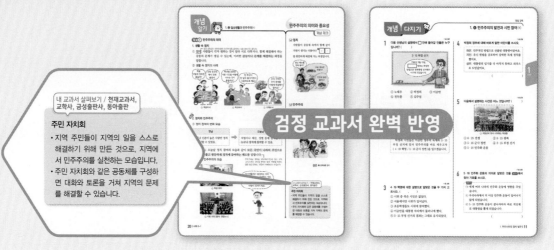

내 교과서 살펴보기 / 천재교과서,
교학사, 금성출판사, 동아출판

주민 자치회

- 지역 주민들이 지역의 일을 스스로 해결하기 위해 만든 것으로, 지역에서 민주주의를 실천하는 모습입니다.
- 주민 자치회와 같은 공동체를 구성하면 대화와 토론을 거쳐 지역의 문제를 해결할 수 있습니다.

검정 교과서 완벽 반영

2 Step ❶, ❷, ❸단계로 단원 실력 쌓기

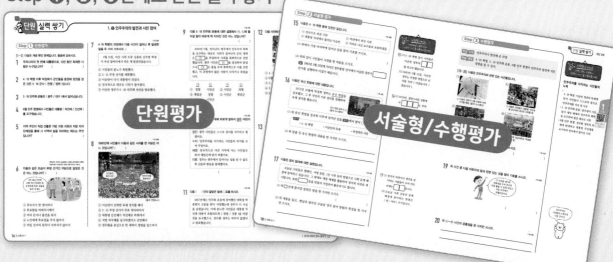

단원평가

서술형/수행평가

3 대단원 평가로 단원 마무리하기

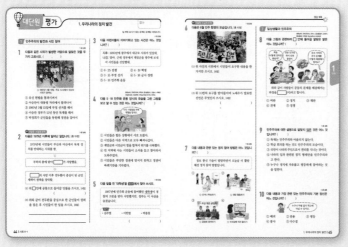

1. 온라인 개념 강의

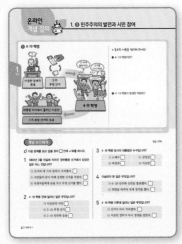

2. 실력 평가

3. 온라인 서술형·논술형 강의

4. 단원평가 온라인 피드백

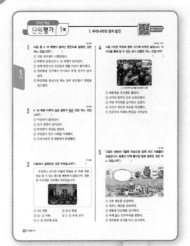

✓ 채점과 성적 분석이 한번에!

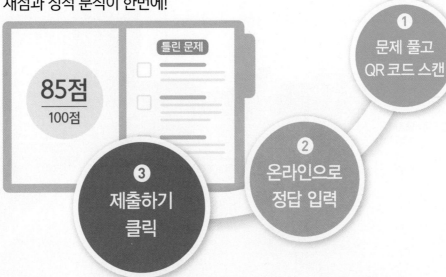

틀린 문제

85점
100점

①
문제 풀고
QR 코드 스캔

②
온라인으로
정답 입력

③
제출하기
클릭

차례

◀ 환경을 보호하는 활동에 참여한
시민들 [출처: 뉴스뱅크]

국립 4 · 19 민주 묘지 ▶
(서울특별시 강북구)

우리나라의 경제 발전

◀ 포항 제철소의 용광로
[출처: 연합뉴스]

 등장인물 소개

턴턴

지구의 과거부터 현재까지의 모든 것을 복사해 넣은 지구 시뮬레이션 시스템의 관리자이다.

알차

13세 인간 소녀처럼 생긴 백신.
전투형으로 팔이 온갖 종류의 무기로 변신한다.

베차

13세 인간 소년처럼 생긴 백신.
복구형으로 성격이 침착하고 섬세하다.

띠릴

시스템의 바이러스.
여러 인물로 변신해 지구 시뮬레이션 시스템을 혼란에 빠뜨린다.

 **연관 학습 안내**

초등 5학년	초등 6학년	중학교
법의 의미와 역할 법은 개인의 권리를 보장하고 사회 질서를 유지시켜 줘요.	**우리나라의 정치** 민주정치를 실현하기 위한 다양한 제도가 있어요.	**헌법과 국가기관** 국가기관에는 국회, 정부, 법원, 헌법 재판소 등이 있어요.

만화로 단원 미리보기

우리나라의 정치 발전

1

🌸 단원 안내

① 민주주의의 발전과 시민 참여
② 일상생활과 민주주의
③ 민주정치의 원리와 국가기관의 역할

개념 ① 4·19 혁명

1. 배경

└→ 헌법의 범위를 벗어나 국가 기초, 사회 제도, 경제 제도, 조직 따위를 근본적으로 고치는 일

① 이승만 정부의 독재: 헌법을 바꾸며 12년 동안 독재하여 국민의 생활이 어려워졌습니다.

└→ 한 사람 또는 소수가 권력을 독차지하고 있는 정치적 상태

② 3·15 부정 선거: 이승만 정부는 1960년 3월 15일에 치러진 정부통령 선거에서 부정 선거를 실행하여 선거에서 이겼습니다.

조를 짜서 투표한 후, 조장에게 투표 내용을 알려 주세요.

비밀 선거의 원칙이 지켜지지 않았음.

당선될 표를 준비했으니, 이 투표지들은 싹 태우세요.

투표함을 바꾸는 부정행위를 했음.

고무신이나 돈을 줄 테니 이승만 정부에 투표하세요.

돈이나 물건을 주면서 특정 후보를 뽑도록 했음.

2. 과정

1 마산에서 퍼진 시위
3·15 부정 선거에 항의하는 학생과 시민들의 시위가 마산 지역에서 일어났고, 경찰의 진압으로 학생과 시민들이 죽거나 다쳤음.

➡

2 김주열 학생의 죽음으로 확산된 시위
4월 11일, 마산 시위 도중 실종된 김주열 학생이 마산 앞바다에서 죽은 채 발견되어서 학생과 시민들의 분노가 폭발함.

➡

3 전국으로 퍼진 시위
4월 19일, 시민들이 대규모 시위를 벌였으나 경찰이 시민들에게 총격을 가하였고, 많은 학생과 시민이 죽거나 다쳤음.

➡

4 거리로 나선 교수들과 초등학생들
4월 25일, 대학교수들도 제자들이 목숨을 걸고 시위하는 모습을 보고 시위에 참여했고, 일부 초등학생들도 거리로 나와 시위를 했음.

➡

5 대통령 자리에서 물러난 이승만
이승만은 대통령 자리에서 물러났고, 3·15 부정 선거는 무효가 되었으며 선거가 다시 실시되어 새로운 정부가 세워졌음.

새로운 정부는 민주주의 사회를 만들기 위해 노력했어.

└→ 초등학생이 경찰이 쏜 총에 맞아 숨지자 같은 학교 학생들이 시위했습니다.

☑ 3·15 부정 선거

1960년 3월 15일에 이승만 정부가 ❶(부정한 / 공정한) 방법으로 선거를 치른 것을 말합니다.

떡볶이를 사 줄테니 나를 뽑아 줘!

그게 바로 부정 선거라고!

내 교과서 살펴보기 / 천재교과서

부통령

• 부통령은 대통령제 정부 형태의 국가에서 대통령에 다음가는 직위로, 우리나라는 이승만 대통령 때에만 부통령 제도가 있었습니다.

• 따라서 정부통령 선거는 대통령과 부통령을 함께 뽑는 선거를 말합니다.

☑ 4·19 혁명

이승만 정부의 ❷ ☐ ☐ 와 3·15 부정 선거를 바로잡고자 시민들이 일으킨 혁명입니다.

초등학생들도 4·19 혁명에 참여했다니 정말 대단해!

정답 ❶ 부정한 ❷ 독재

3. 의의

① 4·19 혁명 과정에서 많은 시민과 학생이 희생되어 민주주의를 향한 국민들의 관심이 높아졌습니다.

② 4·19 혁명을 계기로 민주적인 절차와 과정을 무시하고 들어선 정권은 **국민 스스로 바로잡아야 한다는 교훈을 얻었습니다.** → 우리나라 민주주의를 지키고 발전시키는 밑바탕이 되었습니다.

개념 ② 박정희 정부와 독재 정치

1. 5·16 군사 정변과 유신 헌법

5·16 군사 정변 ↳ 군인들이 힘을 앞세워 정권을 잡는 행위	4·19 혁명 이후 국민은 민주 사회를 기대했으나, 새로운 정부가 들어선 지 1년도 되지 않아 박정희는 군인들을 동원해 정권을 잡았음.
유신 헌법	박정희는 1972년에 유신 헌법을 만들어 대통령 **직선제**를 **간선제**로 바꾸고 대통령 자리를 유지하며 독재 정치를 하였고, 국민의 기본적인 권리를 제한했음.

내 교과서 살펴보기 / **천재교육, 지학사**

박정희 정부 시기에 단속받던 일상생활

• 박정희 정부는 남성의 머리카락 길이, 여성의 치마 길이 등을 단속했습니다. → 국가가 개인의 자유를 억압했습니다.
• 경찰이 거리에서 남성의 귀를 덮을 정도로 긴 머리카락을 직접 깎았으며, 머리카락이 긴 남성은 텔레비전 방송에 출연할 수도 없었습니다.

◀ 머리카락 길이를 단속하는 모습 [출처: 뉴스뱅크]

2. 독재에 맞선 시민들

| 1979년, 부산과 마산에서 독재 정치를 반대하는 시위를 함. | 박정희 사망 이후 전두환을 중심으로 한 군인들이 정변을 일으킴. |

| 박정희가 부하에게 죽임을 당했음. | 많은 학생과 시민들이 민주화를 요구하며 시위를 벌였음. |

새로운 정부가 들어섰지만, ❸ ㅂ ㅈ ㅎ 를 중심으로 군인들이 힘을 앞세워 정권을 잡았습니다.

✓ **유신 헌법**

대통령을 간선제로 뽑고, 대통령을 ❹(한 / 여러) 번 할 수 있게 했던 헌법입니다.

정답 ❸ 박정희 ❹ 여러

직선제
(直 곧을 직 選 가릴 선 制 규정 제)
국민이 직접 대표를 뽑는 선거 제도

간선제
(間 사이 간 選 가릴 선 制 규정 제)
국민이 뽑은 일정 수의 선거인단이 대표를 뽑는 선거 제도

 개념 체크

개념③ 5·18 민주화 운동

1. 전개 과정

> 나라에 내란이나 전쟁이 일어났을 때, 전국 또는 일부 지역에 군대가 임시로 정부의 권한을 대신 행사하는 것

① 1980년 5월, 전라남도 광주에서 민주화를 요구하는 대규모 시위가 일어나자 군인 세력은 계엄군을 보냈습니다.

② 광주 시민은 시민군을 결성하여 맞섰으나 계엄군은 총을 쏘며 폭력적으로 이를 진압했고, 이 과정에서 많은 사람이 다치거나 죽었습니다.

③ 정부는 신문과 방송을 통제하여 국민들이 광주에서 일어나는 일을 알지 못하도록 했고, 광주에 사람들이 오고 가는 것을 막았습니다.

④ 광주 시민들은 스스로 광주 시내의 질서를 지키려고 힘썼고, 어려움에 부닥친 이웃을 돕는 등 힘든 상황을 함께 헤쳐 나가려고 노력했습니다.

⬆ 계엄군에 맞서 시위하는 학생들 [출처: 뉴스뱅크]

⬆ 시민군이 된 시민들 [출처: 뉴스뱅크]
> 가족의 안전, 자유와 민주주의를 지키기 위해 조직했습니다.

2. 의의

① 부당한 정권에 맞서 민주주의를 지키려는 시민들의 의지를 보여 주었습니다.

② 우리나라의 민주주의 발전에 밑거름이 되었고, 세계 여러 나라의 민주화 운동에 영향을 주었습니다.

> 내 교과서 살펴보기 / 천재교육, 천재교과서, 교학사, 금성출판사, 김영사, 동아출판, 미래엔, 비상교과서, 비상교육, 지학사

유네스코 세계 기록 유산이 된 5·18 민주화 운동 기록물

⬆ 5·18 민주화 운동 당시 여고생의 일기 [출처: 연합뉴스]

> 정부는 왜 사실을 사실대로 말하지 않는가? 왜? 정부에 유리한 내용만 발표하는가? 왜? ……

• 2011년에 유네스코는 병원 진료 기록, 기자들이 찍은 사진 필름, 학생들의 일기장 등 5·18 민주화 운동 기록물을 세계 기록 유산으로 등재했습니다.

• 국가 폭력에 저항하며 인권과 민주주의를 지키기 위한 광주 시민들의 희생과 노력을 국제 사회가 인정한 것입니다.

☑ 5·18 민주화 운동

1980년 5월에 ❺ [ㄱ][ㅈ] 에서 일어난 대규모의 민주화 운동입니다.

> 민주주의를 지키려고 했던 광주 시민들의 희생과 노력을 기억해야 해.

> 독일 출신의 외신 기자였던 위르겐 힌츠페터가 광주에 몰래 들어가 계엄군이 시민들을 폭행하는 모습을 영상으로 찍어서 5·18 민주화 운동이 세계와 국내에 알려지게 되었습니다.

☑ 계엄군

전쟁이나 내란 등 국가의 비상사태가 일어났을 때, 계엄 임무를 맡은 ❻ [ㄱ][ㄷ] 입니다.

> 계엄군의 폭력에 많은 시민들이 죽거나 다쳤대.

> 정답 ❺ 광주 ❻ 군대

용어 사전

• **시민군**(市 저자 시 民 백성 민 軍 군사 군) 시민들이 스스로 조직한 군대

• **유네스코 세계 기록 유산** 인류가 함께 기억하고 보존해야 할 세계적 가치를 가진 기록 유산

개념 다지기

11종 공통

1 다음 선생님의 설명에서 □ 안에 들어갈 인물은 누구입니까? (   )

3·15 부정 선거

1960년 3월 15일, □□□ 정부는 부정한 방법으로 정부통령 선거에서 이기게 되었습니다.

사회

① 노태우 ② 박정희 ③ 이승만
④ 전두환 ⑤ 김주열

11종 공통

2 다음 (   ) 안의 알맞은 사건에 ○표를 하시오.

학생과 시민들은 이승만 정부의 독재와 3·15 부정 선거에 맞서 민주주의를 바로 세우고자 (4·19 혁명 / 5·16 군사 정변)을 일으켰습니다.

11종 공통

3 4·19 혁명에 대한 설명으로 알맞은 것을 두 가지 고르시오. (,   )

① 시위 중 죽은 시민은 없었다.
② 서울에서만 시위가 일어났다.
③ 초등학생들도 시위에 참여했다.
④ 이승만을 대통령 자리에서 물러나게 했다.
⑤ 3·15 부정 선거의 결과는 그대로 유지되었다.

11종 공통

4 박정희 정부에 대해 바르게 말한 어린이를 쓰시오.

하은: 민주적인 방법으로 선출된 대통령이었어요.
지민: 유신 헌법을 공포하여 강력한 독재 정치를 했어요.
성우: 대통령의 임기를 다 마치지 못하고 외국으로 도망갔어요.

(   )

11종 공통

5 다음에서 설명하는 사건은 어느 것입니까? (   )

🔼 계엄군에 맞서 시위하는 학생들

① 6·25 전쟁   ② 8·15 광복
③ 5·16 군사 정변   ④ 3·15 부정 선거
⑤ 5·18 민주화 운동

11종 공통

6 5·18 민주화 운동의 의의로 알맞은 것을 **보기**에서 찾아 기호를 쓰시오.

보기
㉠ 세계 여러 나라의 민주화 운동에 영향을 주었습니다.
㉡ 우리나라에서 더 이상 민주화 운동이 일어나지 않게 되었습니다.
㉢ 5·18 민주화 운동이 끝나자마자 바로 직선제로 대통령을 뽑게 되었습니다.

(   )

1

단원

개념① 6월 민주 항쟁

1. 민주화 요구의 확산

전두환 정부의 탄압	고문을 받다 죽은 박종철
전두환은 간선제로 대통령이 된 후 국민의 알 권리를 막고, 민주화 운동을 벌이는 사람들을 탄압함.	민주화 운동에 참여했던 대학생 박종철이 고문을 받다가 사망한 사실을 정부가 숨겼지만, 곧 거짓말이 드러남.

↳ 정부에 유리한 내용만 전하도록 신문과 방송을 통제했습니다.

⬇

이에 분노한 학생과 시민들이 대통령 직선제 내용이 포함되도록 헌법을 바꿀 것을 요구하며 시위함.
↳ 개헌

2. 6월 민주 항쟁의 전개

| 전두환 정부는 헌법을 바꿔야 한다는 시민들의 요구를 거부함. | » | 시위 과정에서 경찰이 쏜 최루탄에 맞아 대학생 이한열이 사망함. |

6월 민주 항쟁

[출처: 뉴스뱅크]

분노한 시민과 학생들은 전두환 정부의 독재에 반대하고 대통령 직선제를 요구하며 전국에서 시위를 벌임.

직선제로 민주정부

6·29 민주화 선언

↳ 현재 정권을 잡고 있는 정당

당시 여당 대표이자 대통령 후보였던 노태우가 시민들의 요구를 받아들여 대통령 직선제, 언론의 자유 보장, 지방 자치제 시행 등의 내용을 담아 6·29 민주화 선언을 발표함.

'직선제 개헌'

盧대표, 直選制 改憲선언

金大中씨등 赦免·복권

[출처: 뉴스뱅크]

3. 6월 민주 항쟁의 의의

① 시민들의 민주화 의지를 보여 주었습니다.
② 우리 사회 여러 분야에 민주적 제도를 만들고, 시민들이 직접 정치에 참여할 수 있는 길을 마련한 중요한 사건이었습니다.

☑ **6월 민주 항쟁**

전두환 정권에 맞서 전국에서 일어난 ❶ ☐ ☐ ☐ 운동입니다.

대통령을 내 손으로?

대통령 직선제를 하자는 말이지!

정답 ❶ 민주화

내 교과서 살펴보기 / 천재교육, 미래엔

대통령 직선제를 요구한 까닭

• 박정희, 전두환은 모두 간선제를 악용하여 대통령이 되었습니다.
• 선거인단이 몇천 명밖에 안 되었고, 독립성이 보장되지 않아서 공정한 선거를 할 수 없었기 때문에 시민들은 직접 대통령을 뽑을 수 있기를 간절히 바랐습니다.

용어
사전

● **알 권리**

국민 개개인이 정치적·사회적 현실이나 국가가 시행하고 관리하는 정책에 관한 정보 따위를 자유롭게 알 수 있는 권리

개념② 6월 민주 항쟁 이후 민주주의의 발전

1. 대통령 직선제

시민들이 그동안 제한되었던 정치 참여의 권리를 되찾게 되었습니다.

① 6월 민주 항쟁 이후 1987년에 **대통령 직선제**가 시행되었습니다.

② 1971년 선거 이후 16년 만의 일이며, 대통령 직선제는 오늘날까지도 계속되고 있습니다.

2. 지방 자치제

의미	지역 주민이 직접 선출한 지방 의회 의원과 지방 자치 단체장을 통해 그 지역의 일을 처리하는 제도 → 지역 대표
시행 과정	6·25 전쟁 중에 처음 시행되었으나 5·16 군사 정변으로 폐지되었고, 6월 민주 항쟁 이후 다시 시행됨.
의의	주민들은 지역의 문제를 스스로 해결하려고 의견을 내고, 지역의 대표들은 주민들의 의견을 받아들여 여러 가지 문제를 해결하고 있음.

내 교과서 살펴보기 / 교학사, 김영사, 비상교육

주민 소환제
• 주민이 직접 선출한 의원이나 단체장이 직무를 잘 수행하지 못했을 때 주민들이 투표로 그들을 자리에서 물러나게 하는 제도입니다.
• 우리나라는 2007년부터 시행해 지역 대표가 책임 있는 정치를 할 수 있도록 하고 있습니다.

3. 시민운동의 성장

① 시민들은 다양한 *시민 단체를 만들어 사회 문제 해결을 위해 노력했습니다.

② 시민운동으로 시민 사회는 성숙해졌으며, 민주주의도 발전하게 되었습니다.

태안 기름 유출 사고 복구 활동

장애인 이동권 보장 시위 활동

선거 참여를 장려하는 활동
→ 좋은 일에 힘쓰도록 북돋아 주는 것

이동 전화 요금을 내려 달라는 활동

용어사전

 시민 단체
(市 저자 시 民 백성 민 團 모일 단 體 몸 체)
일반 시민이 공공의 이익을 추구하기 위해 스스로 모여 활동하는 단체

개념③ 사회 문제를 해결하기 위한 정치 참여

1. 달라진 정치 참여의 모습

> 6월 민주 항쟁 때까지 시민들은 주로 대규모 집회에 참여하는 방식으로 자신의 의견을 표현했음.

→

> 오늘날 더 많은 시민이 다양하고 민주적인 방식으로 사회 문제 해결에 참여하고 있음.

요점 2. 정치 참여의 종류

선거나 투표

정당 활동

혼자서 활동하는 것보다 효과적으로 사회 문제 해결에 참여할 수 있어요.

공청회

자유롭게 의견을 말씀해 주세요.

△△ 요금 개편 공청회

누리 소통망 서비스나 누리집에 의견 올리기

정보 통신 기술의 발달로 쉽게 의견을 올릴 수 있어요.

캠페인

→ 특정한 목적을 달성하기 위해 조직적으로 이루어지는 정치·사회 운동

서명 운동

우리 의견에 대한 찬성의 뜻으로 서명을 받고 있어요.

1인 시위

차량 2부제 전면 시행하라

촛불 집회

항의의 목적으로 촛불을 들고 광장에 모였어요.

┄ 평화롭고 질서 있게 진행되어 전 세계에 우리나라 사람들의 성숙한 시민 의식을 알렸습니다.

내 교과서 살펴보기 / 금성출판사, 지학사

사회 공동의 문제를 어린이가 해결한 사례

학교 이름이 특이하여 놀림을 받는 초등학교가 있었음.	학생들이 학교 이름을 변경하기 위한 위원회를 만들어 공청회를 엶.	주변 사람들에게 서명을 받고, 대중 매체를 통해서도 알림.	교육청에 학교 이름 변경 신청을 하고, 학교 이름이 바뀜.

✅ **공청회**

공공 기관이 정책 결정 전에 관련된 사람들과 전문가의 의견을 듣는 공개 ❹ [ㅎ][ㅇ] 입니다.

공청회에서 지역 주민의 다양한 의견도 이야기할 수 있어.

✅ **촛불 집회**

시민들이 촛불을 켜 들고 ❺(평화적 / 폭력적)으로 하는 집회입니다.

왜 촛불을 들고 있어?

숙제를 줄여 달라고 조용히 집회 중이야.

정답 ❹ 회의 ❺ 평화적

용어 사전

✏ **정당**(政 정사 정 黨 무리 당)
정권을 획득하기 위해 정치적 의견이나 생각을 같이하는 사람들이 모여 만든 단체

개념 다지기

1 다음 내용과 관련 있는 인물은 누구입니까? (   )

11종 공통

- 간선제로 대통령이 되었습니다.
- 국민의 알 권리를 막았습니다.
- 5·18 민주화 운동을 강제로 진압했습니다.

① 김구   ② 노태우   ③ 박정희
④ 전두환   ⑤ 김영삼

2 6월 민주 항쟁에 대한 설명으로 알맞은 것은 어느 것입니까? (   )

11종 공통

① 1980년에 일어났다.
② 노태우 정부의 독재에 반대했다.
③ 시민들은 대통령 간선제를 요구했다.
④ 시민들의 요구는 받아들여지지 않았다.
⑤ 전국 각지에서 일어난 대규모 시위였다.

3 다음 신문 기사와 관련하여 (   ) 안의 알맞은 말에 ◯표를 하시오.

11종 공통

정부는 대통령 직선제를 포함한 민주화 요구를 받아들이겠다는 (6·29 / 4·19) 민주화 선언을 발표했습니다.

4 대통령 직선제에 대해 바르게 말한 어린이를 쓰시오.

11종 공통

우진: 2000년대에 대통령 직선제가 처음 시행되었어요.
재희: 1987년에 치러진 대통령 선거는 직선제로 시행되었어요.
소민: 오늘날에는 직선제가 아닌 간선제로 대통령을 뽑고 있어요.

(   )

5 다음 설명에서 □ 안에 공통으로 들어갈 알맞은 말은 어느 것입니까? (   )

11종 공통

6월 민주 항쟁 이후 다양한 □□□ 운동 단체들이 사회 문제 해결을 위해 노력했습니다. □□□ 단체들은 환경, 사회적 약자, 소비자·권리 등 다양한 분야에서 활동하고 있습니다.

① 민족   ② 시민   ③ 정치
④ 학생   ⑤ 교수

6 옛날과 달라진 오늘날 정치 참여의 모습을 보기 에서 찾아 기호를 쓰시오.

11종 공통

보기

㉠ 주로 대규모 시위를 통해 정치에 참여합니다.
㉡ 옛날보다 정치에 참여할 수 있는 방법의 종류가 줄어들었습니다.
㉢ 누리집이나 누리 소통망 서비스(SNS)에 정치적인 의견을 올립니다.

(   )

1 단원

진도 완료 체크

Step 1 단원평가

[1~5] 다음은 개념 확인 문제입니다. 물음에 답하시오.

1 우리나라의 첫 번째 대통령으로, 12년 동안 독재한 사람은 누구입니까? (   )

2 4·19 혁명 이후 박정희가 군인들을 동원해 정권을 잡은 것은 5·16 군사 (전쟁 / 정변)입니다.

3 5·18 민주화 운동은 (광주 / 대구)에서 일어났습니다.

4 6월 민주 항쟁에서 시민들은 대통령 (직선제 / 간선제)를 요구했습니다.

5 지역 주민이 직접 선출한 지방 의회 의원과 지방 자치 단체장을 통해 그 지역의 일을 처리하는 제도는 무엇입니까? (   )

천재교육, 교학사, 금성출판사, 김영사, 동아출판, 미래엔,
비상교과서, 비상교육, 아이스크림 미디어, 지학사

6 다음과 같은 모습이 부정 선거인 까닭으로 알맞은 것은 어느 것입니까? (   )

> 3인 혹은 5인씩 조를 짜서 투표한 후, 조장에게 투표 내용을 알려 주세요.

① 후보자가 한 명이라서
② 투표함을 바꿔치기해서
③ 미리 돈이나 물건을 줘서
④ 노인에게 투표권을 주지 않아서
⑤ 비밀 선거의 원칙이 지켜지지 않아서

11종 공통

7 4·19 혁명의 과정에서 다음 사건이 일어난 후 발생한 일을 두 가지 고르시오. (,   )

> 4월 11일, 마산 시위 도중 실종된 김주열 학생이 마산 앞바다에서 죽은 채 발견되었습니다.

① 시민들의 분노가 폭발했다.
② 3·15 부정 선거를 계획했다.
③ 이승만이 다시 대통령이 되었다.
④ 전국적으로 대규모 시위가 벌어졌다.
⑤ 이승만 정부가 6·29 민주화 선언을 발표했다.

11종 공통

8 1980년에 시민들이 다음과 같은 시위를 한 까닭은 어느 것입니까? (   )

> 군인들은 물러나라!
> 민주주의를 회복하자!

[출처: 연합뉴스]

① 이승만이 강력한 독재 정치를 해서
② 3·15 부정 선거가 무효 처리되어서
③ 대통령 간선제가 직선제로 바뀌어서
④ 지방 자치제를 실시하겠다고 선언해서
⑤ 전두환을 중심으로 한 세력이 정변을 일으켜서

9 다음 5·18 민주화 운동에 대한 설명에서 ㉠, ㉡에 들어갈 말이 바르게 짝 지어진 것은 어느 것입니까?

11종 공통

( )

> 1980년 5월, 전라남도 광주에서 민주주의 회복을 요구하는 대규모 시위가 일어나자 군인 세력은 ㉠ 을 투입하여 시위를 폭력적으로 진압했습니다. 광주 시민은 ㉡ 을 결성하여 맞섰으나 ㉠ 은 총을 쏘며 폭력적으로 이를 진압했고, 이 과정에서 많은 사람이 다치거나 죽었습니다.

	㉠	㉡		㉠	㉡
①	경찰	시민군	②	시민군	의병
③	계엄군	경찰	④	시민군	계엄군
⑤	계엄군	시민군			

10 5·18 민주화 운동에 대해 바르게 말하지 <u>않은</u> 어린이를 쓰시오.

11종 공통

> 정진: 광주 시민들은 스스로 질서를 지키려고 힘썼어요.
> 수지: 민주주의를 지키려는 시민들의 의지를 보여 주었어요.
> 세영: 전국적으로 다른 지역에 사는 시민들도 와서 계엄군에 맞서 싸웠어요.
> 이훈: 정부는 광주에서 일어나는 일을 알 수 없도록 신문과 방송을 통제했어요.

( )

11 다음 ( ) 안의 알맞은 말에 ○표를 하시오.

11종 공통

> 1987년에는 민주화 운동에 참여했던 대학생 박종철이 고문을 받다 사망했는데 정부가 이 사실을 숨겼습니다. 이에 분노한 시민들은 대통령 직선제 내용이 포함되도록 (헌법 / 전통)을 바꿀 것을 요구했으나, 전두환 정부는 바꾸지 않겠다고 발표했습니다.

12 다음 사진에 해당하는 사건은 어느 것입니까? ( )

11종 공통

△ 전두환 정부의 독재에 반대하고 대통령 직선제를 요구하며 전국에서 시위를 벌였음.

① 4·19 혁명
② 6월 민주 항쟁
③ 5·16 군사 정변
④ 3·15 부정 선거
⑤ 5·18 민주화 운동

13 사회적 약자의 권리를 보장하기 위한 시민 단체의 활동을 보기 에서 찾아 기호를 쓰시오.

천재교육

보기
> ㉠ 장애인 이동권 보장 시위를 했습니다.
> ㉡ 선거 참여를 장려하는 캠페인을 했습니다.
> ㉢ 태안 기름 유출 사고 복구 작업에 참여했습니다.

( )

천재교육, 천재교과서, 교학사, 금성출판사, 김영사, 동아출판
비상교과서, 비상교육, 아이스크림 미디어, 지학사

14 오른쪽 그림에 해당하는 정치 참여 방법은 어느 것입니까? ( )

① 투표
② 선거
③ 공청회
④ 1인 시위
⑤ 서명 운동

15 다음은 4·19 혁명 중에 있었던 일입니다.   11종 공통

> ㉠ 전국으로 퍼진 시위   ㉡ 마산에서 퍼진 시위
> ㉢ 대통령 자리에서 물러난 이승만   ㉣ 거리로 나선 교수들과 초등학생들

(1) 위에서 가장 마지막에 일어난 일을 찾아 기호를 쓰시오.

(   )

(2) 위와 같이 시민들이 시위를 한 까닭을 쓰시오.

> 답 1960년 3월 15일에 치러진 정부통령 선거에서 이승만 정부가 [   ] 선거를 실행하여 이겼기 때문이다.

16 다음은 유신 헌법에 대한 내용입니다.   11종 공통

> 1972년 10월에 박정희 정부는 <u>유신 헌법</u>을 공포했고, 그 후 국민의 기본 권리를 침해하며 독재 정치를 했습니다.
>
>
> 유신 헌법 공포식 ▶
> [출처: 뉴스뱅크]

(1) 위 유신 헌법을 공포한 이후에 일어난 일을 보기 에서 찾아 ○표를 하시오.

> 보기
> • 4·19 혁명   • 이승만의 독재   • 박정희의 사망

(2) 위 밑줄 친 유신 헌법의 내용을 한 가지만 쓰시오.

_____

_____

17 다음은 정치 참여에 대한 설명입니다.   11종 공통

> 오늘날 시민들은 캠페인, 서명 운동, 1인 시위 등의 방법으로 사회 문제 해결에 참여하고 있습니다. 그 밖에도 대중 매체를 활용하여 정치적 의견을 제시합니다. 또한 [   ] 등을 만들어 가입하여 활동하기도 합니다.

(1) 위 □ 안에 들어갈 알맞은 말을 한 가지만 쓰시오.

(   )

(2) 위 내용을 읽고, 옛날과 달라진 오늘날 정치 참여 방법의 특징을 한 가지만 쓰시오.

_____

서술형 가이드
어려워하는 서술형 문제!
서술형 가이드를 이용하여 풀어 봐!

15 (1) 4·19 혁명 당시 시민들은 이승만 정부의 [   ] 를 막고자 했습니다.

(2) 1960년 3월 15일, 이승만 정부는 부정한 방법으로 선거를 치러 (이겼습니다 / 졌습니다).

16 (1) 1979년, 혼란스러운 상황에서 [   ] 는 부하에게 죽임을 당했습니다.

(2) 유신 헌법은 [   ] 을 할 수 있는 횟수를 제한하지 않았습니다.

17 (1) 정치적 의견이나 생각을 같이하는 사람들이 모여 만든 단체는 [   ] 입니다.

(2) 오늘날 사회 공동의 문제 해결에 참여하는 방법은 (한 / 여러) 가지입니다.

학습 주제 민주주의가 발전해 온 과정

학습 목표 4·19 혁명, 5·18 민주화 운동, 6월 민주 항쟁이 민주주의 발전에 끼친 영향을 알 수 있다.

민주주의를 지키려는 시민들의 노력

· 4·19 혁명: 이승만 정권의 독재에 맞서 시민들이 스스로의 힘으로 민주주의를 지켜 낸 사건

· 5·18 민주화 운동: 광주에서 시민들이 계엄 해제와 민주주의 회복을 요구하며 벌인 대규모 시위

· 6월 민주 항쟁: 전두환 정부의 독재에 반대하고 대통령 직선제를 요구하며 전국에서 벌어진 시위

1
단원

진도 완료 체크

[18~20] 다음은 민주주의와 관련 있는 사건들입니다.

㉠

⬥ 이승만 정부가 3월 15일에 부정 선거를 했음. [출처: 뉴스뱅크]

㉡

⬥ 6월에 시민들이 대통령 직선제를 요구하며 대규모 시위를 함.

㉢

⬥ 4월 19일에 전국에서 시민들이 시위를 함. [출처: 뉴스뱅크]

㉣

⬥ 5월 18일에 전남대학교 학생들이 시위를 함.

18 위 사건 중 가장 먼저 일어난 일을 찾아 기호를 쓰시오. 11종 공통

(   )

19 위 사건 중 다음 어린이의 말과 관련 있는 것을 찾아 기호를 쓰시오. 11종 공통

이 사건을 계기로 대통령을 우리 손으로 직접 뽑을 수 있게 되었고, 지방 자치제가 부활되었어요.

(   )

민주주의는 시민들의 노력으로 이룬 것이야.

20 위 ㉡~㉣ 사건의 공통점을 한 가지만 쓰시오. 11종 공통

_____

_____

개념 ① 민주주의의 의미

1. 생활 속 정치

① 정치: 사람들이 각자 원하는 것이 달라 서로 다투거나, 함께 해결해야 하는
공동의 문제가 생길 수 있는데, 이러한 갈등이나 문제를 해결하는 과정을
말합니다.

→ 좁은 의미로는 정치인들이 국가의 일을 결정하는 것을 말하기도 합니다.

② 생활 속 정치의 사례

> 짝을 어떻게 정하면 좋을까?
> 친한 친구와 짝이 되면 좋겠어.
> 학년별 운동장 사용 시간을 어떻게 나누는 것이 좋을까요?
> 한 학년이 한 달씩 돌아가면서 사용하도록 해요!
> 우리 지역의 주차 문제를 어떻게 해결해야 할까요?

주민 회의

⚠ 학급에서　　⚠ 학교에서　　⚠ 지역에서

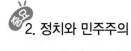 2. 정치와 민주주의

① 정치 참여의 변화 모습

옛날	오늘날
왕이나 신분이 높은 사람만 정치에 참여할 수 있었음.	직업이나 재산, 성별 등에 관계없이 누구나 정치에 참여할 수 있음.

② 민주주의: 오늘날 정치 참여의 모습과 같이 모든 국민이 나라의 주인으로서, 자유롭고 평등하게 정치에 참여하는 제도를 말합니다.

③ 다양한 민주주의의 모습

> 민주주의는 영어로 데모크라시인데, 이는 고대 그리스어의 '국민'을 뜻하는 말과 '지배'를 뜻하는 말을 합친 단어로, '국민이 지배한다'는 뜻입니다.

⚠ 학급 회의

⚠ 지방 의회 [출처: 연합뉴스]

> 일상생활에서 발생하는 여러 문제를 민주적으로 해결하는 것도 민주주의이며, 이를 실현하려면 자유로운 대화와 토론이 바탕이 되어야 해요.

☑ 정치

사람들이 공동체 속에서 함께 살아가면서 생기는 다툼이나 ❶ □ ㅈ 를 원만하게 해결해 가는 과정입니다.

> 점심 메뉴를 정해 볼까?
> 오늘 점심은 떡볶이!
> 다 좋아!
> 건강에 좋은 샐러드!

☑ 민주주의

국민이 나라의 주인으로서 권리를 지니고, 그 권리를 자유롭고 평등하게 행사하는 ❷ ㅈ ㅊ 형태를 말합니다.

> 그냥 점심 메뉴는 아빠가 정해야겠다.
> 그건 민주주의가 아니에요!

정답 ❶ 문제 ❷ 정치

내 교과서 살펴보기 / 천재교과서, 교학사, 금성출판사, 동아출판

주민 자치회

• 지역 주민들이 지역의 일을 스스로 해결하기 위해 만든 것으로, 지역에서 민주주의를 실천하는 모습입니다.

• 주민 자치회와 같은 공동체를 구성하면 대화와 토론을 거쳐 지역의 문제를 해결할 수 있습니다.

개념 ② 민주주의의 중요성 → 민주주의 사회에서는 구성원 모두가 직접 또는 대표를 통해서 공동체의 중요한 일을 의논하고 결정하는 데 참여합니다.

1. 민주주의의 기본 정신

① 민주주의의 기본 정신 세 가지

인간의 존엄성	모든 사람은 인간으로서 존중받을 가치와 권리가 있음.

민주주의의 기본 정신

→ 민주주의의 목적은 국민의 자유와 평등을 보장해서 인간의 존엄성을 실현하는 것입니다.

자유	평등
국가나 다른 사람의 간섭을 받지 않고 자신이 원하는 대로 판단하여 행동할 수 있는 것	모든 사람이 성별, 인종, 재산, 신분 등에 의해 부당하게 차별받지 않고 동등하게 대우받는 것

② 인간의 존엄성과 자유, 평등의 관계: 인간의 존엄성을 실현하려면 자유와 평등을 보장해야 하고, 자유와 평등은 조화와 균형을 이루어야 합니다.

우리 모두는 인간으로서 소중한 가치를 지니고 있으므로 누구나 존중받을 권리가 있어요.
인간의 존엄성

시민 여러분의 의견을 자유롭게 말씀해 주세요.
도시 기본 계획 공청회
자유

누구나 동등하게 한 표씩 투표할 수 있어요.
기표소
평등

2. 민주주의가 중요한 까닭

① 모든 사람은 인간이라는 까닭으로 존중받아야 하기 때문입니다.
② 공동체의 구성원으로서 자유와 평등을 실현할 수 있게 하기 때문입니다.

내 교과서 살펴보기 / 교학사, 동아출판, 미래엔, 아이스크림 미디어

링컨의 연설문에 나타난 민주주의

국민의 정부	나라의 주인은 국민임.
국민에 의한 정부	국민이 정치에 참여하여 나라를 다스림.
국민을 위한 정부	정치는 국민의 행복을 위한 것이어야 함.

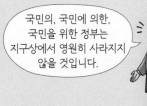

국민의, 국민에 의한, 국민을 위한 정부는 지구상에서 영원히 사라지지 않을 것입니다.

미국의 제16대 대통령 링컨 ▶

☑ 인간의 존엄성

모든 사람이 ❸ [ㅇ | ㄱ]이라는 이유만으로 존중받는 것을 말합니다.

어린이도 인간이기 때문에 존중받을 권리가 있어요.
척
척

1
단원

☑ 자유

자유는 ❹(자신 / 다른 사람)의 바람과 의지에 따라 결정하고 행동하는 것입니다.

우리는 가고 싶은 곳을 갈 수 있는 자유가 있어요!

정답 ❸ 인간 ❹ 자신

개념 ③ 민주주의를 실천하는 바람직한 태도 → 자리를 정하는 문제, 쉬는 시간에 복도에서 떠드는 문제 등을 해결하기 위해 학급 회의를 하기도 합니다.

1. 현준이네 반 학급 회의 例

다음 주는 우리 반이 운동장 청소를 할 차례 입니다. 언제 청소하면 좋을지 의견 주세요. (다희)

점심시간은 어떨까요? (현준)

→ 타당한 근거를 들어 다른 의견에 반대했습니다.

각자 점심 먹는 속도가 달라서 함께 청소하기 어렵습니다. 방과 후나 중간 놀이 시간을 이용하면 어떨까요? (민우)

중간 놀이 시간은 무조건 싫습니다. 말도 안 됩니다. (재은)

방과 후에는 서로 일정이 달라서 시간을 정하기 어렵습니다. 아침 시간에 하면 어떨까요? (소현)

아침 시간에 청소하는 것도 좋은 방법 같습니다. (민아)

하지만 집이 먼 친구들은 아침에 일찍 오기 힘듭니다. (도현)

빨리 집에 가고 싶다. 나는 무조건 짝꿍 의견에 찬성할 건데…… (선우)

그럼 희망하는 시간별로 운동장 구역을 나눠서 청소하면 어떨까요? (현지)

좋아요.

모두 동의했으니 현지의 의견대로 청소하겠습니다.

① 바람직한 태도로 참여한 학생

현준, 민우, 소현, 민아, 도현, 현지	다른 의견을 존중하고, 비판적으로 보는 태도를 지녔기 때문에

② 바람직하지 않은 태도로 참여한 학생

재은, 선우	자기 의견만을 고집하거나, 고민하지 않고 다른 친구의 의견을 따르려고 했기 때문에

2. 생활 속에서 민주주의를 실천하기 위해 지녀야 할 태도

양보와 타협	상대방에게 어떤 일을 배려하고 서로 협의하는 것
관용	나와 다른 의견을 인정하고 포용하는 태도
비판적 태도	사실이나 의견의 옳고 그름을 따져 살펴보는 태도

→ 남을 너그럽게 감싸 주거나 받아들이는 것입니다.

☑ **타협**

어떤 일에 대해 서로 양보를 하고 ❺ ☐☐ 하는 것입니다.

서로 하나씩 양보하며 극적으로 점심 메뉴를 타협했어!

☑ **관용**

남의 잘못 따위를 너그럽게 받아들이 거나 ❻(용서 / 비판)하는 것입니다.

나는 관용이 넘치는 사람이다 ……

정답 ❺ 존중 ❻ 용서

내 교과서 살펴보기 / **천재교육, 교학사, 금성출판사, 동아출판, 비상교과서, 아이스크림 미디어, 지학사**

생활 속에서 민주주의를 실천할 때 필요한 태도

• 관심과 참여: 내가 속한 공동체의 일에 관심을 가지고 적극적으로 참여해야 합니다.

• 대화와 토론: 공동체에서 발생하는 문제와 갈등은 대화와 토론을 통해 해결하려고 노력해야 합니다.

• 실천: 함께 결정한 일은 잘 따르고 실천해야 합니다.

개념 다지기

천재교육, 천재교과서, 교학사, 금성출판사, 김영사, 동아출판, 미래엔, 비상교과서, 비상교육

1 다음 그림을 보고, ( ) 안의 알맞은 말에 ○표를 하시오.

> 짝을 어떻게 정하면 좋을까?
>
> 친한 친구와 짝이 되면 좋겠어.
>
> 학년별 운동장 사용 시간을 어떻게 나누는 것이 좋을까요?
>
> 한 학년이 한 달씩 돌아가면서 사용하도록 해요!

⬆ 학급에서　　　　　⬆ 학교에서

> 위와 같이 학급이나 학교에서 공동의 문제를 해결하는 과정을 (정치 / 경제)라고 합니다.

천재교육, 천재교과서, 교학사, 금성출판사, 김영사, 동아출판, 미래엔, 비상교과서, 비상교육

2 정치에 대해 바르게 말한 어린이를 쓰시오.

> 하유: 오늘날 신분이 높은 사람들만 정치에 참여할 수 있어요.
> 지성: 사람들 사이에 일어나는 갈등을 해결하는 과정을 말해요.
> 채훈: 옛날에 우리나라에서는 누구나 정치에 참여할 수 있었어요.

(　　　　　)

11종 공통

3 다음에서 설명하는 말은 어느 것입니까? (　　)

> 권력을 지닌 소수의 사람이 나라를 지배하는 것이 아니라 국민이 나라의 주인으로서 권리를 지니고, 그 권리를 자유롭고 평등하게 행사하는 정치 형태입니다.

① 세계화　　　　　② 자유주의
③ 평등주의　　　　④ 차별주의
⑤ 민주주의

11종 공통

4 다음 보기에서 민주주의의 기본 정신을 모두 찾아 기호를 쓰시오.

> **보기**
> ㉠ 자유　　　㉡ 편견　　　㉢ 차별
> ㉣ 평등　　　㉤ 구별　　　㉥ 인간의 존엄성

(　 , 　 , 　)

11종 공통

5 다음 어린이의 말과 가장 관련 있는 민주주의의 기본 정신을 쓰시오.

> 누구나 동등하게 한 표씩 투표할 수 있어요.

기표소

(　　　　　)

천재교육

6 학급 회의에서 의견을 말하고 있는 다음 어린이에 대한 설명으로 알맞은 것은 어느 것입니까? (　　)

> 중간 놀이 시간에 운동장 청소를 하는 것은 무조건 싫습니다. 말도 안 됩니다!

① 관용의 자세를 갖고 있다.
② 자기 의견만 고집하고 있다.
③ 다른 사람과 타협을 하고 있다.
④ 다른 사람의 의견을 존중하고 있다.
⑤ 비판적 태도로 다른 의견을 살펴보고 있다.

1 단원

개념① 양보와 타협을 통해 문제 해결하기 → 양보와 타협을 통해 서로 존중하며 의견 차이를 줄여 나갈 수 있습니다.

1. △△시에서 발생한 쓰레기 매립장 건설 문제

주민들의 반대가 심합니다.

쓰레기 매립장 건설 문제를 해결하고자 열린 △△시 주민 회의

우리 지역의 쓰레기 매립장 건설과 관련해 여러분의 의견을 말씀해 주십시오.

저는 쓰레기 매립장 건설을 반대합니다. 쓰레기 매립장이 건설되면 냄새가 심하게 나고 환경이 오염되기 때문입니다.

저도 쓰레기 매립장의 필요성은 알고 있지만, 우리 지역의 이미지가 나빠질 것이 걱정됩니다.

쓰레기를 깨끗하게 처리하는 첨단 시설을 갖추면 냄새나 오염을 막을 수 있습니다.

쓰레기 매립장을 만들면서 우리 주민들에게 필요한 것도 함께 만들면 어떨까요?

저도 그 의견에 동의합니다. 우리 지역에는 공원이 없어서 아쉽습니다.

그렇다면 쓰레기 매립장과 함께 공원을 만들 계획을 수립하겠습니다.

쓰레기 매립장 건설과 함께 공원을 만드는 것에 동의하십니까?

네, 동의합니다.

➡ 주민 회의에 주민 대표와 시장, 시청 공무원, 시 의회 의원이 참석해 대화와 토론을 거쳐 양보와 타협을 통해 문제를 해결했습니다.

2. 문제 해결의 과정

문제 발생	주민 회의를 통한 의견 제시	문제 해결
지역 주민들은 냄새와 지역 이미지 때문에 쓰레기 매립장 건설을 반대함.	시장이 쓰레기를 깨끗하게 처리하는 시설을 제안하고, 시 의원은 주민들에게 필요한 시설도 함께 설치하고자 함.	주민들은 쓰레기 매립장과 함께 공원을 만드는 것에 동의함.

내 교과서 살펴보기 / 천재교과서, 미래엔, 아이스크림 미디어

주민들이 반대하는 시설 설치 문제를 해결하기 위한 공청회 개최

· 공청회는 공공 기관이 어떤 일을 결정할 때 공개적으로 다양한 사람의 의견을 듣는 모임입니다.
· 공청회를 하면 지역 주민들의 다양한 의견을 수용하여 지역 문제를 민주적으로 해결할 수 있습니다.

용어 사전

· 매립장(埋 묻을 매 立 설 립 場 마당 장) 돌이나 흙, 쓰레기 따위로 메워 올리는 우묵한 땅
· 동의(同 한 가지 동 意 뜻 의) 의사나 의견을 같이함.

개념 2 다수결의 원칙을 통해 문제 해결하기 → 다수의 의견이 항상 옳은 것은 아닙니다.

1. **다수결의 원칙**: 다수의 의견이 소수의 의견보다 합리적일 것이라 가정하고 다수의 의견을 채택하는 방법입니다.

2. **다수결의 원칙을 통해 문제를 해결하는 경우**: 대화와 토론을 충분히 했지만 의견을 하나로 모으기 어려울 때 활용합니다.

3. **다수결의 원칙의 특징**

장점	쉽고 빠르게 문제를 해결할 수 있음.
단점	소수의 의견이 존중되지 못함.
주의할 점	• 결정에 앞서 충분한 대화와 토론을 거쳐야 함. • 소수의 의견도 존중하는 결정을 하려고 노력해야 함. • 사회적 지위나 성별, 나이 등에 따른 차별 없이 의견을 말할 기회가 동등하게 주어져야 함.

→ 다른 의견에 대해 깊이 생각해 볼 기회를 가져야 하기 때문입니다.

내 교과서 살펴보기 / 교학사

소수 의견을 존중하는 방법 예

소수 의견을 가진 사람에게 자신의 의견을 말할 기회를 줌. ➡ 그 사람의 입장에서 깊이 생각해 봄. ➡ 소수의 의견을 가진 사람과 합의를 이루기 위해 대화와 타협을 함.

4. **다수결의 원칙을 활용하는 사례** → 선거에서 대표자를 결정할 때에도 다수결의 원칙을 이용합니다.

공공 주차장 건설에 찬성하시는 분은 손을 들어 주세요.

지역에서

휴가 때 어디로 놀러 갈지 다수결로 정해 볼까?

가정에서

우리 반 단체복의 색을 무엇으로 할지 다수결로 결정합시다.

학급에서

☑ **다수결의 원칙**

다수의 의견이 소수의 의견보다 ❷ [ㅎ][ㄹ]적일 것이라고 가정하고 다수의 의견을 따르는 방법입니다.

바다로 여행 가는 것에 찬성하는 사람은 손을 들어 주세요.

☑ **소수의 의견**

다수결의 원칙을 따를 때 ❸ [ㅅ][ㅅ]의 의견도 존중해야 합니다.

저는 놀이공원으로 여행 가고 싶은데, 좀 더 토론해 보면 안 될까요?

정답 ❷ 합리 ❸ 소수

용어
사전

가정(假 거짓 가 定 정할 정)
사실이 아니거나, 사실인지 아닌지가 분명하지 않은 것을 어떤 논리를 펴 나가기 위하여 사실인 것처럼 받아들이는 것

개념 알기

개념③ 민주적 의사 결정 원리에 따른 민주주의의 실천: 예 운동장 사용 문제

1. 공동의 문제 확인

점심시간에 운동장을 함께 사용하는 문제로 저학년과 고학년 학생들 간에 다툼이 발생했음. → 모든 학생이 함께 뛰어놀기에는 운동장이 좁습니다.

2. 문제 발생 원인 파악: 각자가 생각하는 문제의 발생 원인을 이야기해 봅니다.

점심을 먹고 난 후 고학년 학생들이 항상 운동장을 차지하고 축구를 해서 저학년 학생들이 놀 수 있는 공간이 없기 때문입니다.

그건 저학년 학생들이 점심을 천천히 먹고 나오기 때문입니다.

고학년 학생들이 저학년 학생들을 배려해 주지 않기 때문입니다.

3. 문제 해결 방안 탐색: 문제 해결 방안을 이야기하며, 장단점을 생각해 봅니다.

점심시간을 반으로 나누어 저학년과 고학년이 각각 사용하는 것은 어떨까요?

그렇게 되면 저학년은 밥을 천천히 먹기 때문에 운동장을 사용할 수 없을 거예요. → 단점

그럼 학년별로 하루씩 돌아가며 운동장을 사용하는 것은 어떨까요?

학년별로 운동장을 사용하는 달을 정해요.

장점 → 운동을 규칙적으로 하는 것이 좋으므로 운동장을 학년별로 하루씩 사용하자는 의견에 동의해요.

4. 문제 해결 방안 결정 및 실천

대화와 토론으로 *합의가 되지 않아서 다수결의 원칙에 따라 고학년과 저학년이 운동장을 하루씩 돌아가며 사용하기로 하고, 실천하도록 노력했음.

내 교과서 살펴보기 / 교학사, 미래엔, 비상교과서

민주적 의사 결정 원리에 따라 문제를 해결한 후 자신의 태도 점검하기
• 나와 다른 의견을 존중했습니까?
• 여러 의견의 옳고 그름을 따져 보았습니까?
• 다수결로 결정하기 전에 충분한 대화와 토론을 하려고 노력했습니까?

개념 체크

☑ 문제 확인

우리 주변에서 함께 해결해야 하는 ④ [ㅁ][ㅈ] 를 찾는 과정입니다.

우리 학교에서 쓰레기 분리배출이 제대로 되지 않는 문제가 심각해.

☑ 문제 해결 방안 탐색

각자 생각한 문제 해결 방안의 장점과 ⑤ [ㄷ][ㅈ] 이 무엇인지 이야기합니다.

쓰레기장에 분리배출 안내문을 붙여 두면 친구들이 보고 실천할 수 있다는 장점이 있어.

쓰레기 분리배출 방법
1.
2.
3.

정답 ④ 문제 ⑤ 단점

용어 사전

*합의(合 합할 합 意 뜻 의)
서로 의견이 일치함.

개념 다지기

[1~2] 다음 만화를 읽고, 물음에 답하시오.

쓰레기 매립장 건설 문제를 해결하고자 열린 △△시 주민 회의

우리 지역의 쓰레기 매립장 건설과 관련해 여러분의 의견을 말씀해 주십시오.

쓰레기 매립장이 건설되면 냄새가 심하게 나고 환경이 오염되기 때문에 반대합니다.

저도 우리 지역의 이미지가 나빠질 것이 걱정됩니다.

첨단 시설을 갖추면 냄새나 오염을 막을 수 있습니다.

쓰레기 매립장을 만들면서 우리 주민들에게 필요한 것도 함께 만들면 어떨까요?

저도 그 의견에 동의합니다.

쓰레기 매립장과 함께 공원을 만들 계획을 수립하겠습니다.

쓰레기 매립장 건설과 함께 공원을 만드는 것에 동의하십니까?

네, 동의합니다.

천재교과서

1 위 만화에 대한 설명으로 알맞지 <u>않은</u> 것은 어느 것입니까? ( )

① 주민 회의를 통해 해결 방안을 찾지 못했다.

② 쓰레기 매립장 건설 문제에 대해 회의하고 있다.

③ 지역의 문제를 해결하기 위해 주민 회의를 열었다.

④ 쓰레기 매립장을 건설하려고 할 때 반대하는 주민들이 있었다.

⑤ 주민 대표, 시장, 시청 공무원, 시 의회 의원 등이 회의에 참여하고 있다.

11종 공통

2 위 만화에서 문제를 해결한 방법으로 알맞은 것을 보기 에서 찾아 기호를 쓰시오.

보기

㉠ 양보와 타협

㉡ 다수결의 원칙

㉢ 시청 공무원의 강요

( )

11종 공통

3 다수결의 원칙에 대한 설명에서 ㉠, ㉡에 들어갈 말이 알맞게 짝 지어진 것은 어느 것입니까? ( )

문제를 해결할 때 ㉠ 의 의견이 ㉡ 의 의견보다 합리적일 것이라 가정하고 ㉠ 의 의견을 채택하는 방법입니다.

	㉠	㉡		㉠	㉡
①	소수	다수	②	다수	소수
③	소수	어린이	④	다수	어린이
⑤	어린이	소수			

11종 공통

4 다수결의 원칙에 대해 바르게 말한 어린이를 쓰시오.

세미: 다수결의 원칙을 따르는 것이 항상 최선의 선택이에요.

단율: 다수결의 원칙에 따라 결정을 하기 전에 대화와 토론을 해야 해요.

지한: 다수결의 원칙은 결정하기까지 시간이 매우 오래 걸린다는 특징이 있어요.

( )

천재교육, 천재교과서, 김영사, 동아출판, 비상교과서, 아이스크림 미디어

5 민주적 의사 결정 원리에 따라 문제를 해결하는 과정에서 가장 먼저 해야 할 일은 어느 것입니까? ( )

① 문제 확인하기

② 문제 해결 방안 실천하기

③ 문제 해결 방안 탐색하기

④ 문제 해결 방안 결정하기

⑤ 문제 발생 원인 파악하기

Step ① 단원평가

[1~5] 다음은 개념 확인 문제입니다. 물음에 답하시오.

1 갈등이나 공동의 문제를 사람들이 함께 해결하는 과정을 무엇이라고 합니까? (   )

2 모든 국민이 나라의 주인으로서, 자유롭고 평등하게 정치에 참여하는 제도를 무엇이라고 합니까?
(   )

3 민주주의의 기본 정신은 인간의 존엄성, 자유, (평등 / 편견)입니다.

4 쓰레기 매립장 건설 반대 문제를 타협을 통해 해결하기 위해 (주민 회의 / 대규모 시위)를 열었습니다.

5 다수의 의견이 소수의 의견보다 합리적일 것이라 가정하고 다수의 의견을 채택하는 방법을 무엇이라고 합니까? (   )

천재교육, 천재교과서, 교학사, 금성출판사, 김영사,
동아출판, 미래엔, 비상교과서, 비상교육

6 정치에 대한 설명으로 알맞은 것을 두 가지 고르시오.
(,   )

① 생활 속에서도 정치가 이루어진다.
② 어린이들은 정치에 참여할 수 없다.
③ 학교나 학급에서는 정치가 이루어지지 않는다.
④ 정치는 국가의 일을 결정하는 활동을 말하기도 한다.
⑤ 오늘날에는 대통령과 국회의원만 정치에 참여할 수 있다.

11종 공통

7 다음 내용에 대한 설명으로 알맞은 것을 보기에서 찾아 기호를 쓰시오.

> 선생님: 학교 급식 만족도를 높일 수 있는 방법은 무엇일까요?
> 학생: 어린이들이 좋아하는 메뉴가 늘어나면 좋겠어요.
> 학부모: 매달 의견을 반영해서 식단을 구성하면 어떨까요?

보기
㉠ 대화와 토론을 하지 않고 있습니다.
㉡ 일상생활에서 경험하는 민주주의의 모습입니다.
㉢ 학교생활에서 중요한 일을 결정할 때 선생님만 참여합니다.

(   )

11종 공통

8 다음 ㉠~㉢에 들어갈 말을 알맞게 나열한 것은 어느 것입니까? (   )

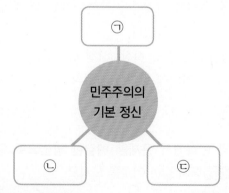

① 재산, 자유, 평등
② 재산, 신분, 인종
③ 종교, 재산, 피부색
④ 인간의 존엄성, 자유, 평등
⑤ 인간의 존엄성, 편견, 차별

11종 공통

9 다음 그림에 해당하는 말을 바르게 줄로 이으시오.

(1) ·

· ㉠ 평등

(2) ·

· ㉡ 자유

11종 공통

10 민주주의를 실천하는 태도로 알맞지 <u>않은</u> 것은 어느 것입니까? (   )

① 관용   ② 양보
③ 타협   ④ 무시
⑤ 비판적 태도

11종 공통

11 토론하는 과정에서 비판적 태도를 지닌 어린이는 누구입니까? (   )

① 아영: 다른 친구의 주장을 포용했어요.
② 하준: 빨리 집에 가고 싶어서 토론에 집중하지 못했어요.
③ 지언: 다른 친구의 주장에 잘못된 점은 없는지 살펴보았어요.
④ 누리: 짝꿍이 주장하는 대로 하고 싶어서 의견을 내지 않았어요.
⑤ 형인: 내가 주장하는 대로 결정되지 않아서 더 이상 토론하고 싶지 않았어요.

11종 공통

12 다음 밑줄 친 '이것'은 무엇입니까? (   )

• <u>이것</u>은 공공 기관이 어떤 일을 결정할 때 공개적으로 다양한 사람의 의견을 듣는 모임입니다.
• <u>이것</u>을 통해 지역 주민들의 다양한 의견을 수용하여 지역 문제를 민주적으로 해결할 수 있습니다.

① 재판   ② 선거
③ 캠페인   ④ 공청회
⑤ 지방 자치제

11종 공통

13 다음 사례에서 공통적으로 문제를 해결한 방법은 어느 것입니까? (   )

① 경쟁을 통해 해결했다.
② 다수결의 원칙에 따랐다.
③ 소수의 의견에 따라 결정했다.
④ 민주적이지 않은 방법으로 해결했다.
⑤ 서로 다른 주장을 비판하며 해결했다.

천재교육, 천재교과서, 김영사, 동아출판, 비상교과서, 아이스크림 미디어

14 민주적 의사 결정 원리에 따라 문제를 해결할 때 해야 할 일을 보기 에서 찾아 기호를 쓰시오.

보기
㉠ 문제 해결 방안을 탐색할 때에는 단점만 살펴봅니다.
㉡ 문제를 확인한 후에는 문제의 발생 원인을 파악해 봅니다.
㉢ 나와 다른 의견으로 문제 해결 방안이 결정되었으면 실천하지 않아도 됩니다.

(   )

천재교육, 천재교과서, 교학사, 금성출판사, 김영사, 동아출판, 미래엔, 비상교과서, 비상교육

15 오른쪽은 학급에서 어린이들이 공동의 문제를 해결하는 모습입니다.

(1) 오른쪽과 같이 학급에서 짝을 정하는 문제를 의논하는 것도 생활 속 (경제 / 정치)의 모습입니다.

(2) 위 (1)번 답의 의미를 쓰시오.

답 사람들이 공동체 속에서 함께 살아가면서 생기는 다툼이나 문제를 원만하게 [   ] 해가는 과정을 말한다.

🔆 **서술형 가이드**
어려워하는 서술형 문제!
서술형 가이드를 이용하여 풀어 봐!

15 (1) 정치는 [   ]를 다스리는 일을 뜻하기도 합니다.

(2) 사람들이 함께 살아가다 보면 서로의 생각이나 입장이 달라서 [   ]이나 문제가 나타나기도 합니다.

---

16 다음은 민주주의와 어울리거나 어울리지 않는 낱말들입니다.   11종 공통

| • 독재 | • 자유 | • 평등 | • 차별 |

(1) 위 낱말 중 '민주주의'와 어울리는 것을 찾아 두 가지 쓰시오.

(,   )

(2) 위 (1)번 답을 참고하여 민주주의의 의미를 쓰시오.

_____

_____

16 (1) 독재는 (한 / 여러) 사람이 권력을 차지하고 있는 것입니다.

(2) 민주주의 국가에서는 (국민 / 대통령)이 국가의 주인입니다.

---

17 다음은 친구들이 다수결의 원칙에 대해 나눈 대화입니다.   11종 공통

> 다온: 다수의 의견이 소수의 의견보다 합리적일 것이라고 가정하고 다수의 의견을 따르는 방법이야.
> 서진: 맞아, 그래서 다수결의 원칙에 따라 결정된 것은 항상 옳지.
> 율리: 그리고 다수결의 원칙을 따르면 쉽고 빠르게 문제를 해결할 수 있어서 좋아.

(1) 위 대화에서 다수결의 원칙에 대해 잘못 말한 어린이를 찾아 쓰시오.

(   )

(2) 위 (1)번 답 어린이의 말을 바르게 고쳐 쓰시오.

_____

_____

17 (1) 대화와 토론을 충분히 해도 의견을 하나로 모으기 어려울 때 [   ]의 원칙으로 문제를 해결하기도 합니다.

(2) 다수결의 원칙을 따르는 것이 항상 최선의 선택(입니다 / 은 아닙니다).

단원 **실력 쌓기** 정답 5쪽

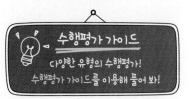

학습 주제 민주주의를 실천하기 위해 지녀야 할 태도

학습 목표 생활 속에서 민주주의를 실천하는 바람직한 태도를 알 수 있다.

[18~20] 다음은 운동장 청소에 관해 학급 회의를 하고 있는 모습입니다.

민주주의를 실천하기 위해 지녀야 할 태도

- 양보와 타협: 상대방에게 어떤 일을 배려하고 서로 협의하는 것
- 관용: 나와 다른 의견을 인정하고 포용하는 태도
- 비판적 태도: 사실이나 의견의 옳고 그름을 따져 살펴보는 태도

1 단원

진도 완료 체크

18 위 학급 회의에서 바람직한 태도로 참여한 어린이를 두 명만 쓰시오. 천재교육

(,)

19 위 학급 회의에서 바람직하지 않은 태도로 참여한 어린이를 두 명만 쓰시오. 천재교육

(,)

학급 회의를 할 때 가장 좋은 의견을 찾기 위해 함께 노력해야 해.

20 위 내용을 참고하여 학급 회의를 할 때 지녀야 할 바람직한 태도를 쓰시오. 11종 공통

_____

_____

개념 ① 민주정치의 기본 원리

1. 국민 주권의 원리 → 국민이 나라의 주인이 되고, 국민의 뜻에 따라 이루어지는 정치

① 국민 주권의 의미: 국민이 한 나라의 주인으로서 나라의 중요한 일을 스스로 결정하는 권리를 말합니다.

② 국민 주권의 원리가 드러난 헌법 조항: 우리나라 헌법에서는 주권이 국민에게 있음을 밝히고 있으며, 이를 실현하고자 국민의 자유와 권리를 법으로 보장하고 있습니다.

> 제1조
>
> ① 대한민국은 민주 공화국이다. → 국민에게 주권이 있고, 국민의 의사에 따라 주권이 행사되는 나라
>
> ② 대한민국의 주권은 국민에게 있고, 모든 권력은 국민으로부터 나온다.

③ 국민 주권의 원리가 드러나는 모습

[출처: 연합뉴스]
국민은 선거를 통해 원하는 후보자에게 투표하여 자신의 뜻을 전함.
→ 국민 주권을 행사하는 가장 기본적인 방법

국민은 인터넷 게시판에 직접 정책을 제안하거나 정치적 의견을 올림.

[출처: 연합뉴스]
국민은 중요한 사회 문제가 있을 때 직접 모여서 해결을 요구하기도 함.

내 교과서 살펴보기 / **천재교과서, 금성출판사, 김영사, 미래엔, 비상교과서, 비상교육, 지학사**

선거의 원칙

보통 선거	평등 선거	직접 선거	비밀 선거
만 18세 이상의 국민이면 누구나 투표할 수 있음.	모든 사람이 행사하는 표의 개수와 가치는 같음.	투표는 선거권이 있는 사람이 직접 해야 함.	누구에게 투표했는지 다른 사람이 알 수 없음.

☑ **국민 주권의 원리**

주권이 ❶ ㄱ ㅁ 에게 있으며, 나라의 중요한 일을 국민 스스로 결정할 수 있다는 것입니다.

우리 모두가 우리나라의 주인이에요.

☑ **선거**

선거권을 가진 사람이 공직에 임할 사람을 ❷ ㅌ ㅍ 로 뽑는 일입니다.

제 XX대 국회의원 선거
나도 얼른 선거권을 갖고 싶다.
후보자들을 잘 살펴보고 뽑아야 한다고!

정답 ❶ 국민 ❷ 투표

용어 사전

주권(主 주인 주 權 권력 권)
국가가 하고자 하는 일을 최종적으로 결정하는 권력

2. 권력 분립의 원리

① 국가 권력을 여러 국가기관이 나누어 맡아 서로 견제하고 균형을 이루게 하는 원리입니다.

② 권력 분립의 원리가 드러난 헌법 조항

> 제40조   입법권은 국회에 속한다. → 법을 만듦.
> 제66조   ④ 행정권은 대통령을 수반으로 하는 정부에 속한다. → 법에 따라 나라를 운영함.
> 제101조   ① 사법권은 법관으로 구성된 법원에 속한다. → 법에 따라 재판함.

3. 민주정치의 기본 원리를 지키는 까닭

① 인간의 존엄성을 실현하기 위해서입니다.

② 자유와 평등을 보장하기 위해서입니다.

개념 ② 국회의원

의미	국민이 선거로 뽑는 국민의 대표
자격 조건	만 18세 이상의 대한민국 국민
선출 방법	• 4년에 한 번씩 선거로 뽑음. → 임기가 4년입니다. • 지역 주민들이 뽑아 주면 몇 번이고 다시 할 수 있음.

내 교과서 살펴보기 / 천재교육, 천재교과서

국회 의사당 → 서울특별시 영등포구에 있습니다.

⬆ 국회의원들이 일하는 국회 의사당

둥근 모양의 지붕은 국민의 다양한 의견을 하나로 모으겠다는 의미가 담겨 있음.

건물을 둘러싼 24개의 기둥은 24시간 내내 국민의 뜻을 살피겠다는 의미임.

해태는 사악한 기운을 물리치고, 옳고 그름을 지혜롭게 판단한다는 상상 속 동물임.

☑ 권력 분립의 원리

국가기관이 ❸ [ㄱ][ㄹ]을 나누어 맡도록 하는 것입니다.

권력이 집중되지 않도록 해야지.

1 단원

☑ 국회의원

국민을 대신하여 나라의 중요한 일을 결정하는 국민의 ❹ [ㄷ][ㅍ]입니다.

국민 여러분을 대표하여 열심히 일하겠습니다!

정답 ❸ 권력 ❹ 대표

용어
사전

*수반(首 머리 수 班 나눌 반)
행정부의 가장 높은 자리에 있는 사람

개념③ 국회(입법부)가 하는 일

1. 법을 만드는 일

① 국회는 법을 만들거나 고치고 없애는 일을 합니다.

② 법은 민주주의 국가에서 문제를 해결하는 기준이므로, 법을 만드는 일은 국회에서 하는 일 중 가장 중요합니다.

③ 법을 만드는 과정 예

1 어린이 보호 구역 내 교통사고 급증

교통사고를 줄일 수 있도록 어린이 보호 구역 내 안전시설을 설치하자는 요구가 커짐.

⌄

2 국회의원의 관련 법률안 발의

○○○ 의원이 「어린이 보호 구역 내 교통 안전시설 설치 의무화 법안」을 발의하여 법이 만들어짐. → 국회의원은 적절한 법률안인지 살펴보고, 투표를 통해 법률안을 통과시킵니다.

⌄

3 어린이 보호 구역 내 교통 안전시설 설치

어린이 보호 구역 내에 속도 제한용 안전표지, 무인 교통 단속용 장비, 과속 방지 시설 등이 의무적으로 설치됨. → 학교 앞에 교통 안전시설이 설치되어 어린이들이 안전하게 다닐 수 있게 되었습니다.

> 내 교과서 살펴보기 / **천재교육, 천재교과서, 금성출판사, 김영사, 비상교과서**

법률안 제안서 예

법률안 이름	어린이 인권 보호를 위한 일요일 사교육 금지 법률안
제안하는 까닭	우리가 살아가는 데 자유롭게 시간을 즐기는 것이 매우 중요하므로, 일주일에 최소한 하루는 어린이의 휴식권이 보장되도록 사교육을 금지해야 함.
주요 내용	이 법에서는 초등학생의 일요일 사교육 금지를 제안함. ① 이는 어린이의 인권을 보장하고 휴식권을 지키기 위함임. ② 일요일에 실시되는 어린이 대상 사설 학원 영업과 개인 교습을 금지함.

2. 국정감사

① 정부가 법에 따라 일을 잘하고 있는지 확인하는 것입니다.

② 공무원에게 궁금한 점을 묻고, 잘못한 일이 있으면 바로잡도록 요구합니다.

3. 예산안 심의·확정 → 나라의 살림에 필요한 예산이 적절한지 판단하는 것입니다.

① 정부가 계획한 예산안을 심의하여 확정하고, 정부에서 예산을 제대로 사용했는지 심사합니다.

② 예산 대부분은 국민이 낸 세금으로 마련하기 때문에 국민의 대표인 국회의원이 예산안을 심의하여 국민의 의사를 반영합니다.

개념 다지기

11종 공통

1 국민 주권의 원리에 대해 바르게 말한 어린이를 쓰시오.

> 민서: 나라의 중요한 일을 국민 스스로 결정하는 권리를 말해요.
> 지후: 우리나라 헌법에는 국민 주권의 원리에 대해 나와 있지 않아요.
> 대영: 국민의 자유와 권리를 보장하지 않아도 국민 주권의 원리는 실현되어요.

( )

11종 공통

2 국민 주권의 원리가 드러나는 모습으로 알맞지 <u>않은</u> 것은 어느 것입니까? ( )

① 인터넷 게시판에 직접 정책을 제안했다.
② 국회의원 선거에서 원하는 후보자에게 투표했다.
③ 중요한 사회 문제를 해결하기 위해 집회에 참여했다.
④ 인터넷 게시판에 정치적 문제에 대한 의견을 올렸다.
⑤ 투표하고 싶은 후보가 없어서 대통령 선거에 참여하지 않았다.

11종 공통

3 권력 분립의 원리에 대한 설명으로 알맞은 것을 보기 에서 찾아 기호를 쓰시오.

> **보기**
> ㉠ 국가 권력을 한 기관이 맡게 하는 것
> ㉡ 국가 권력을 여러 기관이 나누어 맡게 하는 것
> ㉢ 국가 권력을 국민이 아닌 대통령이 갖게 하는 것

( )

11종 공통

4 다음에서 설명하는 사람은 누구입니까? ( )

> • 국민을 대표하는 사람입니다.
> • 임기는 4년이지만, 몇 번이고 다시 할 수 있습니다.

① 판사 　　　　② 검사
③ 대통령 　　　④ 국무총리
⑤ 국회의원

11종 공통

5 다음 사진의 장소는 어디입니까? ( )

① 법원 　　　　② 경찰서
③ 청와대 　　　④ 검찰청
⑤ 국회 의사당

11종 공통

6 국회에서 하는 일로 알맞은 것에 ○표를 하시오.

(1) 법을 만들거나 고치고 없애는 일을 합니다.
( )

(2) 나라 살림에 필요한 예산을 직접 필요한 곳에 사용합니다.
( )

(3) 나랏일을 하는 공무원이 잘못한 일이 있으면 법에 따라 처벌합니다.
( )

개념 ① 정부(행정부)

└→ 정부가 법에 따라 나라를 다스리는 일

1. 정부가 하는 일

① 정부는 법에 따라 나라의 살림살이를 맡아 하는 곳으로, 사회질서를 유지하고 국민을 보호하는 일, 각종 정책을 만들고 실행하는 일, 공공시설을 만들고 관리하는 일 등을 합니다.

② 정부의 구성

→ 각 행정 부서의 최고 책임자

대통령	• 정부의 최고 책임자로, 나라의 중요한 일을 결정함. • 국무총리, 행정 각부 장관 등을 임명함. • 외국에게 우리나라를 대표하며, 외교 활동을 함. ⟶ ⓔ 외국과 조약을 체결합니다.
국무총리	• 대통령을 도와 행정 각부를 관리하고 감독함. • 대통령이 외국을 방문하거나 특별한 이유로 맡은 일을 할 수 없을 때 대통령을 대신해서 나랏일을 함.
행정 각부	많은 공무원이 국민의 안전과 행복을 위해 여러 가지 일을 함.

교육부	국민의 교육에 관한 일을 책임짐.	문화 체육 관광부	문화, 예술, 체육, 관광 등과 관련된 일을 함.
국방부	나라를 지키는 것과 관련된 일을 함.	기획 재정부	세금으로 나라 살림을 꾸리고 경제 정책을 세움.
환경부	자연환경을 보전하고 환경오염을 방지함.	보건 복지부	질병 예방 계획, 사회 복지 정책 등을 마련함.

③ 국무 회의: 정부의 주요 정책을 심의하는 최고의 심의 기관으로, 대통령과 국무총리, 행정 각부의 장관이 참석합니다.

☑ 정부

법에 따라 나라의 ❶ [ㅅ][ㄹ]을 맡아 하는 기관입니다.

정부는 공공시설도 만들어 관리하고, 정책도 만들고 정말 바쁘겠다.

정답 ❶ 살림

내 교과서 살펴보기 / 천재교육, 천재교과서, 교학사, 금성출판사, 김영사, 미래엔, 비상교육, 아이스크림 미디어

정부 세종 청사
• 행정 각부가 모여 있어 많은 공무원들이 일하고 있습니다.
• 수도권에 집중된 인구를 분산하고, 국토를 균형 있게 발전시키려고 만든 정부 종합 청사입니다.

2. 우리나라 정부 조직도

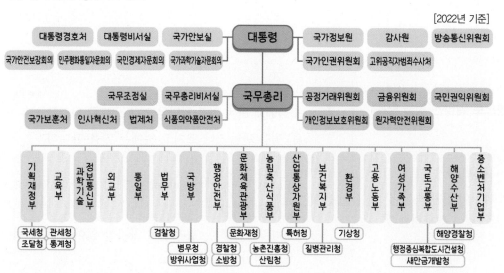

[2022년 기준]

정부 조직도는 법률에 따라 새로 만들어지거나 조정되기도 해요.

개념② 법원(사법부)

→ 법적으로 문제가 되는 사건에 대해 법원이 법에 따라 판단하는 일

1. 법원이 하는 일: 재판

△△△ 씨가 제가 그린 그림을 허락받지 않고 사용했어요.

○○○ 씨가 손해를 입은 만큼 배상하세요.

> 사람들 사이의 갈등을 해결함.

공항 소음으로 신체적, 정신적으로 너무 힘들어요.

□□□ 씨가 피해를 입은 만큼 △△시에서 보상하세요.

> 개인과 국가, 지방 자치 단체 사이에서 생긴 갈등을 해결함.

절도죄가 인정되어 징역 ○년을 선고합니다.

> 법을 지키지 않은 사람을 처벌함.

2. 공정한 재판을 위한 노력 → 재판은 국민의 자유와 권리를 보장하기 위해 공정하게 이루어져야 합니다.

① 법관은 헌법과 법률에 의하여 양심에 따라 심판합니다.
② 특정한 경우를 제외하고는 모든 재판의 과정과 결과를 공개합니다.
③ 3심 제도를 적용하여 모든 국민이 공정한 재판을 받을 수 있도록 합니다.
④ 법원은 외부의 간섭이나 영향을 받지 않고 독립적으로 운영되어야 합니다.

☑ **3심 제도**

한 사건에 대해 급이 다른 법원에서 ❸(두 / 세) 번까지 재판을 받을 수 있도록 하는 제도입니다.

억울하면 재판을 세 번까지 받을 수 있지!

대법원
고등 법원
지방 법원

정답 ❷ 재판 ❸ 세

3. 「어린이 제품 안전 특별법」에 관한 재판 살펴보기

→ 법원에 심판을 요구합니다.

○○ 회사는 유해 성분이 포함된 제품을 만들어서 팔았습니다. 강력히 처벌해 주십시오.

최종 판결합니다. 「어린이 제품 안전 특별법」에 따라 유해 제품을 만든 ○○ 회사에 벌금 ⬜ 원을 선고합니다.

피고인이 재료를 구매한 △△ 회사가 정확한 정보를 제공하지 않았습니다. 이 점을 고려하여 주십시오.

△△ 회사는 재료가 안전하다는 서류를 보여 주었습니다.

검사 / 판사 / 증거서 / 변호인 / 증인 / 피고인 / 방청석

→ 피고인을 대신해 권리를 주장하며 피고인을 도와줍니다.

내 교과서 살펴보기 / 천재교육, 교학사, 금성출판사, 김영사, 미래엔, 비상교과서, 지학사

헌법 재판소

하는 일	법률이 헌법에 어긋나지 않는지, 국가기관이 국민의 기본권을 침해했는지 등을 판단함.
구성	9명의 재판관으로 구성되어 있고, 중요한 결정을 할 때에는 6명 이상이 찬성해야 함.

개념3 삼권 분립

1. 의미: 권력 분립의 원리에 따라 국가 권력을 <u>국회, 정부, 법원</u>이 나누어
맡도록 하는 것입니다.

└→ 삼권

> 삼권 분립에 따라 국가기관이 서로 견제할 수 있어요.

2. 국가의 일을 나누어 맡는 까닭: 한 기관이 국가의 중요한 일을 마음대로 처리할 수 없도록 서로 견제하고 균형을 이루게 하여 <u>국민의 자유와 권리를 보장</u>하기 위해서입니다.

3. 국가기관이 서로 견제하는 모습

국회가 정부를 견제함(국정감사권).

국회의원들은 국정감사에서 장애인 편의 시설 부족 문제를 해결하려는 정부의 고민이 부족하다고 지적했음.

→ 법원이 헌법 재판소에 국회에서 만든 법을 심판해 달라고 요청하고 있습니다.

법원이 국회를 견제함.

◇◇ 법원 재판부는 헌법 재판소에 ☆☆법이 헌법에 위반되는지 심판해 달라고 요청했음.

국회가 법원을 견제함.

국회는 *대법원장 임명에 동의할지를 결정하는 투표를 했음.

정부가 국회를 견제함(법률안 거부권).

대통령은 오늘 국회에서 통과된 □□법에 대해 거부권을 행사했음.

→ 정부를 이끄는 대통령이 국회에서 통과시킨 법률안을 거부하고 있습니다.

개념 체크

☑ 삼권 분립

국회, 정부, 법원이 국가 ❹[ㄱ][ㄹ]을 나누어 맡는 것입니다.

> 세 기관이 서로 견제하고 균형을 이루고 있어.

[정답] ❹ 권력

내 교과서 살펴보기 / 천재교육, 금성출판사, 비상교과서, 비상교육

루이 14세

- 프랑스 역사상 가장 강력한 권력을 가졌던 왕으로, 권력을 바탕으로 마음대로 법을 바꾸거나 세금을 낭비했습니다.
- 한 사람에 의해 모든 일이 결정되었기 때문에 국민의 의견을 나랏일에 반영하지 못하고, 국민이 겪는 어려움을 해소할 수가 없었습니다.

용어사전

*대법원장
(大 큰 대 法 법 법 院 집 원 長 벼슬 이름 장)
우리나라의 최고 법원인 대법원의 우두머리가 되는 지위

개념 다지기

1. ❸ 민주정치의 원리와 국가기관의 역할(2)

11종 공통

1 정부에서 하는 일이 <u>아닌</u> 것은 어느 것입니까?

( )

① 정책을 실행한다.
② 국민을 보호한다.
③ 국정감사를 한다.
④ 공공시설을 만든다.
⑤ 사회질서를 유지한다.

11종 공통

2 다음에서 설명하는 사람은 누구입니까? ( )

• 정부의 최고 책임자입니다.
• 국민이 직접 선거로 뽑습니다.

① 검사   ② 장관
③ 대통령   ④ 국회의원
⑤ 국무총리

11종 공통

3 다음 그림에 나타난 법원에서 하는 일은 어느 것입니까? ( )

○○ 상점에서 물건을 훔친 것이 인정되어 징역 □개월을 선고합니다.

① 환경을 보전하는 일을 한다.
② 교육에 관한 일을 책임진다.
③ 법을 어긴 사람을 처벌한다.
④ 사회 복지 정책을 마련한다.
⑤ 개인과 국가 사이의 다툼을 해결해 준다.

11종 공통

4 다음 재판에 대한 설명에서 ( ) 안의 알맞은 말에 ○표를 하시오.

재판을 할 때 법관은 헌법과 법률에 의하여 그 양심에 따라 심판하여야 하고, 법원은 독립적으로 운영되어야 합니다. 또한 특정한 경우를 제외하고는 모든 재판의 과정과 결과를 공개하고, 원칙적으로 3심 제도를 적용해야 합니다. 이는 모두 (공정한 / 빠른) 재판을 위한 노력입니다.

1 단원

11종 공통

5 다음 밑줄 친 '삼권'에 해당하는 국가기관을 보기에서 모두 찾아 기호를 쓰시오.

삼권 분립

보기

㉠ 정부   ㉡ 학교   ㉢ 국회
㉣ 법원   ㉤ 경찰서   ㉥ 헌법 재판소

(, ,)

11종 공통

6 삼권 분립을 하는 까닭을 바르게 말한 어린이를 쓰시오.

원희: 국민의 자유와 권리를 보장하기 위해서예요.
지수: 우리나라에는 국가기관이 한 개밖에 없기 때문이에요.
나경: 각 국가기관이 하는 일을 서로 알지 못하게 하기 위해서예요.

( )

[1~5] 다음은 개념 확인 문제입니다. 물음에 답하시오.

1 국민이 한 나라의 주인으로서 나라의 중요한 일을 스스로 결정하는 권리를 무엇이라고 합니까?

( )

2 법을 만들고, 나라의 중요한 일을 의논하여 결정하는 국가기관은 어디입니까? ( )

3 정부는 대통령을 중심으로 (국무총리 / 국회의원)와/과 여러 부, 처, 청, 위원회 등으로 구성되어 있습니다.

4 법원은 (법 / 문화)에 따라 재판을 하는 기관입니다.

5 국민의 자유와 권리를 보장하기 위해 국회, 정부, 법원의 삼권이 (분립 / 통합)되어 있어야 합니다.

11종 공통

6 다음 헌법 조항 중 국민 주권의 원리와 가장 관련 있는 것을 찾아 기호를 쓰시오.

> **대한민국 헌법**
>
> ㉠ 입법권은 국회에 속한다.
> ㉡ 사법권은 법관으로 구성된 법원에 속한다.
> ㉢ 대한민국의 주권은 국민에게 있고, 모든 권력은 국민으로부터 나온다.

( )

11종 공통

7 다음 국민들이 하는 일에 대한 설명으로 알맞은 것은 어느 것입니까? ( )

선거를 통해 원하는 후보자에게 투표를 함.

인터넷 게시판에 직접 정치적 의견을 올림.

① 경제활동을 하는 모습이다.
② 국민 주권의 원리를 실현하는 모습이다.
③ 권력 분립의 원리를 실현하는 모습이다.
④ 나라의 중요한 일에 관심이 없는 모습이다.
⑤ 강력한 권력을 마음대로 사용하는 모습이다.

천재교육, 천재교과서

8 다음 국회 의사당 건물의 의미가 바르게 연결된 것을 찾아 기호를 쓰시오.

> ㉠ 둥근 모양의 지붕은 국회 의사당 주변 지형이 둥글다는 뜻임.

> ㉡ 건물을 둘러싼 24개의 기둥은 24명의 국회의원이 있다는 뜻임.

> ㉢ 해태가 있는 것은 해태처럼 옳고 그름을 지혜롭게 판단하겠다는 뜻임.

( )

9 다음과 같은 일이 반복될 때 국회의원이 할 수 있는 일을 보기에서 찾아 기호를 쓰시오.

차들이 너무 빨리 달려서 무서워.

초등학교 주변 어린이 보호 구역 내에서 교통사고가 늘어났대.

보기
ⓐ 초등학교 주변에 가서 과속 방지 시설을 직접 설치할 수 있습니다.
ⓑ 초등학교 주변에 과속 방지 시설을 설치하는 법을 제안할 수 있습니다.
ⓒ 초등학교 주변에서 과속하는 사람들을 처벌하라고 판결할 수 있습니다.

( )

10 다음과 같이 정부의 중요한 일이나 정책을 심의하는 것은 무엇입니까? ( )

어린이들이 사용하는 물건의 안전성을 높이기 위한 방안을 말씀해 주십시오.

초등학교에서 사용하는 물건은 반드시 안전 기준에 적합한 제품만 구매할 수 있도록 하겠습니다.

어린이 제품 안전 법규 위반에 대한 단속을 강화하겠습니다.

① 재판   ② 공청회   ③ 정상 회담
④ 주민 회의   ⑤ 국무 회의

11 세금으로 나라 살림을 꾸리고 경제 정책을 세우는 행정 각부는 어디입니까? ( )
① 교육부   ② 국방부
③ 환경부   ④ 보건 복지부
⑤ 기획 재정부

12 법원이 하는 일을 두 가지 고르시오. (,)
① 법을 고치거나 없앤다.
② 사람들 사이의 갈등을 해결한다.
③ 법에 따라 나라의 살림살이를 맡아 한다.
④ 개인과 국가 사이에서 생긴 갈등을 해결한다.
⑤ 정부가 일을 잘하고 있는지 확인하기 위해 국정 감사를 한다.

13 다음 재판 모습에 대한 설명으로 알맞은 것을 보기에서 찾아 기호를 쓰시오.

○○ 회사는 유해 성분이 포함된 제품을 만들어서 팔았습니다. 강력히 처벌해 주십시오.

△△ 회사는 재료가 안전하다는 서류를 보여 주었습니다.

최종 판결합니다. 「어린이 제품 안전 특별법」에 따라 유해 제품을 만든 ○○ 회사에 벌금 [ ]원을 선고합니다.

피고인이 재료를 구매한 △△ 회사가 정확한 정보를 제공하지 않았습니다. 이 점을 고려하여 주십시오.

보기
ⓐ 재판을 공개하지 않고 있습니다.
ⓑ 법을 지키지 않은 사람을 처벌하기 위해 재판을 열었습니다.
ⓒ 유해 제품을 만든 ○○ 회사는 재판을 통해 이익을 얻게 되었습니다.

( )

천재교육, 교학사, 금성출판사, 김영사, 동아출판, 미래엔, 비상교과서, 지학사

14 정부가 국회를 견제하는 모습으로 알맞은 것은 어느 것입니까? ( )
① 대통령이 다른 나라의 대표를 만나 회담을 했다.
② 국회의원이 국정감사에서 정부 정책을 지적했다.
③ 대통령이 국회에서 통과된 법률안에 거부권을 행사했다.
④ 국회는 대법원장 임명에 동의할지를 결정하는 투표를 했다.
⑤ 법원이 헌법 재판소에 국회에서 만든 법을 심판해 달라고 요청했다.

11종 공통

15 다음 설명을 참고하여 국민이 국민 주권의 원리를 실현하고 있는 모습을 한 가지만 쓰시오.

> 국민 주권은 국민이 한 나라의 주인으로서 나라의 중요한 일을 스스로 결정하는 권리를 말합니다.

답 국민이 [   ]를 통해 원하는 후보자에게 투표하여 자신의 뜻을 전한다.

서술형 가이드
어려워하는 서술형 문제!
서술형 가이드를 이용하여 풀어 봐!

15 국민의 대표자를 국민이 직접 뽑는 것은 국민 [ ][ ]의 원리가 드러난 모습입니다.

16 다음은 국민들의 요구에 따라 법을 만든 모습입니다.

11종 공통

> 최근 어린이가 사용하는 제품에서 독성 물질이 자주 검출되었습니다. 이에 대한 대책을 요구하는 국민의 목소리가 커지자 「어린이 제품 안전 특별법」을 만든다는 소식입니다.

(1) 위 「어린이 제품 안전 특별법」을 만드는 사람은 누구인지 쓰시오.

(   )

(2) 위 「어린이 제품 안전 특별법」을 만들었을 때 사람들에게 어떤 영향을 미칠지 쓰시오.

_____

_____

16 (1) 법을 만드는 일은 (국회 / 정부)에서 하는 일 중 가장 중요한 일입니다.

(2) 우리 생활에서 나타나는 문제를 [ ]을 만들거나 바꾸어서 해결할 수 있습니다.

17 다음은 행정 각부에서 하는 일을 나타낸 것입니다.

11종 공통

> 다른 나라와 협력할 수 있는 정책을 만들어요.

△ 외교부

> 질병 예방 계획을 세우고 사회 복지 정책을 마련해요.

△ 보건 복지부

> _____

△ 국방부

(1) 외교부, 보건 복지부, 국방부 등이 속해 있는 곳은 (정부 / 법원)입니다.

(2) 위 밑줄 친 곳에 들어갈, 국방부에서 하는 일을 쓰시오.

_____

_____

17 (1) 행정 각부에 속한 [ ][ ]과 차관, 공무원 등은 국민의 안전과 행복을 위해 여러 가지 일을 합니다.

(2) 외국의 침략에 대비 태세를 갖추고 국토를 방위하는 일을 [ ][ ]이라고 합니다.

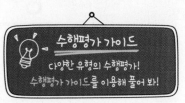
Step 3 수행평가

학습 주제 │ 국가기관이 하는 일과 삼권 분립

학습 목표 │ 주요 국가기관이 서로 다른 일을 하며 권력을 나누어 갖는 까닭을 알 수 있다.

[18~20] 다음은 주요 국가기관에 대해 정리한 그림입니다.

18 위 ㉠에 들어갈 국가기관을 쓰시오.   11종 공통

(   )

19 다음은 위 국가기관들이 하는 일을 정리한 것입니다. ☐ 안에 공통으로 들어갈 알맞은 말을 쓰시오.   11종 공통

- 국회는 ☐☐을 만듭니다.
- 정부는 ☐☐에 따라 나라 살림을 합니다.
- ㉠은 ☐☐에 따라 재판을 합니다.

(   )

20 위와 같이 세 국가기관이 권력을 나누어 갖는 까닭을 쓰시오.   11종 공통

_____

_____

수행평가 가이드
다양한 유형의 수행평가!
수행평가 가이드를 이용해 풀어 봐!

국가기관이 하는 일
- 국회: 법 만들기, 국정감사하기, 예산안 심의·확정하기 등
- 정부: 나라의 살림살이 맡아 하기, 각종 정책을 만들고 시행하기 등
- 법원: 법에 따라 재판하기, 다툼을 해결하고 사회질서 유지하기 등

1
단원

진도 완료
체크

민주주의 국가에서는 국민의 자유와 권리를 보장하는 것이 가장 중요하지!

1 민주주의의 발전과 시민 참여

11종 공통

1 다음과 같은 시위가 발생한 까닭으로 알맞은 것을 두 가지 고르시오. (,)

△ 1960년 4월 19일, 주요 도시에서 대규모 시위가 일어남.

① 유신 헌법을 통과시켜서
② 이승만이 대통령 자리에서 물러나서
③ 1960년 3월 15일에 부정 선거를 해서
④ 이승만 정부가 12년 동안 독재를 해서
⑤ 박정희가 군인들을 동원해 정권을 잡아서

서술형·논술형 문제

11종 공통

2 다음은 1979년 이후에 일어난 일입니다. [총 10점]

> 1979년에 시민들이 부산과 마산에서 독재 정치를 반대하는 시위를 함.
> ▼
> 부하에게 [ ]가 죽임을 당했음.
> ▼
> [ ]의 사망 이후 전두환이 중심이 된 군인 세력이 권력을 장악함.

(1) 위 ☐ 안에 공통으로 들어갈 인물을 쓰시오. [4점]
( )

(2) 위와 같이 전두환을 중심으로 한 군인들이 권력을 잡은 후 시민들이 한 일을 쓰시오. [6점]

_____

_____

11종 공통

3 다음 어린이들이 이야기하고 있는 사건은 어느 것입니까? ( )

> 지후: 1980년에 광주에서 대규모 시위가 있었대.
> 나경: 맞아. 근데 정부에서 계엄군을 광주에 보내서 시민들을 진압했대.

① 6·25 전쟁   ② 4·19 혁명
③ 3·15 부정 선거   ④ 5·16 군사 정변
⑤ 5·18 민주화 운동

천재교육, 천재교과서, 교학사, 금성출판사, 김영사, 미래엔, 비상교과서, 비상교육, 아이스크림 미디어, 지학사

4 다음 5·18 민주화 운동 당시의 모습을 그린 그림을 보고 알 수 있는 것은 어느 것입니까? ( )

① 시민들은 힘든 상황에서 서로 도왔다.
② 시민들은 다른 지역으로 모두 빠져나갔다.
③ 계엄군과 시민군이 힘을 합쳐서 위기를 극복했다.
④ 먼 지역에 사는 시민들이 소식을 듣고 찾아와서 도와주었다.
⑤ 시민들은 부당한 정권에 맞서지 못하고 정권이 바뀌기만을 기다렸다.

11종 공통

5 다음 밑줄 친 '대학생'을 [보기]에서 찾아 쓰시오.

> 1987년에 민주화 운동에 참여했던 대학생이 경찰의 고문을 받다 사망했지만, 정부는 이 사실을 숨겼습니다.

[보기]
• 김주열   • 이한열   • 박종철

( )

서술형·논술형 문제   11종 공통

6 다음은 6월 민주 항쟁의 모습입니다. [총 10점]

(1) 위 사진의 시위에서 시민들이 요구한 내용을 한 가지만 쓰시오. [6점]

_____

_____

(2) 위 (1)번의 요구를 받아들이며 노태우가 발표한 선언은 무엇인지 쓰시오. [4점]

(   )

11종 공통

7 다음 내용과 관련 있는 정치 참여 방법은 어느 것입니까? (   )

> 정보 통신 기술이 발달하면서 오늘날 더 활발해진 정치 참여 방법입니다.

①    ②

   🔺 선거나 투표하기   🔺 정당 활동하기

③    ④

   🔺 공청회 참여하기   🔺 누리집에 의견 올리기

2 일상생활과 민주주의

천재교육, 천재교과서, 교학사, 금성출판사, 김영사,
동아출판, 미래엔, 비상교과서, 비상교육

8 다음 그림과 관련하여 ☐ 안에 들어갈 알맞은 말은 어느 것입니까? (   )

위와 같이 사람들이 공동의 문제를 해결해가는 과정을 ☐☐☐(이)라고 합니다.

① 비판   ② 정치   ③ 재판

④ 견제   ⑤ 경쟁

11종 공통

9 민주주의에 대한 설명으로 알맞지 <u>않은</u> 것은 어느 것입니까? (   )

① 독재는 민주주의와 어울리지 않는다.

② 학급 회의를 하는 것도 민주주의의 모습이다.

③ 국민이 나라의 주인으로서 권리를 지니는 것이다.

④ 나라의 일과 관련된 정치 형태만을 민주주의라고 한다.

⑤ 누구나 정치에 자유롭고 평등하게 참여하는 것을 말한다.

11종 공통

10 다음 내용과 가장 관련 있는 민주주의의 기본 정신은 어느 것입니까? (   )

> 누구나 차별 없이 학교에 다닐 수 있어요.

① 배려   ② 관용   ③ 평등

④ 봉사   ⑤ 다수결

11종 공통

11 다음에서 설명하는 태도를 보기 에서 찾아 기호를 쓰시오.

> 사실이나 의견의 옳고 그름을 따져 살펴보는 태도

보기
㉠ 창조적 태도   ㉡ 관용적 태도
㉢ 비판적 태도   ㉣ 차별적 태도

( )

11종 공통

12 다음 문제를 해결하는 방법을 바르게 말한 어린이를 쓰시오.

우리 지역에 쓰레기 매립장이 건설되면 냄새가 심하게 나고 환경이 오염되기 때문에 반대합니다.

저도 우리 지역의 이미지가 나빠질 것이 걱정됩니다.

> 율이: 대화와 토론의 과정을 거치지 않고 다수결의 원칙을 통해 해결해야 해요.
> 소민: 주민 회의를 열어서 주민 대표와 시장, 공무원 등이 만나 양보와 타협을 해야 해요.
> 희재: 시장, 시청 공무원, 시 의회 의원들이 해결 방법을 결정해서 주민들에게 알려 줘야 해요.

( )

11종 공통

13 다수결의 원칙에 따라 의사를 결정할 때 주의할 점을 두 가지 고르시오. (,)

① 소수의 의견을 존중한다.
② 되도록 빠른 속도로 결정한다.
③ 다른 사람의 의견을 듣지 않는다.
④ 의견을 말할 기회가 동등하게 주어져야 한다.
⑤ 다른 의견에 대해 생각해 볼 기회를 갖지 않는다.

3 민주정치의 원리와 국가기관의 역할

🎒 서술형·논술형 문제   천재교육

14 다음은 민주정치의 기본 원리를 실현하는 모습입니다.

[총 10점]

🔺 국민은 중요한 사회 문제가 있을 때 직접 모여서 해결을 요구하기도 함.

(1) 위 사진과 관련 있는 민주정치의 기본 원리를 보기 에서 찾아 쓰시오. [4점]

보기
• 국민 주권의 원리   • 권력 분립의 원리

( )

(2) 위 (1)번 답을 실현하는 모습을 제시된 것 외에 한 가지만 쓰시오. [6점]

_____

_____

천재교과서, 금성출판사, 김영사, 미래엔,
비상교과서, 비상교육, 지학사

15 다음 그림과 관련 있는 선거의 원칙은 어느 것입니까? ( )

모든 사람이 행사하는 표의 개수와 가치는 같아요.

① 보통 선거   ② 평등 선거
③ 직접 선거   ④ 간접 선거
⑤ 비밀 선거

16 11종 공통 다음과 같이 말하고 있는 사람은 누구입니까? (   )

국민의 대표로서 국민에게 꼭 필요한 법을 만들겠습니다.

① 판사　　　　　② 검사
③ 교사　　　　　④ 변호사
⑤ 국회의원

17 11종 공통 국회의원이 예산안을 심의하고 확정하는 까닭을 바르게 말한 어린이를 쓰시오.

> 상훈: 법원을 견제하고 균형을 이루기 위해서예요.
> 태정: 예산안에 대한 대통령의 의사를 반영하기 위해서예요.
> 미린: 예산 대부분은 국민이 낸 세금으로 마련하기 때문이에요.

(   )

18 11종 공통 대통령이 하는 일로 알맞지 <u>않은</u> 것은 어느 것입니까? (   )

① 국무총리를 임명한다.
② 외국과 조약을 체결한다.
③ 나라의 중요한 일을 결정한다.
④ 외국에서 우리나라를 대표한다.
⑤ 법을 지키지 않은 사람을 처벌한다.

19 11종 공통 다음 그림에 나타난 법원이 하는 일은 어느 것입니까? (   )

ㅁㅁ시가 지난해 내린 영업 정지 처분을 취소합니다.

① 잘못된 법을 없앤다.
② 중요한 정책을 심의한다.
③ 법률이 헌법에 어긋나지 않는지 판단한다.
④ 법에 따라 나랏일을 잘하고 있는지 살펴본다.
⑤ 개인과 지방 자치 단체 사이의 다툼을 해결해 준다.

20 천재교육, 교학사, 금성출판사, 김영사, 미래엔, 비상교육, 지학사 다음 ㉠, ㉡ 신문 기사에 대한 설명으로 알맞은 것은 어느 것입니까? [6점] (   )

㉠

◇◇ 법원 재판부는 헌법 재판소에 ☆☆법이 헌법에 위반되는지 심판해 달라고 요청했다.

㉡

대통령은 오늘 국회에서 통과된 □□법에 대하여 거부권을 행사했다.

① ㉠은 법원이 국회를 견제하는 모습이다.
② ㉠은 법원이 헌법 재판소를 견제하는 모습이다.
③ ㉡은 국회가 정부를 견제하는 모습이다.
④ ㉡은 법원이 국회를 견제하는 모습이다.
⑤ ㉠, ㉡ 모두 각 국가기관의 권력을 하나로 모으는 모습이다.

민주주의를 실천하는 모습

학교에서

어린이들이 학교의 주인으로서 학교의 대표를 직접 뽑습니다.

학급에서

학급에서 짝을 어떤 방법으로 정할지 회의를 통해 정합니다.

회의 | 모일 회 會 | 의논할 의 議 | 여럿이 모여 의논함.

국가에서

국회의원들이 모여 국가의 중요한 문제를 의논합니다.

[출처: 연합뉴스]

공청회 | 공평할 공 公 | 들을 청 聽 | 모일 회 會 |

정책 결정 전에 관련된 사람들과 전문가의 의견을 듣는 공개회의

국회, 정부, 법원에서 하는 일

국회 | 나라 국國 | 모일 회會 |

국회의원들이 모여 국민을 위한 법을 만듭니다.

↱ 국회의원들이 일하는 국회 의사당

↱ 법을 만드는 모습

정부 | 나라를 다스리는 일 정政 | 관청 부府 |

법에 따라 국가 살림을 합니다.

↱ 행정 각부가 모여 있는 정부 세종 청사 (세종특별자치시)

↱ 국무 회의를 하는 모습

법원 | 법 법法 | 집 원院 | 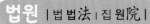 법에 따라 재판을 합니다.

↱ 우리나라 최고의 법원인
   대법원

↱ 재판을 하는 모습

연관 학습 안내

초등 4학년	초등 6학년	중학교
생산과 소비	경제 발전	경제 성장
얼마만큼 생산하고 소비할지 현명하게 선택해야 해요.	개인과 기업이 자유롭게 경쟁하며 경제가 발전해요.	국내 총생산 금액의 증가율로 경제 성장 속도를 파악해요.

만화로 단원 미리보기

끈질기게도 또 탈출한 띠릴.

화르르르

공부 공부

경제를 장악해서 시스템을 작동 불능 상태로 만들겠어. 그러려면 먼저 돈을 벌어야 해!

가계는 소비 활동을, 기업은 전문적으로 생산 활동을 하는 경제주체!

탕 탕

띠릴 잡화점

구멍 가게도 일단은 기업! 기업은 많은 이윤을 남기도록 노력해야지.

1960 ~ 1970년대. 경공업과 중화학 공업이 크게 발전했다.

나는야 산업의 역군!

오늘날에는 생명 공학, 우주 항공, 로봇 산업 같은 첨단 산업이 발달하고 있다.

첨단 산업에 투자하니까 돈을 잘 버는군!

사장

후후. 경제 성장은 의식주를 비롯한 다양한 분야에 변화를 가져왔지. 이게 바로 풍요로움!

우리나라의 경제 발전 2

이어서
개념 웹툰

6 **가계와 기업의 역할 /
합리적 선택**

개념 체크

개념 ① 가계와 기업

1. 가계와 기업의 의미

┌→ 가정 살림을 같이하는 생활 공동체

가계	생산 활동에 참여하여 얻은 소득으로 소비 활동을 하는 경제주체
기업	이윤을 얻기 위해 전문적으로 생산 활동을 하는 경제주체

2. 가계와 기업의 경제적 역할

가계의 역할	• 시장에서 물건이나 서비스를 소비함. • 기업의 생산 활동에 필요한 노동력을 제공하고 소득을 얻음.
기업의 역할	• 물건이나 서비스를 생산하여 시장에 공급하고 수입을 얻음. • 가계에 일자리를 제공하여 노동력을 활용하고 급여를 지급함.

➡ 가계와 기업이 하는 일은 서로에게 도움이 됩니다.

> 내 교과서 살펴보기 / 천재교육, 천재교과서, 교학사, 금성출판사,
> 김영사, 미래엔, 비상교과서, 비상교육, 지학사

다양한 형태의 시장

• 시장은 물건이나 서비스를 사는 사람과 파는 사람이 모여 거래하는 곳입니다.
• 할인 매장이나 인터넷 쇼핑몰처럼 물건을 사고, 여러 나라의 돈이나 회사 일부를 소유할
수 있는 권리, 집이나 땅을 사고파는 시장도 있습니다.

⊙ 다양한 물건을 파는 할인 매장　　⊙ 여러 나라의 돈을 사고파는 외환 시장

☑ 가계의 의미

가계는 생산에 필요한 노동력을 기업
에 제공하여 그 대가로 ❶
을 얻습니다.

> 우리 가족은 부모님이
> 얻은 소득으로
> 소비 활동을 해.

☑ 가계와 기업의 관계

기업은 일자리를 제공하여 가계의
❷ ⬚⬚⬚ 을 활용하고, 이를
통해 가계는 소득을 얻습니다.

> 가계는 기업에
> 노동력을 제공하고

> 기업은 가계에
> 소득을 제공하지!

정답 ❶ 소득 ❷ 노동력

용어
사전

⊙ 경제주체
경제활동을 하는 모두를 뜻하는 것으로, 가계,
기업, 정부 등이 있음.
⊙ 이윤(利 이로울 이 潤 윤택할 윤)
물건이나 서비스를 판매해 얻은 수입에서
비용을 뺀 금액

개념 ② 가계의 합리적 선택

1. **가계의 합리적 선택의 의미:** 가계의 소득은 한정되어 있으므로 가장 적은 비용으로 가장 큰 만족을 얻을 수 있도록 선택하는 것을 말합니다.

2. 가계가 합리적 선택을 하는 방법

① 합리적 소비 방법

1 우선순위 정하기	어떤 물건을 먼저 살지 우선순위를 정함.
2 선택 기준 세우기	사야 할 물건을 정한 후에는 원하는 상품을 사기 위해 선택 기준을 세움.
3 비교·평가하여 선택하기	선택 기준에 따라 여러 상품을 비교·평가해서 가장 큰 만족을 얻는 소비를 함.

② 합리적 소비를 위해 고려해야 할 선택 기준 → 가격, 품질, 디자인, 상표 등 다양한 선택 기준을 고려하여 물건들을 비교해 선택해야 합니다.

기능	가격	서비스
같은 가격이라면 다양한 기능이 있는 것을 선택함.	같은 조건이라면 더 싼 것을 선택함.	무상 관리 서비스를 오래 받을 수 있는 것을 선택함.

③ **다양한 선택 기준을 고려해야 하는 까닭:** 사람마다 중요하게 생각하는 기준이 다를 수 있기 때문입니다.

내 교과서 살펴보기 / 천재교육, 금성출판사, 김영사, 동아출판, 미래엔, 비상교과서, 비상교육

가치 소비(윤리적 소비) → 물건을 싸게 사는 것보다 윤리적 가치를 지키는 것에서 더 큰 만족감을 느끼기 때문입니다.

뜻	자신이 중요하게 생각하는 가치나 신념을 선택 기준으로 삼아 소비하는 것
사례	• 외국 근로자들에게 공정한 비용을 내고 수입한 공정 무역 초콜릿을 소비함. • 넓고 쾌적한 환경에서 자란 닭이 낳은 동물 복지 달걀을 소비함.

☑ **가계의 합리적 소비 방법**

합리적 소비를 하기 위해서는 사야 할 물건을 정한 후 상품을 사기 위한 선택 ❸ [ㄱ][ㅈ] 을 세워야 합니다.

☑ **다양한 선택 기준을 고려해야 하는 까닭**

사람마다 중요하게 생각하는 기준이 ❹(같기 / 다르기) 때문에 다양한 선택 기준을 고려해야 합니다.

정답 ❸ 기준 ❹ 다르기

용어
사전

공정 무역

생산자의 노동에 정당한 대가를 지불하면서 소비자에게는 좀 더 좋은 물건을 공급하는 윤리적인 무역

개념 ③ 기업의 합리적 선택

1. 기업의 합리적 선택의 의미: 기업이 더 많은 이윤을 얻을 수 있도록 수입을 늘리고 생산 비용은 줄이는 의사 결정을 말합니다.

└─ 예 소비자에게 인기 있는 제품의 생산량을 늘리거나, 새로운 상품을 만들기 위한 연구 개발에 힘씁니다.

2. 기업이 합리적 선택을 하는 까닭

① 다른 기업과의 경쟁에서 앞서기 위해

② 기업이 원하는 만큼의 이윤을 얻기 위해

③ 합리적 선택을 하지 않으면 직원들도 함께 손해를 볼 수 있어서

3. 기업의 합리적 의사 결정 과정

내 교과서 살펴보기 / 천재교육

상황	상황 분석	합리적 의사 결정

1 소비자 분석하기

(천 명)
4
2
0
매운맛 짜장 맛 카레 맛 (종류)
⊙ 좋아하는 떡볶이 맛

소비자들은 매운맛 떡볶이를 가장 좋아한다.

소비자들이 좋아하는 매운맛 떡볶이의 생산량을 늘려야 한다.

2 상품 개발하기

⊙ 상품의 장단점

우리 기업의 쌀 떡볶이는 경쟁 기업의 밀 떡볶이보다 쫀득하지 않다.

쌀가루를 적절하게 가공해서 고소하고 쫀득한 떡을 개발한다.

3 생산 방법 정하기

생산 방법	생산 비용
국내 생산	봉지당 5,000원
해외 생산	봉지당 3,000원

⊙ 생산 방법에 따른 생산 비용

해외 생산 비용이 국내 생산 비용보다 봉지당 2,000원 적다.

봉지당 생산 비용 2,000원을 줄일 수 있도록 해외에서 생산해야 한다.

4 홍보 계획 세우기

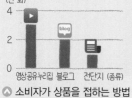

(만 회)
4
2
0
영상공유누리집 블로그 전단지 (종류)
⊙ 소비자가 상품을 접하는 방법

소비자들이 가장 많이 상품을 접하는 곳은 영상 공유 누리집이다.

소비자들이 가장 많이 상품을 접하는 영상 공유 누리집에 적극적으로 홍보해야 한다.

➡ 기업은 합리적 의사 결정을 통해 물건과 서비스의 판매를 늘리고 이윤을 높일 수 있습니다.

기업은 가장 ❺(적은 / 많은) 비용으로 가장 큰 이윤을 얻을 수 있도록 선택합니다.

어떻게 하면 과자를 더 많이 팔 수 있을까?

우리가 팔 과자를 다 먹어 버렸잖아!

☑ **기업의 합리적 의사 결정 과정**

기업은 ❻ⓢ ⓑ ⓩ들이 어떤 제품을 원하는지 분석하여 기존 상품을 보완해 상품을 개발합니다.

설문 조사 결과 우리 반 친구들은 감자 맛 과자를 가장 좋아해.

난 과일 맛이 좋은데……

정답 ❺ 적은 ❻ 소비자

용어
사전

❋ **의사 결정**(意 뜻 의 思 생각할 사 決 결단할 결 定 정할 정)

기업이나 단체 등의 조직이 활동 방침을 결정하는 것

개념 다지기

11종 공통

1 가계에 대한 설명으로 알맞은 것에 ○표를 하시오.

(1) 전문적으로 생산 활동을 하는 경제주체입니다.
( )

(2) 생산 활동에 참여하여 얻은 소득으로 소비 활동을 하는 경제주체입니다. ( )

천재교육

4 가계의 합리적인 소비 방법을 순서에 맞게 ☐ 안에 1~3의 숫자를 각각 쓰시오.

비교·평가하여 상품 선택하기	선택 기준 세우기	우선순위 정하기
❶ ☐	❷ ☐	❸ ☐

11종 공통

2 다음 ☐ 안에 들어갈 알맞은 말은 어느 것입니까?
( )

물건을 생산해 판매하거나 서비스를 제공해 이윤을 얻는 경제주체를 ☐(이)라고 합니다.

① 가계
② 학교
③ 구청
④ 기업
⑤ 일자리

11종 공통

5 다음 ( ) 안의 알맞은 말에 각각 ○표를 하시오.

기업은 더 ❶(많은 / 적은) 수입을 얻기 위해 소비자를 분석하고, 비용을 ❷(늘릴 / 줄일) 수 있는 생산 방법을 정합니다.

11종 공통

3 다음 중 가계의 합리적 선택에 대한 설명으로 알맞은 것을 보기 에서 찾아 기호를 쓰시오.

보기
㉠ 사람마다 중요하게 생각하는 선택 기준은 모두 같습니다.
㉡ 가계의 소득이 한정되어 있기 때문에 합리적 선택을 합니다.
㉢ 가장 많은 비용으로 가장 큰 만족을 얻을 수 있도록 선택하는 것입니다.

( )

천재교육

6 다음 자료는 기업의 합리적 의사 결정 과정 중 어느 것입니까? ( )

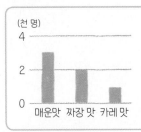

인터넷 설문 조사 결과 사람들이 매운맛 떡볶이를 가장 좋아한다는 것을 알게 되었습니다.

① 상품 개발하기
② 상품 판매하기
③ 소비자 분석하기
④ 홍보 계획 세우기
⑤ 생산 방법 정하기

^요개념❶ 우리나라 경제의 특징

1. 경제활동의 자유와 경쟁

① 경제활동의 자유

개인	직업 선택과 활동의 자유	자신의 능력과 적성에 따라 자유롭게 직업을 선택할 수 있음.
	소득을 자유롭게 사용할 자유	경제활동으로 얻은 소득을 자유롭게 사용할 수 있음.
기업	생산 활동의 자유	어떤 상품을 생산할지, 수입을 어떻게 사용할지 자유롭게 결정할 수 있음.

② 경제활동의 경쟁

개인	• 원하는 직업을 얻기 위해 다른 사람과 경쟁함. → 예 직장을 구하기 위해 자격증 공부를 합니다. • 경쟁에서 앞서기 위해 자신의 능력을 키우려 노력함.
기업	• 많은 이윤을 얻기 위해 다른 기업과 경쟁함. • 경쟁에서 앞서기 위해 보다 싸고 질 좋은 상품을 만들어 판매함.

2. 자유로운 경쟁이 우리 생활에 주는 도움 → 개인, 기업, 국가의 발전에 도움을 줍니다.

개인	• 자신의 능력을 발전시키고 잘 발휘할 수 있음. • 더 싸고 질 좋은 여러 가지 물건이나 서비스를 선택할 수 있음.
기업	더 좋은 물건이나 서비스를 개발해 보다 많은 이윤을 얻을 수 있음.
국가	나라 전체의 경제 발전에 도움이 됨.

내 교과서 살펴보기 / **천재교육, 미래엔**

국가가 결정한 대로 경제활동을 하는 나라

장점	잘사는 사람과 못사는 사람의 차이가 없음.
단점	• 기업은 물건을 개발하려고 노력하지 않음. • 개인은 원하는 물건을 다양하게 소비할 수 없고, 열심히 일하지 않음.

☑ **개인의 경제활동의 자유**

우리나라는 개인이 자유롭게 자신의 ❶[ㅈ][ㅇ]을 선택하고 얻은 소득을 활용할 수 있습니다.

☑ **기업의 자유로운 경쟁**

기업은 경쟁에서 앞서기 위해 보다 ❷(싸고 / 비싸고) 질 좋은 상품을 만들어 판매합니다.

정답 ❶ 직업 ❷ 싸고

용어
사전

●**적성**(適 맞을 적 性 성품 성)
어떤 일에 알맞은 타고난 능력이나 성격

개념② 불공정한 경제활동으로 생기는 문제

내 교과서 살펴보기 / 천재교육

1. **거짓·과장 광고로 생기는 문제**: 거짓·과장 광고는 소비자들에게 잘못된 정보를 전달하여 소비자가 올바른 선택을 할 수 없게 합니다.

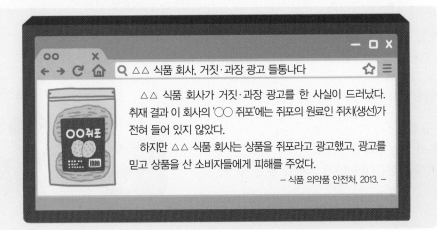

2. **독과점 기업의 가격 인상으로 생기는 문제**: 독과점 기업들이 물건의 가격을 올리면, 소비자는 물건을 합리적인 가격에 소비할 수 없게 됩니다.

> 기업들이 경쟁하지 않아 상품의 품질이 떨어지고 경쟁력을 잃습니다.

공정하지 않은 경제활동은 소비자들에게 피해를 줄 수 있음.

내 교과서 살펴보기 / 금성출판사, 아이스크림 미디어

뉴스 기사에 나타난 불공정한 경제활동

마스크 품절 사태

코로나 바이러스가 유행하면서 마스크를 찾는 사람들이 많아졌습니다. 마스크를 구하는 것이 어려워지자, 마스크 가격이 폭등하고 마스크 품절 사태가 일어나기도 했습니다. 그중 △△ 업체는 창고에 마스크 약 100만 개를 쌓아 둔 채, 인터넷으로만 비싼 가격에 판매하여 논란이 되고 있습니다.

➡ 마스크의 공급이 불안정하고 가격이 올라 마스크를 사려는 사람들이 피해를 입었습니다.

☑ 거짓·과장 광고로 생기는 문제

거짓·과장 광고는 소비자들에게 상품의 ❸(잘못된 / 올바른) 정보를 전달하여 피해를 줄 수 있습니다.

☑ 독과점 기업의 가격 인상으로 생기는 문제

독과점 기업의 가격 인상은 소비자가 이전과 같은 품질의 제품을 더 ❹(싼 / 비싼) 가격에 사게 합니다.

정답 ❸ 잘못된 ❹ 비싼

용어사전

＊**독과점**(獨 홀로 독 寡 적을 과 占 차지할 점)
하나 또는 몇몇 기업이 시장의 대부분을 차지하는 상태

개념 ③ 바람직한 경제활동을 위한 노력

1. 정부에서 하는 일 → 더 많은 기업이 물건을 만들어 팔 수 있도록 지원하기도 합니다.

① 공정한 경제활동을 위한 법과 제도를 만듭니다.
② 불공정한 경제활동을 하는 기업들을 감시하고 규제합니다.
③ 공정 거래 위원회를 통해 소비자의 피해를 방지합니다.

공정 거래 위원회

만든 까닭	공정하고 자유로운 경쟁을 보장하기 위해서
하는 일	• 기업의 불공정한 경제활동을 규제함. • 기업이 공정한 경제활동을 할 수 있는 환경을 조성함. • 소비자의 이익을 보호하고 피해를 받은 소비자가 도움을 받을 수 있는 제도를 마련함.

2. 시민 단체에서 하는 일

① 기업의 불공정한 경제활동을 감시하고 정부에 해결을 요구합니다.
② 기업의 경제활동이 다른 사람의 경제활동이나 생활에 피해를 주지 않도록 감시합니다.

시민 단체의 감시 활동 ▶

3. 우리나라의 경제체제의 특징

① 우리나라는 개인과 기업의 자유와 경쟁을 존중하지만, 사회의 이익을 해치는 경우 규제를 통해 공정한 경쟁이 이루어지도록 노력하고 있습니다.
② 우리나라 경제체제는 자유로운 경쟁과 공정한 경쟁의 조화를 추구합니다.

내 교과서 살펴보기 / 금성출판사

사회적 기업 → 기업이 사회와 환경에 미치는 영향에 책임감을 가지며 생겨났습니다.

의미	환경 보호, 일자리 제공 등 사회적 책임을 중요하게 생각하는 기업
사례	• 노숙인들을 고용하여 잡지를 판매하는 회사 • 저소득층 노인들을 위한 간병 서비스를 제공하는 복지 재단 • 환경을 보호하기 위해 기증받은 물품을 재활용하여 판매하는 회사

☑ **공정한 경제활동을 위해 정부에서 하는 일**

정부는 기업들이 공정한 경제활동을 할 수 있도록 법과 ❺□ □ 를 마련합니다.

정부는 법과 제도를 통해 기업의 공정한 경제활동을 돕는단다.

☑ **공정한 경제활동을 위해 시민 단체에서 하는 일**

시민 단체는 기업의 불공정한 경제활동을 ❻□ □ 하고 정부에 해결을 요구합니다.

우리 단체는 기업의 불공정한 경제활동을 감시하고 있어요.

정답 ❺ 제도 ❻ 감시

용어
사전

규제(規 법 규 制 절제할 제)
규칙이나 법에 따라 개인이나 단체의 활동을 제한함.

개념 다지기

11종 공통

1 다음 그림에 나타난 경제활동의 자유로 가장 알맞은 것은 어느 것입니까? (   )

> 월급을 받았으니 먹고 싶은 음식을 사야지.

① 직업 선택의 자유
② 생산 활동의 자유
③ 직업 활동의 자유
④ 판매 방법을 결정할 자유
⑤ 소득을 자유롭게 사용할 자유

11종 공통

2 개인이 경쟁하는 모습으로 알맞은 것을 두 가지 고르시오. (,   )

① 새로운 공장을 짓는다.
② 원하는 직업을 얻기 위해 면접을 본다.
③ 기술을 개발해 더 좋은 물건을 만든다.
④ 물건의 가격을 내려 다른 물건과 경쟁한다.
⑤ 직업에 필요한 자격증을 따기 위해 공부한다.

천재교육, 미래엔

3 개인과 기업의 자유로운 경쟁이 우리 생활에 주는 도움에 대해 바르게 말한 어린이를 쓰시오.

> 성빈: 개인은 자신의 능력을 더 잘 발휘할 수 있어.
> 도연: 기업은 나라에서 정해진 돈을 받기 때문에 물건이나 서비스를 개발할 필요가 없어.

(   )

11종 공통

4 다음 중 기업의 바람직한 경제활동으로 알맞은 것을 모두 찾아 ○표를 하시오.

(1) 경쟁에서 앞서기 위해 상품의 가격을 내립니다.
(   )

(2) 소비자의 취향에 맞는 상품을 새로 개발합니다.
(   )

(3) 상품을 홍보할 때 상품에 포함되지 않은 기능까지 포함되어 있다고 홍보합니다. (   )

11종 공통

5 공정한 경제활동을 위해 다음과 같은 활동을 하는 사람들을 무엇이라고 하는지 보기 에서 찾아 쓰시오.

> 정부는 경쟁하지 않는 두 기업을 감시하라!
> 두 기업 마음대로 올린 □□상품의 가격을 내려라!

보기
• 국회의원   • 시민 단체

(   )

2 단원

진도 완료 체크

11종 공통

6 다음 □ 안에 들어갈 알맞은 말은 어느 것입니까?
(   )

> 정부는 공정하고 자유로운 경쟁을 보장하기 위해 □□□□을/를 만들어 기업의 공정하지 않은 경제활동을 규제합니다.

① 기상청
② 질병관리청
③ 공정 거래 위원회
④ 방송 통신 위원회
⑤ 국가 인권 위원회

Step ① 단원평가

1 이윤을 얻기 위해 전문적으로 생산 활동을 하는 경제주체를 무엇이라고 합니까?

( )

2 가계와 기업이 만나 거래하는 곳을 무엇이라고 합니까?

( )

3 가계가 가장 적은 비용으로 가장 큰 만족을 얻을 수 있도록 선택하는 것을 (합리적 / 비합리적) 선택이라고 합니다.

4 우리나라는 개인과 기업이 (자유롭게 / 정해진 대로) 경제활동을 할 수 있습니다.

5 거짓·과장 광고나 독과점 기업의 가격 인상 등 불공정한 경제활동은 소비자들에게 (이익 / 피해)을/를 줄 수 있습니다.

11종 공통

6 기업이 하는 일로 알맞지 <u>않은</u> 것은 어느 것입니까?

( )

① 다양한 물건을 생산한다.
② 이윤을 얻기 위해 노력한다.
③ 생활에 필요한 서비스를 제공한다.
④ 생산을 위해 사람들에게 일자리를 제공한다.
⑤ 정부의 생산 활동에 참여해 얻은 소득으로 생활에 필요한 물건이나 서비스를 소비한다.

[7~8] 다음 경제활동을 나타낸 그림을 보고, 물음에 답하시오.

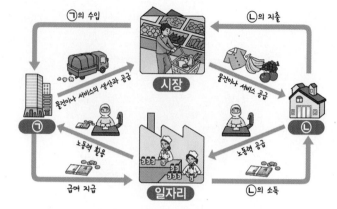

11종 공통

7 위 ㉠, ㉡에 들어갈 말이 알맞게 짝 지어진 것은 어느 것입니까? ( )

	㉠	㉡		㉠	㉡
①	기업	국회	②	가계	국회
③	기업	가계	④	가계	기업
⑤	기업	정부			

11종 공통

8 위 ㉠, ㉡에 대한 설명으로 알맞은 것은 어느 것입니까? ( )

① ㉠은 주로 소비 활동을 한다.
② ㉡은 주로 생산 활동을 한다.
③ ㉠, ㉡이 하는 일은 관계가 없다.
④ ㉡에는 할인 매장, 인터넷 쇼핑몰 등이 포함된다.
⑤ ㉠은 일자리를 제공하고 ㉡의 노동력을 활용한다.

9 진영이의 선택 기준에 따라 두 텔레비전 중 하나를 골라
○표를 하시오. <small>11종 공통</small>

> 진영: 가격이 조금 비싸더라도 무상 관리 서비스를
> 오래 받을 수 있는 텔레비전을 선택할래요.

(1)   (2)

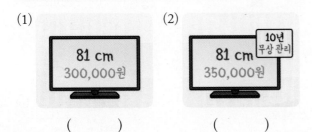

(   )   (   )

10 기업의 합리적 선택에 대해 알맞게 말한 어린이를 쓰
시오. <small>11종 공통</small>

> 가연: 더 적은 이윤을 얻기 위해 합리적 선택을 해.
> 영현: 기업의 수입을 늘리고 생산 비용을 줄이는
>   의사 결정 과정이야.
> 승호: 기업이 합리적 선택을 할 때 소비자에 대해
>   서는 전혀 생각할 필요가 없어.

(   )

11 기업의 합리적 의사 결정 과정에서 <u>잘못된</u> 내용을 두
가지 고르시오. (,   ) <small>천재교육</small>

①	소비자 분석하기	소비자들이 어떤 제품을 원하는지 분석함.
②	상품 개발하기	기존 상품이 가진 단점을 보완함.
③	생산 방법 정하기	해외보다 국내에서 생산하는 것이 비싸므로 국내에서 생산함.
④	홍보 계획 세우기	영상 공유 누리집에 적극적으로 홍보 활동을 함.
⑤	우선순위 정하기	어떤 물건을 먼저 살지 우선순위를 정함.

12 우리나라 경제의 대표적인 특징으로 알맞은 것을
보기 에서 모두 찾아 기호를 쓰시오. <small>11종 공통</small>

> **보기**
> ㉠ 자유   ㉡ 비난
> ㉢ 간섭   ㉣ 경쟁

(,   )

13 다음 신문 기사를 읽고, (   ) 안의 알맞은 말에 각
각 ○표를 하시오. <small>11종 공통</small>

> △△ 식품 회사 거짓·과장 광고 논란
>
>   △△ 식품 회사가 거짓·과장 광고를 한 사실이
> 드러났다. 취재 결과 이 회사의 '△△ 쥐포'에는 쥐
> 포의 원료인 쥐치(생선)가 전혀 들어 있지 않았지
> 만, △△ 식품 회사는 상품을 쥐포라고 광고했다.

>   위 식품 회사는 거짓·과장 광고로 ❶(소비자 /
> 생산자)에게 잘못된 정보를 전달하여 올바른 선
> 택을 할 수 ❷(있게 / 없게) 만들었습니다.

14 불공정한 경제활동을 막기 위해 정부가 하는 일로 알
맞지 <u>않은</u> 것은 어느 것입니까? (   ) <small>11종 공통</small>

① 기업 앞에서 시위를 한다.
② 소비자를 속이는 광고를 하지 못하도록 한다.
③ 기업끼리 상의하여 가격을 올리는 것을 금지한다.
④ 기업의 공정한 경제활동을 위한 법과 제도를 만
   든다.
⑤ 한 기업만 물건을 만들고 팔면서 가격을 조정하는
   것을 규제한다.

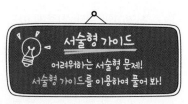

15 다음은 가계와 기업의 경제적 역할입니다.

11종 공통

기업 → ㉠ → 가계

(1) 위 ㉠에 들어갈 가계와 기업이 만나 서로 거래하는 곳을 쓰시오.

( )

(2) 위 자료를 통해 알 수 있는 가계와 기업의 관계에 대해 쓰시오.

답 가계는 기업이 생산한 물건이나 서비스를 ❶ [   ] 하고, 기업은

물건이나 서비스를 팔아 ❷ [   ] 을 얻는다.

15 (1) 물건이나 서비스를 사는 사람과 파는 사람이 모여 거래하는 곳을 [ ][ ]이라고 합니다.

(2) 가계는 [ ][ ]의 생산 활동에 필요한 노동력을 제공하고 소득을 얻습니다.

천재교육, 금성출판사, 김영사, 동아출판, 미래엔, 비상교과서, 비상교육

16 다음은 다양한 종류의 신발을 판매하는 모습입니다.

㉠

₩100,000

㉡
새로운 디자인

₩150,000

㉢
공정 무역 제품

₩200,000

(1) 가격을 기준으로 삼았을 때 선택할 제품의 기호를 쓰시오.

( )

(2) 위 ㉢과 같은 제품을 소비하는 까닭을 쓰시오.

_____

_____

16 (1) 합리적 선택은 가장 (많은 / 적은) 비용으로 가장 큰 만족을 얻는 선택입니다.

(2) 오늘날에는 자신의 신념을 선택 기준으로 삼아 [ ][ ] 소비를 하는 사람들이 많아졌습니다.

17 공정한 경제활동을 위해 시민 단체에서 하는 일을 한 가지만 쓰시오.

11종 공통

_____

_____

17 시민 단체는 기업의 불공정한 경제활동을 (감시 / 처벌)합니다.

단원 실력 쌓기 정답 10쪽

학습 주제 공정한 경제활동을 위한 노력

학습 목표 불공정한 경제활동으로 생기는 문제를 해결하기 위한 사람들의 노력을 알 수 있다.

[18~20] 다음은 가게에서 물건을 고르는 장면입니다.

⊙ 기업의 가격 인상으로 생기는 문제

천재교육, 교학사, 금성출판사, 김영사, 비상교과서

18 다음 설명을 읽고 위 ⊙에 들어갈 말을 보기에서 찾아 쓰시오.

> 하나 또는 몇몇 기업이 시장의 대부분을 차지하는 상태를 뜻하는 말

보기
· 독재 · 규제 · 독과점

( )

19 다음 ( ) 안의 알맞은 말에 각각 ○표를 하시오.

11종 공통

> 위와 같이 기업들이 서로 상의하여 상품의 가격을 마음대로 올리면 기업들이 경쟁하지 않게 되어 상품의 품질이 ❶(낮아지고 / 높아지고), 기업의 경쟁력이 ❷(낮아 / 높아)집니다.

20 위와 같은 불공정한 경제활동을 해결하기 위한 정부의 노력을 한 가지만 쓰시오.

11종 공통

_____

_____

수행평가 가이드
다양한 유형의 수행평가!
수행평가 가이드를 이용해 풀어 봐!

공정한 경제활동을 위한 노력

· 경제활동에서 자유로운 경쟁만 있다면 공정하지 않은 경제활동이 많아집니다.

· 정부와 시민 단체는 공정한 경제활동이 이루어지도록 노력합니다.

2 단원

진도 완료 체크

> 정부와 시민 단체는 기업의 공정하지 못한 경제활동을 바로잡으려고 노력해.

개념 ① 1950~1960년대 우리나라의 경제 성장

1. 1950년대 우리나라의 경제 성장

파괴된 시설 복구	• 6·25 전쟁으로 집과 도로, 공장들이 대부분 망가졌기 때문에 여러 시설을 다시 지음. • 농업 중심의 산업을 공업 중심으로 발전시키기 위해 노력함.  △ 폐허가 된 서울 남대문 [출처: 연합뉴스]
소비재 산업의 발전	설탕, 밀가루 등 식료품이나 옷과 같이 생활에 필요한 제품을 만드는 소비재 산업이 발달함.

내 교과서 살펴보기 / 아이스크림 미디어

1950년대 우리나라의 농업 발달
→ 식량 생산을 늘리기 위해 1949년부터 추진된 정책
• 1950년대 우리나라는 식량 부족 문제를 해결하기 위해 농업 증산 계획을 시행했습니다.
• 사람들은 농업 생산량을 늘리기 위해 새로운 농업 기술을 받아들이고, 정부는 비료 공장 건설, 농약 수입 등을 하며 다양한 노력을 기울였습니다.
• 사람들과 정부가 노력한 결과 우리나라의 농업이 성장할 수 있었습니다.

2. 1960년대 우리나라의 경제 성장

경제 개발 5개년 계획	정부가 경제 발전을 목표로 1962년부터 1981년까지 5년 단위로 추진한 경제 계획
경공업의 발전 →크기에 비해 비교적 가벼운 물건을 만드는 공업	우리나라는 자원과 기술이 부족했지만, 풍부한 노동력을 바탕으로 의류, 신발, 가발 등을 만드는 경공업이 발전함.
경제 성장을 위한 정부의 노력	→ 제품을 수출하는 기업의 세금을 내려주기도 했습니다. • 정부는 기업이 수출을 쉽게 할 수 있도록 지원함. • 경부 고속 국도: 1968년 서울과 부산을 잇는 경부 고속 국도를 짓기 시작하여 1970년에 개통함. → 지역과 지역을 오가는 시간이 줄었습니다. • 발전소, 도로, 항만 등 제품의 생산과 운반에 필요한 시설과 에너지원을 확보하기 위한 시설들을 건설함.

△ 경부 고속 국도 건설 [출처: 뉴스뱅크]

△ 춘천 수력 발전소 공사 [출처: 한국정책방송원]

☑ **1950년대 우리나라의 경제 성장**

1950년대에는 농업 중심의 산업을 ❶ ㄱ ㅇ 중심의 산업으로 발전시키기 위해 노력했습니다.

1950년대에는 전쟁으로 파괴된 시설을 복구하기 위해 노력했단다.

☑ **1960년대 우리나라의 경제 성장**

정부는 경제 개발 5개년 계획을 세우고 ❷ ㅅ ㅊ 을 통해 경제를 발전시키려고 했습니다.

1960년대에는 주로 경공업 제품을 수출했어.

정답 ❶ 공업 ❷ 수출

용어 사전

• 항만(港 항구 항 灣 물굽이 만)
배가 안전하게 드나들 수 있고, 사람이나 물건이 배에서 육지로 오르내리기 편리하게 만든 곳

개념② 1970~1980년대 우리나라의 경제 성장

1. 1970년대 우리나라의 경제 성장

→ 철, 배, 자동차 등 무거운 제품이나 플라스틱, 고무, 화학 제품 등을 생산하는 산업

중화학 공업의 성장	• 정부는 경공업보다 돈과 기술이 더 많이 필요한 철강, 석유 화학, 조선 산업 등 중화학 공업을 발전시킴. • 해안 지역을 중심으로 중화학 공업 단지가 건설됨.
교육 시설 및 연구소 건설	정부는 중화학 공업에 필요한 높은 기술력을 갖추려고 교육 시설과 연구소 등을 설립함.

내 교과서 살펴보기 / 교학사, 미래엔, 아이스크림 미디어

우리나라가 최초로 만든 대형 선박

• 유조선 '애틀랜틱 배런호'는 국내에서 최초로 해외 주문을 받아 만들어진 유조선입니다.

• 우리나라도 초대형 선박을 만들 수 있는 능력을 보유하고 있다는 것을 전 세계에 알렸습니다. 애틀랜틱 배런호 ◉

2. 1980년대 우리나라의 경제 성장

중화학 공업 중심의 산업 변화	• 1980년대에는 자동차, 전자 산업 등이 크게 성장함.   ▲ 자동차 수출　　▲ 컬러텔레비전 생산 • 우리나라 공업은 경공업에서 중화학 공업 중심으로 변화함.
수출의 증가	세계적으로도 인정받는 뛰어난 제품을 생산하면서 수출액과 국민 소득도 함께 늘어나 사람들의 생활 수준이 향상됨.

개념③ 우리나라 경제가 빠르게 성장할 수 있었던 까닭

정부	경제 개발 5개년 계획을 추진하여 산업 발전의 기반을 마련함.
기업	상품 수출을 늘리고 기술을 개발하기 위해 노력함.
노동자	적은 임금을 받으며 노력하고 희생하여 기업이 낮은 가격으로 물건을 만들어 수출할 수 있었음.

⬇

정부, 기업, 노동자들이 모두 노력해서 우리나라 경제가 빠르게 성장할 수 있었음.

개념 다지기

☑1970년대 우리나라의 경제 성장

1970년대 우리나라는 석유 화학이나 철강 산업 등❸ ☐ ☐ ☐ 공업이 발전했습니다.

☑1980년대 우리나라의 경제 성장

1980년대에는 수출과 국민 소득이 늘어나 사람들의 생활 수준이 ❹(향상 / 악화)되었습니다.

정답 ❸ 중화학 ❹ 향상

용어 사전

• **조선**(造 지을 조 船 배 선) 배를 지어 만듦.

• **유조선**(油 기름 유 槽 구유 조 船 배 선) 석유를 운반하는 배

중요 개념 ④ 1990년대 이후 우리나라의 경제 성장

1. 1990년대 우리나라의 경제 성장

반도체 산업의 성장	개인용 컴퓨터와 전자 제품의 핵심 부품인 반도체 산업이 발전함. ⬆ 개인용 컴퓨터 [출처: 국립민속박물관]　⬆ 전자 제품 속 반도체 [출처: 셔터스톡]
정보 통신 기술의 발달	• 1990년대 후반 전국에 초고속 정보 통신망이 설치됨. • 정보 통신 기술의 영향으로 인터넷, 방송, 은행, 쇼핑, 관광 산업 등이 발전함.

우리나라가 정보화 사회로 나아가는 데 큰 역할을 했습니다.

2. 2000년대 이후 우리나라의 경제 성장 → 우리나라의 경제는 새로운 산업 발달에 힘입어 성장하고 있습니다.

첨단 산업	생명 공학, 우주 항공, 인공 지능(AI), 신소재 산업, 로봇 산업과 같이 높은 기술력이 필요한 산업이 발달하고 있음.
서비스 산업	관광 산업, 의료 서비스 산업 등이 발달하고 있음.

개념 ⑤ 우리나라의 국내 총생산과 1인당 국민 총소득의 변화

국내 총생산: 일정 기간에 한 나라 안에서 생산된 물건과 서비스의 양을 돈으로 계산해 합한 것 → 한 나라의 경제 수준을 알 수 있습니다.

1인당 국민 총소득: 일정 기간 한 나라의 국민이 벌어들인 소득을 인구수로 나눈 값 → 국민의 평균적인 생산 수준을 알 수 있습니다.

⬇

경제가 성장하면서 우리나라의 국내 총생산과 1인당 국민 총소득이 증가했고, 경제 규모가 커졌으며, 국민들의 생활 수준도 높아짐.

☑ **2000년대 이후 우리나라의 경제 성장**

2000년대 이후에는 고도의 기술이 필요한 ❺ [ㅊ][ㄷ] 산업이 발달하고 있습니다.

이제 발사한다!

제발…

☑ **우리나라의 1인당 국민 총소득의 변화**

1인당 국민 총소득의 변화 그래프를 통해 우리나라 사람들의 평균적인 ❻ [ㅅ][ㅎ] 수준을 알 수 있습니다.

경제가 성장하면서 사람들의 생활 수준이 높아졌어.

정답 ❺ 첨단 ❻ 생활

용어 사전

●**반도체**(半 반 반 導 이끌 도 體 몸 체) 낮은 온도에서는 전기가 거의 통하지 않고, 높은 온도에서 전기가 잘 통하는 물질로 전자 제품 등에 쓰임.

개념 다지기

11종 공통

1 다음 1950년대 우리나라의 경제 성장에 대한 퀴즈에서 알맞은 답을 한 어린이를 골라 ○표를 하시오.

> ㉮ 공업 중심의 산업을 농업 중심의 산업으로 발전시키기 위해 노력했습니다.
> ㉯ 설탕, 밀가루, 옷 등 생활에 필요한 제품을 만드는 산업이 발달했습니다.

(1) (㉮ ✕) (㉯ ○)   (2) (㉮ ○) (㉯ ○)

(   )   (   )

11종 공통

2 오른쪽 ☐ 안에 들어갈 알맞은 말은 어느 것입니까?
(   )

△ 1960년대에는 비교적 가벼운 물건을 만드는 ☐ 이 발전함. [출처: 뉴스뱅크]

① 경공업
② 조선 산업
③ 첨단 산업
④ 중화학 공업
⑤ 반도체 산업

11종 공통

3 1970년대 우리나라의 경제 성장에 대한 알맞은 설명은 어느 것입니까? (   )

① 수출이 감소했다.
② 첨단 산업이 발달했다.
③ 자원과 기술이 풍부했다.
④ 교육 시설과 연구소 등을 설립했다.
⑤ 경제 발전을 위한 기초 시설이 전혀 없었다.

11종 공통

4 다음 사진과 관련 있는, (   ) 안의 알맞은 말에 ○표를 하시오.

△ 애틀랜틱 배런호

> 1970년대에 우리나라는 (경공업 / 중화학 공업) 중심으로 산업 구조가 변화했습니다.

11종 공통

5 1990년대 이후 우리나라의 경제에 대한 설명으로 알맞지 <u>않은</u> 것은 어느 것입니까? (   )

① 반도체 산업이 발달했다.
② 생명 공학 등 첨단 산업이 발달했다.
③ 관광 산업 등 서비스 산업이 발달했다.
④ 1950년대에 비해 발달한 산업의 종류가 적었다.
⑤ 정보 통신 기술의 영향으로 인터넷, 쇼핑 산업 등이 발달하고 있다.

11종 공통

6 우리나라 국내 총생산의 변화에 대해 알맞게 말한 어린이를 쓰시오.

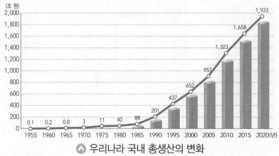

△ 우리나라 국내 총생산의 변화

> 영민: 우리나라의 국내 총생산은 경제가 성장하면서 꾸준히 증가해 왔어.
> 주연: 국내 총생산은 일정 기간 한 나라의 국민이 벌어들인 소득을 인구수로 나눈 값이야.

(   )

개념 ① 경제 성장으로 변화한 사회 모습

1. 사회 모습의 변화 → 경제가 성장하면서 사회에도 많은 변화가 나타났습니다.

1960년대		흑백텔레비전이 출시되어 사람들의 여가 생활이 달라지고 전국적인 방송망이 갖춰짐. [출처: 국립민속박물관]
1970년대		→ 1970년에 개통된 경부 고속 국도 고속 국도가 개통되면서 지역과 지역을 이동하는 데 걸리는 시간이 크게 줄어듦. [출처: 대한민국역사박물관]
1980년대		컬러텔레비전이 보급되어 방송 프로그램이 천연색으로 송출되기 시작함. [출처: 국립민속박물관]
1990년대		사람들이 공중전화를 이용하고, 개인용 컴퓨터가 보급되어 학습·업무 생활 등이 변화함.
2000년대		고속 철도의 개통으로 전국을 훨씬 빠르고 편하게 이동할 수 있게 되었음.
2010년대		스마트폰이 보급되면서 사람들은 더욱 쉽게 정보를 찾거나 이용할 수 있게 되었음.

2. 다른 나라와의 교류 증가: 경제 성장으로 다른 나라와의 교류가 활발해졌습니다.

🔺 해외여행객이 증가하고 있음.
[출처: 한국 관광 공사, 2021.]

🔺 한류를 즐기는 외국인들이 늘어나고 있음.
[출처: 뉴스뱅크]

☑ 경제 성장에 따른 통신수단의 변화

오늘날에는 사람들이 ❶(스마트폰 / 공중전화)을/를 사용하여 쉽게 정보를 찾을 수 있습니다.

1990년대에는 주로 공중전화를 이용했어.

오늘날에는 스마트폰을 쓰지.

정답 ❶ 스마트폰

내 교과서 살펴보기 / 미래엔, 아이스크림 미디어

사회 변화와 인공지능(AI)
• 인공지능은 컴퓨터 시스템이 사람처럼 생각하고 학습할 수 있게 실현한 것입니다.
• 오늘날 인공지능은 미래의 핵심 기술로 의료, 주거, 교통 등 다양한 분야에 활발하게 도입되고 있습니다.

용어 사전

한류(韓 한국 한 流 흐를 류)
우리나라의 대중문화 요소가 외국에서 유행하는 현상

개념② 경제 성장 과정에서 있었던 사건

1. 전태일의 희생

① 1960년대 이후 산업화가 빠른 속도로 진행되었지만, 노동자들은 열악한 노동 환경 속에서 힘들게 일해야 했습니다.

② 전태일은 자신을 희생하여 노동 현실을 개선하고자 노력했습니다. → 대통령에게 노동 환경을 개선해 달라는 편지를 쓰기도 했습니다.

△ 전태일 동상
[출처: 연합뉴스]

2. 한강 다리와 백화점 붕괴 사건

① 1990년대 중반에는 한강 다리와 백화점이 무너진 사건이 발생했습니다.

② 부실 공사로 생긴 두 사건은 온 국민에게 큰 슬픔을 주었습니다.

3. 외환 위기

① 1997년, 우리나라는 다른 나라에서 빌린 돈을 갚지 못해 외환 위기를 겪었습니다.

② 많은 회사가 문을 닫고 실업자 수가 크게 늘었지만 국민, 기업, 정부가 함께 힘을 모아 경제적 어려움을 극복했습니다.

개념③ 경제 성장 과정에서 나타난 문제점과 해결 노력

1. 빈부 격차 문제

원인	• 경제 성장으로 경제적인 부를 축적한 사람들이 많아짐. • 경제의 성장 과정에서 잘사는 사람과 그렇지 못한 사람의 소득 격차가 커짐. → 경제적 양극화
해결 노력	• 정부는 여러 법률을 제정해 시행하고 경제적 어려움을 겪는 사람들을 위한 생계비, 양육비 등을 지원함. • 사람들 간 소득 격차를 줄이기 위해 노력함. → 예 「국민 기초 생활 보장법」

내 교과서 살펴보기 / 천재교육, 교학사, 금성출판사, 비상교과서, 비상교육

농촌 문제와 그 해결 노력

원인	1960년대 이후 젊은 사람들이 일자리를 찾아 도시로 떠나면서 농촌에는 일할 사람이 부족해짐.
해결 노력	• 농촌의 생활 환경을 개선하고 교육을 지원함. • 기업과 시민이 나서 농촌의 일손을 도움.

☑ 경제 성장 과정에서 있었던 사건

1990년대에는 ❷ ⬜ ⬜ 공사로 인해 한강 다리와 백화점이 무너지는 사건이 발생하기도 했습니다.

부실 공사는 정말 없어져야 해.

☑ 빈부 격차 문제를 해결하기 위한 노력

정부는 「국민 기초 생활 보장법」을 만들어 경제적으로 ❸ (어려운 / 풍족한) 사람들을 돕고 있습니다.

정부는 법률을 제정해 어려운 사람들을 돕고 있어요.

정답 ❷ 부실 ❸ 어려운

📖 용어사전

● 외환(外 바깥 외 換 바꿀 환)
다른 나라와 거래할 때 쓰는 돈이나 그 밖의 수단

● 빈부 격차
잘사는 사람과 그렇지 못한 사람의 경제적 차이

개념 알기

2. 노동 환경 및 노사 갈등 문제

원인	노동자들은 경제 성장 과정에서 적은 임금을 받고, 긴 시간 동안 열악한 작업 환경에서 일했음.
해결 노력	• 노동자들은 노동 환경을 개선하기 위해 시위를 함. • 정부와 기업은 노동자들의 요구를 받아들여 휴일을 늘리고 근무 환경을 개선하고자 노력함. → 정부는 노사 갈등을 중재하기도 합니다. • 노동자와 기업은 대화로 갈등을 해결하기 위해 노력함.

3. 산업 재해 문제

원인	산업 현장에서 더 빨리, 많이, 싸게 생산하려다 보니 지켜야 할 안전 규칙이 잘 지켜지지 않음. → 노동자들의 안전이 위험해졌습니다.
해결 노력	• 정부는 「산업 안전 보건법」을 만들어 시행함. • 기업은 산업 현장에서 산업 안전을 강조하고 직원들을 교육함. • 노동자들은 정해진 안전 규칙을 지키기 위해 노력함.

4. 환경오염 문제

원인	• 급격한 경제 성장 과정에서 환경을 충분히 고려하지 못함. • 석탄이나 석유 등 화석 연료의 무분별한 사용, 정화되지 않은 폐수 등으로 인해 환경이 오염됨.
해결 노력	• 시민들은 지역의 환경 보호를 위해 자원봉사 활동을 함. • 정부는 전기 차나 수소 차와 같은˚친환경 자동차 보급을 지원하고, 신재생 에너지 사용을 권장함. • 기업은 친환경 제품을 개발하여 판매하고 있음.

[출처: 연합뉴스]
⚡ 전기 차 충전소 확대

[출처: 뉴스뱅크]
⚡ 친환경 제품 소비

내 교과서 살펴보기 / 미래엔

정보 통신 기술과 인터넷 발달의 부작용

• 정보 통신 기술과 인터넷이 발달하면서 개인 정보 유출, 사이버 폭력, 허위 정보 유포 등으로 피해를 입는 사람들이 늘어나고 있습니다.
• 인터넷을 안전하고 건전하게 이용할 수 있도록 법과 제도를 개선하는 등 정보 통신 기술과 인터넷 발달의 부작용을 줄이기 위해 노력하고 있습니다.

개념 체크

☑ **노동 환경 문제를 해결하기 위한 노력**

노동자들은 노동 환경을 개선하기 위해 ❹ [ㅅ][ㅇ]를 하기도 합니다.

☑ **환경오염 문제를 해결하기 위한 노력**

기업은 ❺ [ㅊ][ㅎ][ㄱ] 제품을 개발하여 판매하고 있습니다.

정답 ❹ 시위 ❺ 친환경

용어 사전

˚**친환경**(親 친할 친 環 고리 환 境 지경 경) 자연환경을 오염하지 않고 자연 그대로의 환경과 잘 어울리는 일

개념 다지기

11종 공통

1 경제 성장으로 변화한 오늘날 사회의 모습으로 알맞지 **않은** 것은 어느 것입니까? ( )

① 컬러텔레비전으로 뉴스를 본다.

② 스마트폰으로 지도를 검색한다.

③ 컴퓨터로 인터넷 강의를 듣는다.

④ 전화를 걸기 위해 공중전화에서 줄을 선다.

⑤ 주말에 고속 열차를 타고 할머니 댁에 다녀왔다.

천재교육, 천재교과서, 교학사, 금성출판사, 김영사,
비상교과서, 비상교육, 아이스크림 미디어, 지학사

2 다음 ☐ 안에 들어갈 알맞은 말을 쓰시오.

우리 문화가 세계로 퍼지는 현상을 ☐ 라고 함.

( )

천재교과서

3 청년 전태일이 다음과 같은 주장을 한 까닭으로 가장 알맞은 것은 어느 것입니까? ( )

「근로 기준법」을 지키고 휴일을 보장하라!

🔺 전태일 동상

① 빈부 격차가 없었다.

② 청년 실업 문제가 심각해졌다.

③ 농촌에 일할 사람이 부족해졌다.

④ 화학 비료, 플라스틱 쓰레기 등이 땅을 오염시켰다.

⑤ 노동자들이 적은 임금과 열악한 작업 환경 속에서 일했다.

11종 공통

4 다음은 우리나라의 어떤 문제를 해결하기 위한 노력입니까? ( )

🔺 복지 정책을 위한 여러 법률을 제정함.

안정적인 자립을 돕습니다.

🔺 가난한 사람들의 생계비, 양육비를 지원함.

① 환경오염　　② 외환 위기

③ 빈부 격차　　④ 자원 부족

⑤ 노사 갈등

11종 공통

5 환경오염 문제를 해결하기 위한 노력에 대해 **잘못** 말한 어린이를 쓰시오.

진도 완료 체크

제동: 시민들은 환경 보호를 위해 자원봉사 활동을 하기도 해.

종윤: 정부는 전기 차나 수소 차와 같은 친환경 자동차 보급을 지원하고 있어.

이수: 기업은 화학 비료, 플라스틱, 비닐 등을 사용해 물건을 만들려고 노력하고 있어.

( )

미래엔

6 인터넷 발달의 부작용과 관련하여 다음 ☐ 안에 들어갈 알맞은 말은 어느 것입니까? ( )

정보 통신 기술과 인터넷이 발달하면서 개인 정보 유출, ☐ 등의 피해를 입는 사람들이 늘어나고 있습니다.

① 일손 부족　　② 대기 오염

③ 에너지 낭비　　④ 사이버 폭력

⑤ 최저 임금 증가

Step ① 단원평가

1 1960년대 우리나라는 풍부한 (자원 / 노동력)을 바탕으로 경공업이 발전했습니다.

2 철, 배, 자동차 등 무거운 제품이나 플라스틱 등을 생산하는 산업은 무엇입니까?

(   )

3 경제가 성장하면서 우리나라의 국내 총생산과 1인당 국민 총소득은 (증가 / 감소)했습니다.

4 오늘날에는 고속 국도와 고속 철도의 개통으로 지역과 지역을 오가는 시간이 (늘었 / 줄었)습니다.

5 잘사는 사람과 그렇지 못한 사람의 소득 격차가 커지면서 생긴 문제를 무엇이라고 합니까?

(   )

11종 공통

6 6·25 전쟁 직후 우리나라의 경제 상황으로 알맞은 것을 두 가지 고르시오. (,   )
① 기술력과 자원이 풍부했다.
② 석유 화학, 조선업 등이 발전했다.
③ 첨단 산업이나 서비스 산업이 발전했다.
④ 전쟁으로 집과 도로, 공장들이 대부분 망가졌다.
⑤ 농업 중심의 산업을 공업 중심으로 발전시키기 위해 노력했다.

[7~8] 다음 자료를 보고, 물음에 답하시오.

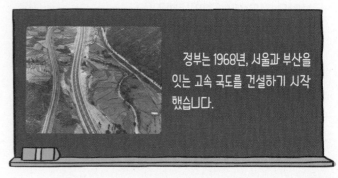

정부는 1968년, 서울과 부산을 잇는 고속 국도를 건설하기 시작했습니다.

11종 공통

7 위 자료에서 말한 서울과 부산을 잇는 고속 국도를 **보기**에서 찾아 기호를 쓰시오.

> **보기**
> ㉠ 남해 고속 국도
> ㉡ 경부 고속 국도
> ㉢ 동해 고속 국도

(   )

11종 공통

8 위 고속 국도를 건설하기 시작한 시기에 우리나라 경제의 특징으로 알맞지 <u>않은</u> 것은 어느 것입니까?

(   )

① 경제 개발 5개년 계획을 세웠다.
② 뛰어난 기술이 필요한 반도체 산업이 발전했다.
③ 의류, 신발, 가발 등과 같은 경공업이 발전했다.
④ 정부는 기업이 수출을 쉽게 할 수 있도록 지원했다.
⑤ 노동자들의 긴 시간 동안 적은 임금을 받으며 일했다.

9 다음 중 중화학 공업과 관련 <u>없는</u> 것은 어느 것입니까? (   )

①
△ 인천 정유 공장

②
△ 광명 자동차 공장

③
△ 울산 조선소

④
△ 부산 자갈치 시장

11종 공통

10 우리나라 경제가 빠르게 성장할 수 있었던 까닭에 대해 바르게 말한 어린이를 쓰시오.

> 화영: 노동자들은 많은 임금을 받으며 열심히 일하지 않았어.
> 지윤: 정부는 기업의 수출을 돕기 위해 수출을 하는 기업에 부과하는 세금을 올렸어.
> 희성: 기업인들은 기술 개발을 위해 노력하고 물건을 수출하기 위해 전 세계를 돌아다녔어.

(   )

11종 공통

11 경제 성장으로 변화한 우리나라의 모습으로 알맞은 것을 두 가지 고르시오. (,   )

① 스마트폰을 이용해 옷을 구입한다.
② 해외여행을 즐기는 사람들이 줄어들었다.
③ 가족들과 함께 모여 흑백텔레비전을 시청한다.
④ 우리나라의 문화를 즐기는 외국인들이 늘었다.
⑤ 한 교실에서 수업을 받는 학생 수가 많이 늘었다.

미래엔, 아이스크림 미디어

12 다음 ☐ 안에 들어갈 알맞은 말을 보기 에서 찾아 기호를 쓰시오.

> 컴퓨터 시스템이 사람처럼 생각하고 학습할 수 있게 실현한 것을 ☐(이)라고 합니다.

보기
㉠ 인터넷   ㉡ 인공지능
㉢ 전자 상거래   ㉣ 위치 정보 서비스

(   )

11종 공통

13 시민들이 다음과 같은 활동을 하는 까닭으로 알맞은 것에 ○표를 하시오.

△ 농촌 일손 돕기에 참여한 시민들

(1) 산업 현장에서 지켜야 할 안전 규칙이 잘 지켜지지 않아서 (   )
(2) 젊은 사람들이 일자리를 찾아 농촌에서 도시로 떠나 일손이 부족해져서 (   )

11종 공통

14 우리나라 환경오염 문제의 원인으로 가장 알맞은 것은 어느 것입니까? (   )

① 도시가 성장하고 농촌의 인구가 줄었다.
② 산업 구조가 변화하여 기존의 일자리가 사라졌다.
③ 경제 성장을 위해 석유와 석탄을 무분별하게 사용했다.
④ 노동자들이 적은 임금을 받고 긴 시간 동안 열악한 작업 환경에서 일했다.
⑤ 경제 성장 과정에서 잘사는 사람과 그렇지 못한 사람의 소득 격차가 커졌다.

15 다음은 시대별 우리나라의 경제 성장 과정입니다.　　　　　　11종 공통

1960년대	풍부한 　⑤　 을 바탕으로 의류, 가발, 신발 산업 등이 발전함.
1970년대	철강, 석유 화학, 조선 산업 등이 발전함.
1980년대	자동차, 전자 산업 등이 발전함.

(1) 위 ⑤에 들어갈 알맞은 말을 쓰시오.　　　　　（　　　　　　　　　）

(2) 위 자료를 통해 알 수 있는 우리나라 산업의 발전 모습을 쓰시오.

　답　우리나라의 경제는 1960년대 ❶〔　　　　　〕 중심에서 1970~1980년대

❷〔　　　　　〕 중심으로 변화했다.

천재교육, 천재교과서, 교학사, 금성출판사, 김영사, 미래엔, 비상교과서, 비상교육, 지학사

16 오른쪽은 전국에 설치된 초고속 정보 통신망 지도입니다.

(1) 오른쪽 지도에 나타난 초고속 정보 통신망이 주로 설치된 시기를 보기 에서 찾아 ○표를 하시오.

> **보기**
> • 1950년대　　• 1960년대
> • 1970년대　　• 1990년대

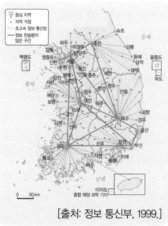

[출처: 정보 통신부, 1999.]

(2) 초고속 정보 통신망이 전국에 설치되면서 달라진 우리나라 산업의 모습에 관해 쓰시오.

_____

_____

17 환경오염 문제를 해결하기 위한 노력을 한 가지만 쓰시오.　　　　11종 공통

_____

_____

서술형 가이드
어려워하는 서술형 문제!
서술형 가이드를 이용하여 풀어 봐!

15 (1) 1960년대 우리나라는 자원과 〔　　〕이 부족했지만, 노동력이 풍부했습니다.

(2) 우리나라의 경제가 중화학 공업 중심으로 바뀌면서 〔　　〕이 크게 늘었습니다.

16 (1) 우리나라는 〔　　　〕 사회의 경제 발전을 위해 초고속 정보 통신망을 만들었습니다.

(2) 초고속 정보 통신망이 설치되고 〔　　　〕 관련 기업들이 생겨났습니다.

17 기업은 환경을 보호하기 위해 (친환경 / 석유 화학) 제품을 개발하여 판매하고 있습니다.

Step ③ 수행평가

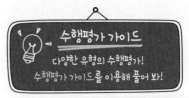
학습 주제 경제 성장으로 변화한 사회 모습

학습 목표 경제 성장으로 변화한 우리나라 사회의 모습을 알 수 있다.

경제 성장으로 변화한 사회 모습

- 경제가 성장하면서 사회에도 많은 변화가 나타났습니다.
- 컬러텔레비전, 스마트폰 등이 보급되어 생활이 편리해졌고, 고속 국도, 고속 철도의 개통으로 이동 시간도 많이 줄었습니다.

[18~20] 다음은 우리나라의 경제 성장에 따라 변화한 사회의 모습입니다.

㉠

△ 경부 고속 국도의 개통

㉡

△ 스마트폰의 보급

㉢

△ 공중전화 사용

㉣

△ 고속 철도 개통

2 단원
진도 완료 체크

18 위 사진을 사회가 변화한 순서대로 기호를 쓰시오. 　11종 공통

경제 성장으로 변화한 사회 모습	→ 　　　→ 　　　→

19 위 자료를 보고 다음 ( ) 안의 알맞은 말에 각각 ○표를 하시오. 　11종 공통

　1970년대에는 ❶(경부 고속 국도 / 고속 철도)가 개통되어 지역을 이동하는 데 걸리는 시간을 줄였고, 2010년대에는 ❷(스마트폰 / 공중전화)이/가 보급되면서 사람들이 일상생활에서 인터넷을 사용하게 되었습니다.

20 위 사진에 나타난 모습을 제외하고, 경제 성장에 따라 변화한 우리나라 사회의 모습을 한 가지만 쓰시오. 　11종 공통

_____

_____

우리나라의 경제가 성장하면서 다른 나라와의 교류가 활발해졌어.

무역의 의미와 다른 나라와의 경제 교류

개념① 무역

뜻	나라와 나라가 물건이나 서비스를 사고파는 것
수출과 수입	• 수출: 다른 나라에 물건이나 서비스를 파는 것 • 수입: 다른 나라에서 물건이나 서비스를 사 오는 것
하는 까닭	• 나라마다 자연환경, 자원, 기술, 노동력 등의 차이로 더 잘 만들 수 있는 물건이나 서비스가 다르기 때문에 • 경제적 이익을 얻을 수 있기 때문에 ↳ 경제 교류 이전에는 사용할 수 없었던 물건을 사용할 수 있습니다.

개념 체크

☑ **무역을 하는 까닭**

나라마다 더 잘 만들 수 있는 물건이나 서비스가 ❶(같기 / 다르기) 때문에 무역을 합니다.

개념② 우리나라의 경제 교류

1. 우리나라의 무역 현황

내 교과서 살펴보기 / 천재교육

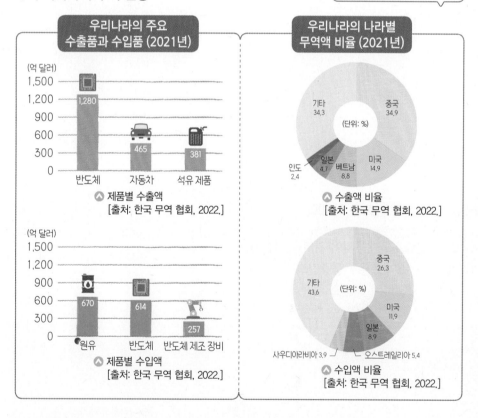

우리나라의 주요 수출품과 수입품 (2021년)

(억 달러)
1,280 반도체 / 465 자동차 / 381 석유 제품
🔺 제품별 수출액
[출처: 한국 무역 협회, 2022.]

(억 달러)
670 원유 / 614 반도체 / 257 반도체 제조 장비
🔺 제품별 수입액
[출처: 한국 무역 협회, 2022.]

우리나라의 나라별 무역액 비율 (2021년)

기타 34.3 / 중국 34.9 / (단위: %) / 인도 2.4 / 일본 4.7 / 베트남 8.8 / 미국 14.9
🔺 수출액 비율
[출처: 한국 무역 협회, 2022.]

기타 43.6 / 중국 26.3 / (단위: %) / 미국 11.9 / 일본 8.9 / 사우디아라비아 3.9 / 오스트레일리아 5.4
🔺 수입액 비율
[출처: 한국 무역 협회, 2022.]

☑ **우리나라의 무역 현황**

우리나라는 주로 ❷[ㅈ][ㄱ], 미국, 일본 등의 나라와 무역을 합니다.

정답 ❶ 다르기 ❷ 중국

2. 우리나라의 무역 현황을 보고 알 수 있는 점

① 우리나라는 반도체, 자동차, 석유 제품 등을 주로 수출하고 원유, 반도체, 반도체 제조 장비 등을 주로 수입합니다.

② 우리나라는 중국, 미국과 가장 많이 무역을 합니다. ↱ 수입과 수출 모두 중국이 가장 높습니다.

용어
사전

● **원유**(原 근원 원 油 기름 유)
땅속에서 뽑아낸, 정제하지 않은 그대로의 기름

개념 ③ 우리나라와 다른 나라의 경제 교류 사례

1. 우리나라가 다른 나라와 주고받는 물건 예

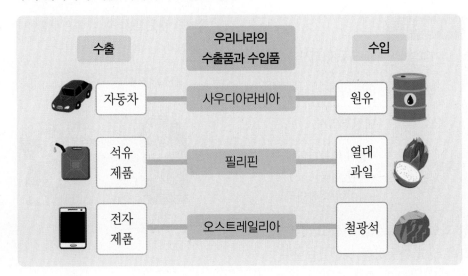

수출	우리나라의 수출품과 수입품	수입
자동차	사우디아라비아	원유
석유 제품	필리핀	열대 과일
전자 제품	오스트레일리아	철광석

2. 우리나라가 다른 나라와 주고받는 서비스 예

의료 서비스	우리나라의 산부인과 서비스가 미국에 진출함. → 서비스 수출
영상 서비스	우리나라에서 월 1천만 명 이상이 미국의 온라인 동영상 서비스를 사용함. → 서비스 수입
만화 서비스	우리나라의 만화 서비스 기업이 인도네시아, 타이 등 동남아시아로 활발하게 진출함. → 서비스 수출

3. 우리나라에 발달한 무역의 특징: 가공 무역

① 우리나라는 천연자원이 부족하지만 기술력이 뛰어납니다.
② 다른 나라에서 원료를 수입하고 이를 가공해 만든 제품을 수출하는 무역이 발달했습니다. → 예 수입한 원유를 가공해 석유 제품을 만들어 수출합니다.

내 교과서 살펴보기 / 교학사, 금성출판사, 미래엔, 비상교과서

우리 주변에 있는 물건의 원산지 살펴보기

• 우리 주변의 물건을 살펴보면 원산지를 알 수 있습니다.
• 원산지 확인을 통해 우리 주변의 물건을 만드는 재료가 어느 나라에서 왔는지, 물건을 생산한 나라는 어디인지 등을 알 수 있습니다.

대게(1마리)
원산지:러시아/1마리
45,000

러시아에서 수입한 대게 ▷

☑ 우리나라와 사우디아라비아의 경제 교류

우리나라는 사우디아라비아에 자동차를 수출하고, ❸ ○○를 수입합니다.

우리나라는 원유를 팔겠습니다.

우리나라는 자동차를 팔겠습니다.

☑ 우리나라가 수출하는 서비스

우리나라의 온라인 만화 서비스는 다양한 나라에 ❹ ㅅㅊ되어 인기를 얻고 있습니다.

대한민국의 만화 서비스를 자주 이용해요.

정답 ❸ 원유 ❹ 수출

용어
사전

●원산지(原 근원 원 産 낳을 산 地 땅 지) 물건의 생산지

개념④ 우리나라와 다른 나라의 경제 관계 → 서로 의존하기도, 경쟁하기도 합니다.

1. 상호 의존 관계

㉠ 음료수	
기업명	㉠ 음료 회사
본사	경상남도
생산 지역	경상남도
주요 재료의 원산지	• 정제수(대한민국) • 오렌지(미국) • 망고(베트남)

㉡ 자동차	
기업명	㉡ 자동차 회사
본사	이탈리아
생산 지역	대전광역시
주요 재료의 원산지	• 엔진(이탈리아) • 강판(미국) • 타이어(대한민국)

① ㉠ 음료수는 미국과 베트남에서 수입한 과일로 음료수를 만들고, ㉡ 자동차는 이탈리아의 회사가 우리나라에 공장을 짓고 자동차를 생산했습니다.

② 상품을 위해 여러 나라가 협력하는 까닭: 다른 나라의 재료, 값싼 노동력, 기술 등을 활용하면 더 좋은 상품이나 서비스를 생산할 수 있기 때문입니다.

2. 상호 경쟁 관계

저렴한 가격 / 우수한 품질 / 다양한 기능

△ 가 나라 / △ 나 나라 / △ 다 나라

① 경쟁이 생기는 까닭: 같은 종류의 물건을 생산하는 다른 나라의 기업이 많아서 경쟁이 발생합니다.

② 다양한 나라의 기업들이 경쟁할 때 장점: 수출품의 품질이 더 좋아질 수 있고, 기업의 기술이 발전할 수 있으며, 나라 경제 발전에도 도움이 됩니다.

개념⑤ 자유 무역 협정(FTA)

→ 정부가 자기 나라의 상품을 보호하기 위해 취하는 법적, 제도적 조치

1. 자유 무역 협정은 나라 간 물건이나 서비스의 이동을 자유롭게 하려고 세금, 법, 제도 등의 무역 장벽을 줄이거나 없애기로 한 약속입니다.

2. 자유 무역 협정을 통해 우리나라의 수출품이 상대 나라에 많이 팔리게 되고, 상대 나라의 수출품도 우리나라에서 많이 팔리게 됩니다.

☑ **다른 나라와 의존하는 경제 관계**

다른 나라의 ❺[ㅈ][ㄹ], 노동력, 기술 등을 활용하면 더 좋은 상품이나 서비스를 생산할 수 있습니다.

이 음료수는 베트남 망고를 사용했어.

우리나라에서는 망고가 안 나거든.

망고: 베트남산

☑ **다른 나라와 경제 교류를 하면서 경쟁이 발생하는 까닭**

같은 종류의 물건을 생산하는 다른 나라의 기업이 ❻(많아서 / 적어서) 경쟁이 발생합니다.

어떤 제품을 골라야 할지 모르겠어.

기업 간의 경쟁이 치열하구나.

정답 ❺ 재료 ❻ 많아서

용어
사전

●협정(協 화합할 협 定 정할 정)
서로 의논하여 결정함.

개념 다지기

1 무역에 대한 알맞은 설명에 ○표를 하시오. `11종 공통`

(1) 무역은 나라 사이에 물건과 서비스를 사고팔며 경제적으로 교류하는 것입니다. (　　　)

(2) 다른 나라에 물건이나 서비스를 파는 것을 수입, 사 오는 것을 수출이라고 합니다. (　　　)

2 다음 (　　) 안의 알맞은 말에 각각 ○표를 하시오. `11종 공통`

> 나라마다 자연환경, 자원, 기술 수준 등에 차이가 ❶(있어 / 없어) 더 잘 만들 수 있는 물건이나 서비스가 ❷(같기 / 다르기) 때문에 무역을 합니다.

3 다음 ☐ 안에 들어갈 우리나라의 주요 수출품은 어느 것입니까? (　　　) `11종 공통`

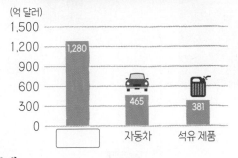

우리나라의 주요 수출품 (2021년)

(억 달러)

1,280 / 465 / 381

자동차　석유 제품

① 목재
② 원유
③ 반도체
④ 유제품
⑤ 열대 과일

4 다음 신문 기사를 통해 알 수 있는 우리나라의 경제 교류에 대한 설명으로 알맞은 것은 어느 것입니까? (　　　) `천재교육`

> **온라인 동영상 서비스 인기**
>
> 최근 우리나라에서 미국의 온라인 동영상 서비스가 큰 인기를 얻고 있습니다.
> 우리나라에서 월 1천만 명 이상이 사용합니다.

① 서비스가 아닌 물건만 수입한다.
② 미국에 온라인 동영상 서비스를 수출했다.
③ 다른 나라와 경제 교류를 전혀 하지 않는다.
④ 미국의 온라인 동영상 서비스를 수입하여 사용하고 있다.
⑤ 미국의 온라인 동영상 서비스는 우리나라에서 인기가 없다.

5 우리나라와 다른 나라의 경제 관계에 관한 설명으로 알맞은 것은 어느 것입니까? (　　　) `11종 공통`

① 경제적으로 관련이 없다.
② 상호 경쟁하지만 의존하지는 않는다.
③ 자연환경이 비슷한 나라와만 의존한다.
④ 필요한 모든 자원은 우리나라 안에서 구한다.
⑤ 서로 비슷한 물건을 생산하는 나라와 경쟁한다.

6 자유 무역 협정(FTA)에 대해 알맞게 말한 어린이를 쓰시오. `11종 공통`

> 다희: 나라 간 물건이나 서비스의 이동을 제한하는 약속이야.
> 윤철: 세금, 법, 제도 등의 무역 장벽을 줄이거나 없애기도 해.
> 예슬: 자유 무역 협정을 체결하면 우리나라가 수입, 수출하는 물건이 줄어들게 돼.

(　　　　　　)

개념 알기

개념 ① 경제 교류가 우리 경제생활에 미친 영향

1. 의식주 및 여가 생활의 변화 → 소비자들이 제품을 선택할 수 있는 폭이 넓어졌습니다.

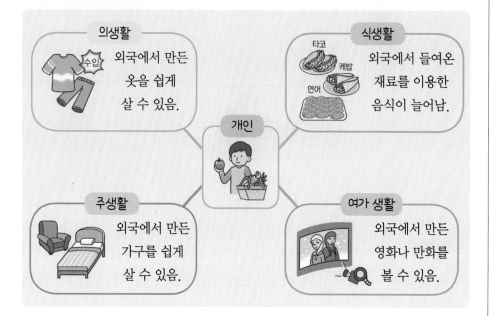

의생활
외국에서 만든 옷을 쉽게 살 수 있음.

식생활
외국에서 들여온 재료를 이용한 음식이 늘어남.

개인

주생활
외국에서 만든 가구를 쉽게 살 수 있음.

여가 생활
외국에서 만든 영화나 만화를 볼 수 있음.

2. 개인과 기업의 경제생활의 변화

개인	• 외국 기업에서 일자리를 얻거나 외국에서 일하기도 함. → 우리나라 기업에 취업하는 외국인도 많아졌습니다. • 전 세계의 값싸고 다양한 물건을 선택할 수 있는 기회가 늘어남.
기업	• 다른 나라의 새로운 기술과 아이디어를 주고받을 수 있음. • 다른 나라에 공장을 세워 값싼 노동력을 활용해 생산 비용을 줄이고, 운반 비용을 줄일 수 있음.

개인에 미친 영향

◎ 다른 나라에서 수입한 열대 과일을 살 수 있음.

기업에 미친 영향

◎ 신재생 에너지 기술 교류 박람회에 참석함.

◎ 인도에 우리나라 기업의 자동차 공장을 세움.

[출처: 연합뉴스]

내 교과서 살펴보기 / 천재교과서

다른 나라와의 경제 교류로 달라진 생활 모습 조사하기

1 모둠별로 의생활, 식생활, 주생활, 여가 생활 중 조사할 주제를 정합니다.

2 관련된 책, 인터넷 검색, 직접 경험한 내용을 바탕으로 달라진 생활 모습을 조사합니다.

3 조사하면서 새로 알게 된 점이나 느낀 점을 작성합니다.

---

6 경제 교류가 우리 생활에 미친 영향 / 무역 문제

개념 체크

☑ 경제 교류가 개인에게 미친 영향

개인은 경제 교류로 인해 다른 나라의 다양한 물건과 서비스를 선택할 수 있는 ❶ ㄱ ㅎ 가 늘어났습니다.

쌀국수는 너무 맛있어.

저녁은 인도 음식을 먹을까?

☑ 경제 교류가 기업에게 미친 영향

기업은 경제 교류로 인해 다른 나라와 새로운 ❷ ㄱ ㅅ 및 아이디어를 주고받을 수 있습니다.

한국 기업과 기술을 교류하기 위해 왔어요.

정답 ❶ 기회 ❷ 기술

용어 사전

• 신재생 에너지
지속 가능한 에너지 공급을 위해 화석 연료가 아닌 햇빛, 물, 지열 등을 이용하는 에너지

개념 ② 경제 교류를 하면서 생기는 문제점

1. 다른 나라와 무역을 하면서 생기는 문제

우리나라는 이제 농산물을 수입하지 않겠습니다.

△ 다른 나라의 수입 제한으로 우리나라의 수출이 감소함.

대한민국에서 수입하는 세탁기에 세금을 더 부과하겠습니다.

△ 우리나라에서 수출하는 물건에 높은 관세를 부과함.

우리는 당분간 ○○ 나라의 수산물을 수입하지 않겠습니다.

○○ 나라 수산물 수입 금지

△ 수입을 거부하면서 다른 나라와 갈등이 발생함.

기후 변화로 △△ 나라의 커피 생산량이 크게 줄어 수입이 어려워졌어.

△ 다른 나라에 의존하는 물건의 수입 문제가 발생함.

2. 무역 문제의 원인: 서로 자기 나라의 경제를 보호하고 산업을 더 키우려고 해서 발생합니다.

3. 자기 나라 경제를 보호하려는 까닭

다른 나라보다 경쟁력이 부족한 우리나라의 산업을 먼저 보호하기 위해서

수입품 때문에 우리나라의 상품이 잘 팔리지 않아 생기는 국내 근로자의 실업을 방지하기 위해서

쌀 산업과 같이 나라의 기본이 되는 산업을 보호하기 위해서

내 교과서 살펴보기 / 아이스크림 미디어

우리나라의 무역 의존도

우리나라 무역의 특징	주요 수출입품이 한정적이고, 주요 무역 상대국이 다양하지 않아 무역 의존도가 높음.
무역 의존도가 높아서 발생하는 문제점	• 주요 무역 상대국의 경제 상황에 따라 우리나라 경제도 많은 영향을 받음. • 국가 관계가 악화되면 수출과 수입에 타격을 받음.

예 반도체, 자동차, 원유
예 미국, 중국

☑ 여러 가지 무역 문제

우리나라에서 수출하는 물건에 높은 ③ ㄱ ㅅ 를 부과하면 가격이 올라 경쟁에서 불리해집니다.

최근에 우리나라 세탁기에 대한 관세가 늘었습니다.

수출이 어려워지겠어……

☑ 무역 문제가 발생하는 까닭

서로 자기 나라 경제를 ④ ㅂ ㅎ 하고 자기 나라의 산업을 더 키우려 하기 때문에 무역 문제가 발생합니다.

산업 보호를 위해 더이상 수입을 하지 않겠습니다.

우리 물건 좀 사세요.

정답 ③ 관세 ④ 보호

용어 사전

• **관세**(關 관계할 관 稅 세금 세)
수입품에 매기는 세금으로, 수입품의 가격을 높여 국내 산업을 보호할 수 있음.

• **무역 의존도**
한 나라의 경제가 무역에 얼마나 의존하고 있는지 나타내는 지표

개념 ③ 무역 문제의 해결 방안

1. 무역 문제를 해결하기 위한 노력 → 상품의 품질을 개선하거나 수출입 종목을 확대할 수도 있습니다.

① 무역 문제가 발생한 나라끼리 서로 협상하고 합의해야 합니다.
② 무역 문제를 해결해 줄 수 있는 국제기구에 도움을 요청해야 합니다.
③ 우리나라의 상품을 수출할 수 있는 다른 나라를 찾아보아야 합니다.

2. 무역 문제를 중재하는 세계 무역 기구(WTO)

만든 목적	나라 간 무역을 하며 발생하는 문제를 공정하게 심판하여 해결해 주기 위해 국제기구를 만듦. → 1995년 1월에 설립되었습니다.
하는 일	• 나라 간에 무역 갈등이 발생했을 때 판결을 하여 해결함. • 무역이 쉽게 이루어지지 않았던 분야도 개방할 수 있도록 무역 장벽을 낮춤.

3. 무역 문제 해결 사례 예

① 우리나라와 미국 간의 철강 무역 문제

> #### 우리나라, 미국과의 철강 무역 문제에서 승리
>
> 세계 무역 기구(WTO)는 미국 정부가 대한민국의 철강 수출품에 높은 관세를 부과한 것을 확인하고, 우리나라 정부의 손을 들어 주었다. 우리나라 정부는 미국의 관세 부과 정책에 여러 차례 문제를 제기했지만 해결되지 않자, 지난 2018년 2월에 세계 무역 기구에 문제를 제기하였고, 약 3년 만에 해결되었다.
>
> [출처: 대한민국 정책 브리핑, 2021.]

➡ 세계 무역 기구는 미국이 우리나라에 부과한 관세가 정당하지 않다고 판단하여 우리나라의 손을 들어주었습니다.

② 우리나라와 필리핀 간의 자동차 무역 문제

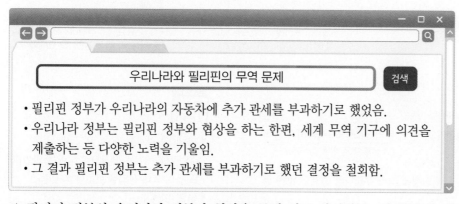

우리나라와 필리핀의 무역 문제   검색

• 필리핀 정부가 우리나라의 자동차에 추가 관세를 부과하기로 했었음.
• 우리나라 정부는 필리핀 정부와 협상을 하는 한편, 세계 무역 기구에 의견을 제출하는 등 다양한 노력을 기울임.
• 그 결과 필리핀 정부는 추가 관세를 부과하기로 했던 결정을 철회함.

➡ 필리핀 정부와 우리나라 정부가 협상을 통해 서로 합의하고, 세계 무역 기구에 의견을 제출하며 무역 문제를 해결했습니다.

☑ **무역 문제를 해결하기 위한 노력**

무역 문제로 인한 피해를 ❺(늘릴 / 줄일) 수 있는 대책을 마련해야 합니다.

☑ **세계 무역 기구**

세계 무역 기구는 나라 간에 발생하는 무역 문제를 ❻ □ □ 하게 심판합니다.

정답 ❺ 줄일 ❻ 공정

용어 사전

국제기구(國 나라 국 際 사이 제 機 틀 기 構 얽을 구)
여러 나라가 모여 지구촌의 협력을 위해 활동하는 단체

1 다음 그림을 통해 알 수 있는 경제 교류로 달라진 일상생활은 어느 것입니까? (　　　)

이 청바지와 허리띠가 마음에 들어.

① 외국에서 만든 옷을 살 수 있다.
② 외국 기업이 만든 가구를 살 수 있다.
③ 외국 기업에 취직하기 위해 준비한다.
④ 외국 재료를 활용한 음식이 많아졌다.
⑤ 극장에서 외국 만화 영화를 볼 수 있다.

2 다음 ㉠과 ㉡에 들어갈 말이 알맞게 짝 지어진 것은 어느 것입니까? (　　　)

> 경제 교류가 활발해지면서 기업은 다른 나라에 공장을 세워 ㉠ 노동력을 활용해 ㉡ 을/를 줄일 수 있습니다.

	㉠	㉡		㉠	㉡
①	값싼	기술력	②	비싼	아이디어
③	값싼	아이디어	④	비싼	생산 비용
⑤	값싼	생산 비용			

3 다음 성연이의 질문에 대한 답으로 알맞은 것은 어느 것입니까? (　　　)

성연 ▶ 정부가 자기 나라의 경제를 보호하려는 까닭은 무엇일까?

① 수입을 늘리고 수출을 줄이기 위해서
② 자기 나라의 무역 의존도를 높이기 위해서
③ 나라의 기본이 되는 산업을 보호하기 위해서
④ 수입품 때문에 국내 근로자의 실업이 줄어서
⑤ 다른 나라보다 우리나라의 산업 경쟁력이 뛰어나서

4 다음 그림과 관련된 무역 문제는 어느 것입니까?
(　　　)

기후 변화로 △△ 나라의 커피 생산량이 크게 줄어 수입이 어려워졌어.

① 우리나라의 수출 거부
② 다른 나라의 수입 제한
③ 우리나라 물건의 가격 하락
④ 우리나라 물건에 높은 관세 부과
⑤ 다른 나라에 의존해야 하는 물건의 수입 문제

2단원

진도 완료 체크

5 무역 문제를 해결하기 위한 노력으로 알맞지 <u>않은</u> 것은 어느 것입니까? (　　　)

① 상품을 수출할 수 있는 다른 나라를 찾아본다.
② 우리나라 물건에 붙은 관세를 늘리기 위해 노력한다.
③ 무역 문제가 발생한 나라끼리 서로 협상하고 합의한다.
④ 무역 문제를 해결해 줄 수 있는 국제기구에 도움을 요청한다.
⑤ 상대 나라의 정책으로 우리나라가 입게 되는 피해를 줄일 수 있도록 대책을 마련한다.

6 다음 □ 안에 들어갈 알맞은 말을 보기에서 찾아 쓰시오.

> 나라 간 무역을 하며 발생하는 문제를 공정하게 심판하여 해결해 주기 위해 만들어진 국제기구를 □□□(이)라고 합니다.

보기
• 법원　　　• 정부　　　• 세계 무역 기구

(　　　)

Step ① 단원평가

1 나라와 나라가 물건이나 서비스를 사고파는 것을 무엇이라고 합니까?　(　　　　　　)

2 우리나라와 세계 여러 나라는 한 상품을 위해 (협력 / 견제)하여 다른 나라의 재료, 노동력, 기술 등을 활용하기도 합니다.

3 경제 교류가 활발해지면서 기업은 다른 나라에 공장을 세워 값싼 노동력을 활용해 생산 비용을 (늘릴 / 줄일) 수 있습니다.

4 국내 산업을 보호하기 위해 국가에서 수입품에 매기는 세금을 무엇이라고 합니까?

(　　　　　　　　)

5 세계 무역 기구에서는 무역이 이루어지지 않았던 분야도 개방할 수 있도록 무역 장벽을 (높입니다 / 낮춥니다).

11종 공통

6 다음 중 무역에 대해 <u>잘못</u> 말한 어린이를 쓰시오.

> 소현: 무역을 통해 경제적 이익을 얻을 수는 없어.
> 상호: 다른 나라에 물건이나 서비스를 파는 것을 수출이라고 해.
> 봉훈: 자기 나라가 더 잘 만들 수 있는 물건이나 서비스를 생산하고 교류하는 일이야.

(　　　　　　　　)

[7~8] 다음 ○○ 나라와 △△ 나라의 특징을 정리한 표를 보고, 물음에 답하시오.

	○○ 나라	△△ 나라
기후	일 년 내내 덥고 습함.	사계절이 뚜렷함.
자원	천연자원이 풍부함.	천연자원이 부족함.
기술	물건을 생산하는 기술이 부족함.	물건을 생산하는 기술이 뛰어남.

11종 공통

7 위 ○○ 나라와 △△ 나라가 서로 무역을 할 때 수출할 물건을 보기에서 찾아 각각 기호를 쓰시오.

> **보기**
> ㉠ 원유　　　　㉡ 목재
> ㉢ 스마트폰　　㉣ 대형 선박

(1) ○○ 나라: (　　　　,　　　　)
(2) △△ 나라: (　　　　,　　　　)

11종 공통

8 위 두 나라가 경제 교류를 하는 까닭으로 알맞은 것은 어느 것입니까? (　　　　)

① 경제적 손해를 얻기 위해
② ○○ 나라의 기술력이 좋아서
③ △△ 나라의 천연자원이 풍부해서
④ 두 나라의 자연환경과 기술이 달라서
⑤ 두 나라가 서로 부족하거나 필요한 것이 없어서

11종 공통

9 다음 그래프를 보고 알 수 있는 우리나라 무역의 특징으로 알맞은 것은 어느 것입니까? (   )

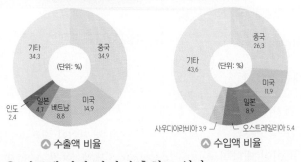

우리나라의 나라별 무역액 비율 (2021년)

기타 34.3 / 중국 34.9 / (단위: %) / 인도 2.4 / 일본 4.7 / 베트남 8.8 / 미국 14.9

🔺 수출액 비율

기타 43.6 / 중국 26.3 / (단위: %) / 미국 11.9 / 일본 8.9 / 사우디아라비아 3.9 / 오스트레일리아 5.4

🔺 수입액 비율

① 미국에 가장 많이 수출하고 있다.
② 일본에서는 전혀 수입하지 않는다.
③ 수입을 가장 많이 하는 나라는 중국이다.
④ 중국, 미국, 베트남, 일본, 인도에만 수출하고 있다.
⑤ 수입을 많이 하는 국가와 수출을 많이 하는 국가가 전혀 다르다.

11종 공통

10 다음 중 우리나라의 주요 수출품으로 알맞은 것에 ○표를 하시오.

(1) 🔺 자동차
(   )

(2) 🔺 열대 과일
(   )

11종 공통

11 우리나라가 다른 나라와 경쟁하며 교류하는 모습으로 가장 알맞은 것은 어느 것입니까? (   )

① 외국에서 원유를 수입한다.
② 어려운 나라에 기부금을 보낸다.
③ 다른 나라와 자유 무역 협정을 맺는다.
④ 해외에 공장을 짓고 그 나라 사람들을 고용한다.
⑤ 휴대 전화를 더 많이 수출하기 위해 기술을 개발한다.

11종 공통

12 다음은 나라 간의 경제 교류가 개인의 어떤 생활에 미친 영향입니까? (   )

이 식당에서 부리토를 먹으면 정말 멕시코에 온 것 같아.

① 주생활 ② 식생활 ③ 의생활
④ 여가 생활 ⑤ 취업 활동

[13~14] 다음 신문 기사를 읽고, 물음에 답하시오.

> **우리나라, 미국과의 철강 무역 문제에서 승리**
>
> 우리나라 정부는 미국의 관세 부과 정책에 여러 차례 문제를 제기하였지만 해결되지 않자, 지난 2018년 2월에 ㉠ 에 문제를 제기하였고, 약 3년 만에 해결되었다.

천재교육

13 위와 같은 무역 문제가 발생한 까닭으로 알맞은 것에 ○표를 하시오.

(1) 우리나라가 미국의 수출품 수입을 제한했습니다.
(   )
(2) 미국이 우리나라의 철강 수출품에 높은 관세를 부과했습니다.
(   )
(3) 미국이 근로자의 실업을 방지하기 위해 수출을 제한했습니다.
(   )

11종 공통

14 위 ㉠에 들어갈 국제기구가 하는 일로 알맞은 것은 어느 것입니까? (   )

① 나라 간의 무역 장벽을 높인다.
② 수출은 제한하고 수입을 늘리도록 돕는다.
③ 나라들이 서로 제한적인 무역을 하도록 돕는다.
④ 나라 간에 무역 갈등이 발생했을 때 공정하게 판결한다.
⑤ 환경오염을 막고 기후 변화에 대응하기 위한 다양한 노력을 한다.

15 다음은 제품의 생산 정보를 나타낸 표입니다. 11종 공통

㉠ 음료수	
기업명	㉠ 음료 회사
본사	경상남도
생산 지역	경상남도
주요 재료의 원산지	• 정제수(대한민국) • 오렌지(미국) • 망고(베트남)

㉡ 자동차	
기업명	㉡ 자동차 회사
본사	이탈리아
생산 지역	대전광역시
주요 재료의 원산지	• 엔진(이탈리아) • 강판(미국) • 타이어(대한민국)

(1) 위 ㉠, ㉡과 같은 제품을 만들기 위한 재료를 외국으로부터 사 오는 것을 무엇이라고 하는지 쓰시오. (   )

(2) 위와 같이 한 상품을 만들기 위해 여러 나라가 협력하는 까닭에 관해 쓰시오.

답 다른 나라의 좋은 ❶[   ], 값싼 노동력, 뛰어난 ❷[   ] 등을 활용하면 더 좋은 상품이나 서비스를 생산할 수 있기 때문이다.

16 다음은 경제 교류가 개인과 기업의 경제생활에 미친 영향입니다. 11종 공통

㉠ 다른 나라에서 수입한 열대 과일을 살 수 있음.
㉡ 신재생 에너지 기술 교류 박람회에 참여함.
㉢ 인도에 우리나라 기업의 자동차 공장을 세움.

(1) 위 ㉠~㉢ 중 경제 교류가 개인에게 미치는 영향과 가장 관련 있는 것을 찾아 기호를 쓰시오. (   )

(2) 위 자료를 통해 알 수 있는 경제 교류가 기업에게 미친 영향을 쓰시오.

_____

_____

17 세계 여러 나라가 자기 나라 경제를 보호하려는 까닭을 쓰시오. 11종 공통

_____

_____

서술형 가이드
어려워하는 서술형 문제!
서술형 가이드를 이용하여 풀어 봐!

15 (1) 다른 나라에 물건이나 서비스를 파는 것을 [ ][ ], 사 오는 것을 수입이라고 합니다.
(2) 한 기업이 제품을 만들려면 세계 여러 나라와 서로 [ ][ ]해야 합니다.

16 (1) 경제 교류로 소비자들은 제품을 [ ][ ]할 수 있는 폭이 넓어졌습니다.
(2) 경제 교류로 [ ][ ]은 다른 나라에 공장을 세워 생산 비용을 줄일 수 있게 되었습니다.

17 나라의 기본이 되는 쌀 산업과 같은 산업을 [ ][ ]하기 위해 수입을 제한하기도 합니다.

Step ③ 수행평가

학습 주제 무역을 하는 까닭과 무역 문제

학습 목표 무역을 하는 까닭과 무역 문제를 해결하기 위한 노력을 알 수 있다.

[18~20] 다음은 ⊙ 나라와 ⓒ 나라의 무역 모습입니다.

목재

원유

스마트폰 텔레비전

반도체

11종 공통

18 다음 글을 읽고 위 ☐ 안에 들어갈 알맞은 수출품을 보기 에서 찾아 쓰시오.

> ⊙ 나라는 천연자원이 풍부하고 날씨가 따뜻하지만, 전자 제품을 만드는 기술력이 부족합니다.

보기
• 컴퓨터   • 세탁기   • 열대 과일   • 첨단 의료 기기

(   )

11종 공통

19 다음 (   ) 안의 알맞은 말에 각각 ○표를 하시오.

> ⊙ 나라와 ⓒ 나라의 ❶(자연환경 / 나라 이름), 자원, 기술, 노동력 등의 차이로 더 잘 만들 수 있는 물건이나 서비스가 다르고, 경제 교류를 통해 서로 ❷(이익 / 손해)을/를 얻을 수 있기 때문에 무역을 합니다.

11종 공통

20 ⊙ 나라에서 ⓒ 나라 상품의 수입량을 제한한다면, ⓒ 나라의 입장에서 어떻게 문제를 해결할 수 있는지 방안을 쓰시오.

_____

_____

무역을 하는 까닭과 무역 문제

• 나라마다 더 잘 만들 수 있는 물건이나 서비스가 다르기 때문에 무역을 합니다.

• 무역 문제가 발생하면 무역 문제가 발생한 나라끼리 서로 협상하고 합의해야 합니다.

무역 문제를 해결하기 위해 어떤 노력을 할 수 있을까?

Q 배점 표시가 없는 문제는 문제당 4점입니다.

1 경제주체의 역할과 우리나라 경제체제

11종 공통

1 다음 ㉠, ㉡에 대한 설명으로 알맞은 것은 어느 것입니까? [6점] (   )

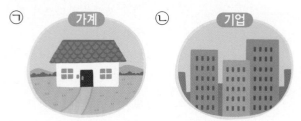

㉠ 가계   ㉡ 기업

① ㉡은 ㉠에게 일자리를 제공한다.
② ㉠과 ㉡이 하는 일은 서로 관련이 없다.
③ ㉠은 ㉡에게 물건을 제공해 이윤을 얻는다.
④ ㉠은 전문적으로 생산 활동을 하는 경제주체이다.
⑤ ㉡은 생산 활동에 참여하여 얻은 소득으로 소비 활동을 한다.

11종 공통

2 다음 ☐ 안에 공통으로 들어갈 알맞은 말을 쓰시오.

물건이나 서비스를 사고파는 사람이 모여 거래 하는 곳을 ☐ 이라고 합니다. ☐ 에서는 물건을 사고팔기도 하고, 돈이나 집을 사고팔기도 합니다.

(   )

[3~4] 다음 선아와 할머니의 대화를 보고, 물음에 답하시오.

냉장고와 텔레비전 중 무엇을 먼저 사야 할까?

음식이 상하지 않도록 냉장고를 먼저 사야 해요.

천재교육, 금성출판사, 비상교과서, 비상교육, 지학사

3 위 대화를 읽고 다음 ☐ 안에 들어갈 알맞은 말을 **보기** 에서 찾아 쓰시오.

선아와 할머니는 냉장고와 텔레비전 중 더 필요한 물건이 무엇인지 ☐ 을/를 정하고 있습니다.

보기
• 서비스   • 우선순위   • 생산 방법

(   )

11종 공통

4 위 선아와 할머니가 합리적인 소비를 위해 고려할 수 있는 선택 방법이 **아닌** 것은 어느 것입니까? (   )

① 성능이 좋은 제품을 고른다.
② 가격이 가장 비싼 제품을 고른다.
③ 관련 서비스가 좋은 제품을 고른다.
④ 디자인이 마음에 드는 제품을 고른다.
⑤ 환경 보호를 위해 노력하는 기업의 제품을 고른다.

5 다음 조사 결과를 토대로 기업이 가장 적극적으로 홍보에 나설 곳은 어디입니까? (   )

천재교육

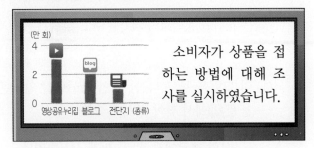

소비자가 상품을 접하는 방법에 대해 조사를 실시하였습니다.

① 블로그
② 길거리
③ 관광지
④ 누리 소통망
⑤ 영상 공유 누리집

서술형·논술형 문제

11종 공통

6 다음은 사람들이 면접을 보는 모습입니다. [총 10점]

자신의 장점을 말해보세요.

면접관

(1) 위 그림을 보고 다음 (   ) 안의 알맞은 말에 ○표를 하시오. [4점]

우리나라에서 개인은 자유롭게 직업을 선택하기 위해 다른 사람과 (경쟁 / 양보)합니다.

(2) 위 (1)번의 답이 개인의 생활에 주는 도움을 쓰시오. [6점]

_____

_____

11종 공통

7 법과 제도를 만들어 기업의 불공정한 경제활동을 규제하는 곳은 어디입니까? (   )

① 기업
② 학교
③ 정부
④ 방송국
⑤ 시민 단체

---

2 우리나라의 경제 성장과 경제생활의 변화

11종 공통

8 다음에서 설명하는 산업의 형태는 무엇인지 쓰시오.

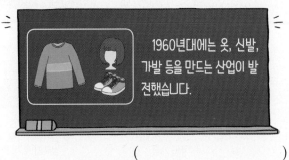

1960년대에는 옷, 신발, 가발 등을 만드는 산업이 발전했습니다.

(   )

11종 공통

9 다음 (   ) 안의 알맞은 말에 각각 ○표를 하시오.

1970년대에는 발전시키는 데 돈과 기술이 더 많이 필요한 ❶(소비재 / 중화학) 공업이 주로 발전했습니다. 이로 인해 우리나라의 수출액과 함께 국민 소득도 ❷(늘었습니다 / 줄었습니다).

천재교육, 천재교과서, 교학사, 금성출판사, 김영사, 미래엔, 비상교과서, 비상교육, 지학사

10 다음 지도에 나타난 변화가 우리나라의 경제 성장에 미친 영향으로 알맞은 것은 어느 것입니까? (   )

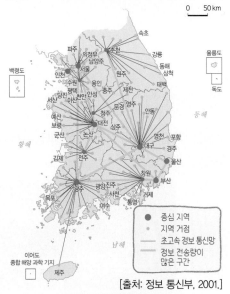

[출처: 정보 통신부, 2001.]

🔺 초고속 정보 통신망 설치

① 반도체 관련 산업이 줄어들었다.
② 우리나라의 천연자원이 늘어났다.
③ 인터넷 관련 기업이 많이 생겨났다.
④ 밀가루, 설탕 산업이 주로 발전했다.
⑤ 해안 지역에 중화학 공업 단지가 건설되었다.

11 종 공통

11 다음 연표의 색칠된 부분과 관련 있는 사회 모습은 어느 것입니까? (   )

1970년대	1980년대	1990년대	2000년대

①
🔺 서울과 부산을 잇는 고속 국도 개통

②
🔺 컬러텔레비전 및 컴퓨터 보급

③
🔺 흑백텔레비전 보급

④
🔺 고속 철도 개통

11 종 공통

12 다음은 우리나라의 경제 성장 과정에서 나타난 어떤 문제입니까? (   )

🔺 노동자들의 시위 모습
[출처: 뉴스뱅크]

① 농촌 문제
② 소음 문제
③ 환경오염 문제
④ 주택 부족 문제
⑤ 노동 환경 문제

천재교육

13 오른쪽 그림은 우리나라의 경제 성장 과정에서 나타난 문제점입니다. [총 10점]

🔺 산업 재해 문제

(1) 위 그림을 보고 다음 ☐ 안에 들어갈 알맞은 말을 보기 에서 찾아 쓰시오. [4점]

> 산업 현장에서 빨리, 싸게 생산하려다 보니 지켜야 할 ☐ 규칙이 지켜지지 않았습니다.

보기
• 안전   • 경쟁   • 정보 통신   • 환경 보존

(   )

(2) 위와 같은 문제를 해결하기 위한 노력을 한 가지만 쓰시오. [6점]

_____

_____

---

3 세계 속의 우리나라 경제

11 종 공통

14 다음 밑줄 친 곳에 들어갈 말로 알맞은 것에 ◯표를 하시오.

 다양한 나라들이 무역을 하는 까닭은 무엇일까?

☐ 때문이야.

(1) 경제적 이익을 얻을 수 있기   (   )
(2) 나라마다 만드는 물건이 모두 똑같기 (   )

11 종 공통

15 우리나라의 주요 수출품과 관련 없는 것을 두 가지 고르시오. (,   )

① 철광석   ② 반도체
③ 자동차   ④ 열대 과일
⑤ 대형 선박

[16~17] 다음 우리 교실에서 볼 수 있는 물건들의 특징을 정리한 표를 보고, 물음에 답하시오.

㉠ 실내화		㉡ 연필	
회사 이름	○○ 의류	회사 이름	△△ 연필
주요 재료	합성 고무, 합성 가죽 등	주요 재료	연필심, 나무 등
생산 국가	베트남, 대한민국	생산 국가	필리핀, 대한민국

11종 공통

16 위 ㉠, ㉡과 관련 있는 우리나라와 다른 나라의 경제 관계에 대해 바르게 말한 어린이를 쓰시오.

> 지현: 서로 협력하고 의존해.
> 수영: 경제적으로 전혀 관계가 없어.
> 종욱: 자기 나라의 물건을 팔기 위해 서로 경쟁해.

(   )

📋 서술형·논술형 문제
11종 공통

17 위와 같은 방법으로 기업이 물건이나 서비스를 생산하면 좋은 점을 쓰시오. [8점]

_____

_____

11종 공통

18 다른 나라와의 경제 교류가 우리 생활에 미친 영향으로 알맞지 않은 것은 어느 것입니까? (   )

① 우리나라의 전통 축제에 참여했다.
② 말레이시아에서 수입한 망고를 먹었다.
③ 가족들과 함께 스웨덴 가구를 구경했다.
④ 영국에서 만든 옷을 인터넷으로 주문했다.
⑤ 일본에서 만든 만화 영화를 보러 다녀왔다.

[19~20] 다음 뉴스를 보고, 물음에 답하시오.

최근 필리핀 정부가 우리나라의 수출품에 추가 관세를 부과하기로 했습니다.

11종 공통

19 위와 같은 무역 문제가 발생한 까닭으로 가장 알맞은 것은 어느 것입니까? [6점] (   )

① 우리나라의 산업을 보호하기 위해서
② 필리핀 물건이 우리나라 물건보다 잘 팔려서
③ 우리나라가 필리핀 물건을 수입에 의존해서
④ 우리나라와 필리핀 사이에 자유 무역 협정을 체결해서
⑤ 우리나라 수출품의 가격을 올려 경쟁력이 부족한 자기 나라 산업을 보호하려고

2단원

진도 완료 체크

11종 공통

20 위와 같은 무역 문제를 해결하기 위한 방법을 가장 알맞게 말한 어린이는 누구입니까? (   )

① 공정 거래 위원회에 규제를 요청해야 해.

② 우리나라도 필리핀 물건에 관세를 부과해야 해.

③ 우리나라와 필리핀이 서로 무역을 중단해야 해.

④ 우리나라와 필리핀 정부가 함께 협상하고 합의해야 해.

우리 경제의 성장을 위해 정부가 노력한 일

경부 고속 국도 개통

기업이 만든 제품을 빠르게 운송하고 수출할 수 있도록 고속 국도를 만들었습니다.

고속 국도 | 높을 고 高 | 빠를 속 速 | 나라 국 國 | 길 도 道 |
빠른 통행을 위하여 만든 차 전용의 도로

춘천 수력 발전소 공사

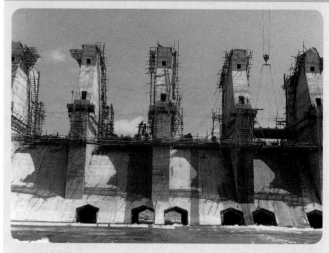

기업에게 에너지를 원활하게 공급할 수 있도록 발전소를 만들었습니다.

발전소 | 필 발 發 | 전기 전 電 | 바 소 所 |
전력을 일으키는 시설을 갖춘 곳

한국 과학 기술 연구소 준공식

정부는 높은 기술력이 있는 인재를 육성하고자 교육 시설과 연구 시설을 설립했습니다.

연구소 | 갈 연 研 | 연구할 구 究 | 바 소 所 |
연구를 전문으로 하는 곳

울산 석유 화학 단지 건설

철강 산업 단지, 석유 화학 단지 등을 건설하고 산업이 발전할 수 있도록 도와주었습니다.

산업 단지 | 낳을 산 産 | 업 업 業 | 모일 단 團 | 땅 지 地 |
산업을 육성하기 위해 지정한 곳

똑똑한
하루
시/리/즈

배우는 즐거움! 쌓이는 기초 실력!

공부 습관을
만들자!
하루 1○분!

과목	교재 구성	과목	교재 구성
하루 독해	예비초~6학년 각 A·B (14권)	하루 VOCA	3~6학년 각 A·B (8권)
하루 어휘	예비초~6학년 각 A·B (14권)	하루 Grammar	3~6학년 각 A·B (8권)
하루 글쓰기	예비초~6학년 각 A·B (14권)	하루 Reading	3~6학년 각 A·B (8권)
하루 한자	예비초: 예비초 A·B (2권) 1~6학년: 1A~4C (12권)	하루 Phonics	Starter A·B / 1A~3B (8권)
하루 수학	1~6학년 1·2학기 (12권)	하루 사회	3~6학년 1·2학기 (8권)
하루 계산	예비초~6학년 각 A·B (14권)	하루 과학	3~6학년 1·2학기 (8권)
하루 도형	예비초 A·B, 1~6학년 6단계 (8권)		
하루 사고력	1~6학년 각 A·B (12권)		

뭘 좋아할지 몰라 다 준비했어♥
전과목 교재

전과목 시리즈 교재

●무등생 해법시리즈

– 국어/수학	1~6학년, 학기용
– 사회/과학	3~6학년, 학기용
– SET(전과목/국수, 국사과)	1~6학년, 학기용

●똑똑한 하루 시리즈

– 똑똑한 하루 독해	예비초~6학년, 총 14권
– 똑똑한 하루 글쓰기	예비초~6학년, 총 14권
– 똑똑한 하루 어휘	예비초~6학년, 총 14권
– 똑똑한 하루 한자	예비초~6학년, 총 14권
– 똑똑한 하루 수학	1~6학년, 학기용
– 똑똑한 하루 계산	예비초~6학년, 총 14권
– 똑똑한 하루 도형	예비초~6학년, 총 8권
– 똑똑한 하루 사고력	1~6학년, 학기용
– 똑똑한 하루 사회/과학	3~6학년, 학기용
– 똑똑한 하루 Voca	3~6학년, 학기용
– 똑똑한 하루 Reading	초3~초6, 학기용
– 똑똑한 하루 Grammar	초3~초6, 학기용
– 똑똑한 하루 Phonics	예비초~초등, 총 8권

●독해가 힘이다 시리즈

– 초등 문해력 독해가 힘이다 비문학편	3~6학년, 총 8권
– 초등 수학도 독해가 힘이다	1~6학년, 학기용
– 초등 문해력 독해가 힘이다 문장제수학편	1~6학년, 총 12권

영어 교재

●초등영어 교과서 시리즈

파닉스(1~4단계)	3~6학년, 학년용
영단어(1~4단계)	3~6학년, 학년용
●LOOK BOOK 영단어	3~6학년, 단행본
●원서 읽는 LOOK BOOK 영단어	3~6학년, 단행본

국가수준 시험 대비 교재

●해법 기초학력 진단평가 문제집	2~6학년·중1 신입생, 총 6권

천재교육

홈스쿨링 ★ ★
우등생 온라인
학습북

개념 동영상 강의
서술형 문제 동영상 강의
온라인 성적 피드백

초등 사회 6·1

온라인 학습북
포인트 ❸가지

▶ 「개념 동영상 강의」로 교과서 핵심만 정리!

▶ 「서술형 문제 동영상 강의」로 사고력도 향상!

▶ 「온라인 성적 피드백」으로 단원별로 내가 부족한 부분 꼼꼼하게 체크!

우등생 온라인 학습북 활용법

home.chunjae.co.kr

온라인 강의
개념 / 서술형·논술형 평가
/ 단원평가

**온라인 채점과
성적 피드백**
정답을 입력하면 채점과 성적 분석까지

**온라인 학습
스케줄 관리**
맞춤형 홈스쿨링 스케줄표 제공

정답 입력

온라인 피드백

8 문제풀이

축척이 다른 두 지도를 비교하는 문제입니다. 축척 표현 방법 등을 이해하지 못하면 문제를 푸는 데 어려움을 느낄 수 있습니다.

16 문제풀이

지역 사람들은 목적에 따라 지역의 다양한 중심지를 방문합니다. ①은 상업의 중심지, ②는 행정의 중심지, ③은 교통의 중심지, ④는 산업의 중심지, ⑤는 관광의 중심지에

단원평가의 답을 입력하여 제출하면
틀린 문제에 대한 피드백과 동영상 강의 제공!

우등생 사회 6-1
홈스쿨링 스피드 스케줄표(10회)

스피드 스케줄표는 온라인 학습북을 10회로 나누어
빠르게 공부하는 학습 진도표입니다.

1. 우리나라의 정치 발전		
1회 온라인 학습북 4~9쪽	**2회** 온라인 학습북 10~15쪽	**3회** 온라인 학습북 16~21쪽
월 일	월 일	월 일

1. 우리나라의 정치 발전		2. 우리나라의 경제 발전
4회 온라인 학습북 22~25쪽	**5회** 온라인 학습북 26~29쪽	**6회** 온라인 학습북 30~35쪽
월 일	월 일	월 일

2. 우리나라의 경제 발전		
7회 온라인 학습북 36~41쪽	**8회** 온라인 학습북 42~47쪽	**9회** 온라인 학습북 48~51쪽
월 일	월 일	월 일

2. 우리나라의 경제 발전
10회 온라인 학습북 52~55쪽
월 일

스피드
스케줄표
바로가기

차례

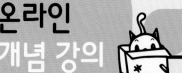
1단원

❶ 4·19 혁명

이승만 정부의 독재

3·15 부정 선거

1인 독재 물러가라!

선거를 다시 하라!

4·19 혁명

대통령 자리에서 물러난 이승만

3·15 부정 선거의 무효

✱ 중요한 내용을 정리해 보세요!

● 4·19 혁명이란?

● 4·19 혁명이 발생한 까닭은?

🔖 **개념 확인하기**

정답 17쪽

🖊 다음 문제를 읽고 답을 찾아 ☐ 안에 ✔표를 하시오.

1 1960년 3월 15일에 치러진 정부통령 선거에서 있었던 일은 어느 것입니까?

　㉠ 선거의 네 가지 원칙이 지켜졌다. ☐

　㉡ 국민들의 감시 아래 공정한 선거를 치렀다. ☐

　㉢ 유권자들에게 돈을 주고 부정 선거를 했다. ☐

2 4·19 혁명 전에 일어난 일은 무엇입니까?

　㉠ 이승만의 사망 ☐

　㉡ 3·15 부정 선거 ☐

　㉢ 5·18 민주화 운동 ☐

3 4·19 혁명 당시의 대통령은 누구입니까?

　㉠ 노태우 ☐　　㉡ 김영삼 ☐

　㉢ 박정희 ☐　　㉣ 이승만 ☐

4 이승만이 한 일은 무엇입니까?

　㉠ 6·29 민주화 선언을 발표했다. ☐

　㉡ 헌법을 바꾸며 독재 정치를 했다. ☐

5 4·19 혁명 이후에 일어난 일은 무엇입니까?

　㉠ 선거가 다시 치러졌다. ☐

　㉡ 이승만 정부가 다시 정권을 잡았다. ☐

❷ 6월 민주 항쟁

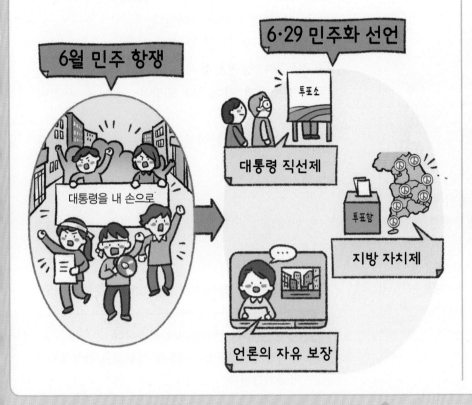

6월 민주 항쟁

대통령을 내 손으로

6·29 민주화 선언

투표소

대통령 직선제

투표함

지방 자치제

언론의 자유 보장

✻ 중요한 내용을 정리해 보세요!

● 6월 민주 항쟁이란?

● 6·29 민주화 선언이란?

1
단원

개념 확인하기

정답 17쪽

✐ 다음 문제를 읽고 답을 찾아 ☐ 안에 ✔표를 하시오.

1 전두환 정부의 독재에 반대하여 일어난 사건은 무엇입니까?

㉠ 6·25 전쟁 ☐　　㉡ 4·19 혁명 ☐

㉢ 6월 민주 항쟁 ☐　　㉣ 5·16 군사 정변 ☐

2 6월 민주 항쟁에 대한 설명으로 알맞은 것은 무엇입니까?

㉠ 대규모 민주화 시위였다. ☐

㉡ 3·15 부정 선거가 원인이었다. ☐

㉢ 박정희 정부 때 일어난 일이었다. ☐

3 6월 민주 항쟁에서 시민들이 원했던 것은 무엇입니까?

㉠ 대통령 직선제 ☐　　㉡ 대통령 간선제 ☐

4 6·29 민주화 선언을 발표한 사람은 누구입니까?

㉠ 김구 ☐　　　　㉡ 노태우 ☐

㉢ 김대중 ☐　　　　㉣ 전두환 ☐

5 6·29 민주화 선언에 포함된 내용은 어느 것입니까?

㉠ 대통령 간선제 ☐

㉡ 지방 자치제 시행 ☐

㉢ 철저한 언론 통제 ☐

1 다음 선거의 모습을 보고 바르게 말한 어린이를 쓰시오.

조를 짜서 투표한 후, 조장에게 투표 내용을 알려 주세요.

당선될 표를 준비했으니, 이 투표지들은 싹 태우세요.

창민: 공정한 선거가 치러지고 있는 모습이에요.

지아: 1960년 3월 15일에 치러졌던 정부통령 선거를 나타낸 그림이에요.

현수: 조를 짜서 투표한 후 조장에게 투표 내용을 알려 주는 것은 평등 선거의 원칙에 어긋나요.

(   )

2 다음 4·19 혁명의 과정에서 가장 먼저 일어난 일은 어느 것입니까? (   )

①
🔺 김주열 학생의 죽음을 슬퍼하는 학생들

②
🔺 시위하는 제자들을 보고 거리로 나선 교수들

③
🔺 선거 무효를 외치는 마산 학생들

④
🔺 대통령 자리에서 물러나는 이승만

3 5·16 군사 정변에 대한 설명으로 알맞은 것을 두 가지 고르시오. (,   )

① 4·19 혁명 이전에 일어났다.

② 군인들을 중심으로 한 정변이었다.

③ 전두환이 정권을 잡게 된 계기가 되었다.

④ 국민들에게 기대감과 희망을 안겨 준 사건이었다.

⑤ 새로운 정부가 들어선 지 1년도 되지 않아 발생했다.

4 다음 보기 에서 박정희가 한 일을 찾아 기호를 쓰시오.

보기

㉠ 6·29 민주화 선언을 발표했습니다.

㉡ 유신 헌법을 만들어 대통령 직선제를 간선제로 바꾸었습니다.

㉢ 1980년 5월, 광주에 계엄군을 보내 시민들을 폭력적으로 진압했습니다.

(   )

5 다음과 같은 사건이 있었던 장소는 어디입니까?

(   )

• 계엄군이 시위를 진압하여 많은 시민이 죽거나 다쳤습니다.

• 시민들은 자유와 민주주의를 지키기 위해 시민군을 조직해 계엄군에 맞섰습니다.

• 이 사건은 이후 우리나라 민주화 운동의 밑바탕이 되었으며, 세계 여러 나라의 민주화 운동에도 많은 영향을 끼쳤습니다.

① 마산   ② 서울   ③ 광주

④ 부산   ⑤ 인천

6 대통령 간선제를 통해 대통령이 된 사람을 두 명 고르시오. (,   )

① 박정희   ② 김대중
③ 김영삼   ④ 전두환
⑤ 노무현

7 다음 6월 민주 항쟁의 전개 과정 중 가장 마지막에 일어난 일을 보기 에서 찾아 기호를 쓰시오.

> **보기**
> ㉠ 이한열이 경찰이 쏜 최루탄에 맞아 사망했습니다.
> ㉡ 시민들은 대통령 직선제를 요구하며 전국에서 시위를 벌였습니다.
> ㉢ 노태우가 시민들의 민주주의 요구를 받아들이겠다고 발표했습니다.
> ㉣ 시민들이 헌법을 바꾸자고 요구했으나 전두환 정부는 이를 거부했습니다.

(   )

8 다음 밑줄 친 '지역 대표'에 해당하지 <u>않는</u> 사람은 누구입니까? (   )

> 지방 자치제는 지역 주민들이 직접 선출한 지역 대표들을 통하여 그 지역의 일을 처리하는 제도입니다.

① 시장   ② 판사
③ 구청장   ④ 도지사
⑤ 지방 의회 의원

9 다음 사진과 같은 활동의 공통점은 어느 것입니까?

(   )

🔺 태안 기름 유출 사고 복구 활동   🔺 장애인 이동권 보장 시위

① 기업의 이익을 얻기 위한 활동이다.
② 민주화를 요구하는 대규모 시위이다.
③ 사회 문제를 해결하기 위한 시민운동이다.
④ 민주주의의 발전과는 관련이 없는 활동이다.
⑤ 지방 자치제를 통해 문제를 해결한 사례이다.

천재교육, 김영사, 비상교과서, 지학사

10 오늘날 정치 참여의 모습을 보고 바르게 말한 어린이를 쓰시오.

🔺 정당 활동하기   🔺 누리집에 의견 올리기

> 다미: 옛날에 비해 다양한 방식으로 정치에 참여하고 있어요.
> 예나: 컴퓨터를 사용할 수 있어야 정치 참여를 할 수 있게 되었어요.
> 훈이: 선거나 투표, 시위 등의 정치 참여 방식은 찾아볼 수 없게 되었어요.

(   )

연습 🐱 도움말을 참고하여 내 생각을 차근차근 써 보세요.

1 다음은 1960년에 일어난 선거의 모습입니다.

[총 8점]

🔺 유권자들에게 돈이나 물건을 주면서 [   ] 정부에 투표하도록 했음.

🔺 투표한 용지를 불에 태워 없애거나 조작된 투표지를 넣어 투표함을 바꾸기도 했음.

(1) 위의 [   ] 안에 들어갈 대통령은 누구인지 쓰시오.

[2점]

(   )

(2) 위의 사건을 무엇이라고 하는지 쓰시오. [2점]

(   )

(3) 위의 (1)번 답이 위와 같은 부정 행위를 저지른 까닭은 무엇인지 쓰시오. [4점]

🐱 당시 정부가 부정 선거를 치른 까닭을 생각하며 써 보세요.
꼭 들어가야 할 말 부정 선거 / 정권

_____

_____

2 다음은 4·19 혁명 이후에 일어난 일입니다. [총 10점]

🔺 군사 정변을 일으키고 서울 시내를 지나는 군인들 [출처: 뉴스뱅크]

🔺 유신 헌법 공포식

(1) 위와 같은 일을 일으킨 대통령은 누구인지 쓰시오. [2점]

(   )

(2) 위의 밑줄 친 '유신 헌법'에 담겨 있는 내용으로 알맞은 것을 보기 에서 찾아 기호를 쓰시오. [2점]

보기
㉠ 주민 소환제
㉡ 지방 자치제
㉢ 대통령 간선제

(   )

(3) 위의 (1)번 답이 유신 헌법을 만든 까닭을 쓰시오. [6점]

_____

_____

3 다음은 5·18 민주화 운동의 사진입니다. [총 10점]

▲ 시민들과 대치 중인 계엄군

(1) 위의 시위가 발생한 지역은 어디인지 쓰시오. [2점]

(   )

(2) 위 5·18 민주화 운동이 일어난 까닭으로 알맞은 것을 보기에서 찾아 기호를 쓰시오. [2점]

> 보기
> ㉠ 민주화를 요구하기 위해서
> ㉡ 유신 헌법을 유지하기 위해서
> ㉢ 박정희가 대통령이 되기를 원해서

(   )

(3) 위의 5·18 민주화 운동을 당시 국민들이 잘 모르고 있었던 까닭은 무엇인지 쓰시오. [6점]

_____

_____

4 다음은 오늘날 시민들이 사회 공동의 문제 해결에 참여하는 방법입니다. [총 10점]

㉠  ㉡

◆ 촛불 집회   ◆ 공청회 참석

(1) 위 ㉠과 ㉡ 중 다음에서 설명하는 것의 기호를 쓰시오. [2점]

> 다수의 시민들이 옥외에서 평화적인 시위를 하는 방식입니다.

(   )

(2) 오늘날 시민들이 사회 공동의 문제 해결을 위해 참여하는 방식을 한 가지만 더 쓰시오. [2점]

(   )

(3) 위와 같이 오늘날 시민들이 사회 공동의 문제 해결에 참여하는 방식의 특징을 쓰시오. [6점]

_____

_____

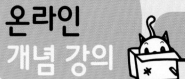
1단원

❶ 민주주의의 기본 정신

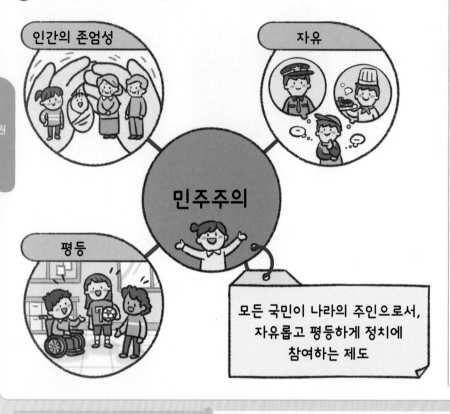

인간의 존엄성

자유

평등

민주주의

모든 국민이 나라의 주인으로서, 자유롭고 평등하게 정치에 참여하는 제도

✳ 중요한 내용을 정리해 보세요!

● 민주주의란?

● 민주주의의 기본 정신이란?

개념 확인하기

정답 19쪽

✎ 다음 문제를 읽고 답을 찾아 ☐ 안에 ✔표를 하시오.

1 민주주의에서 나라의 주인은 누구입니까?

ㄱ 국민 ☐   ㄴ 어린이 ☐

ㄷ 대통령 ☐   ㄹ 국회의원 ☐

2 모든 국민이 자유롭고 평등하게 정치에 참여하는 제도는 무엇입니까?

ㄱ 지역주의 ☐   ㄴ 민주주의 ☐

ㄷ 차별주의 ☐   ㄹ 민족주의 ☐

3 자신이 원하는 대로 판단하여 행동할 수 있는 민주주의의 기본 정신은 무엇입니까?

ㄱ 자유 ☐   ㄴ 경쟁 ☐   ㄷ 노력 ☐

4 인간의 존엄성에 대해 바르게 설명한 것은 어느 것입니까?

ㄱ 어린이나 노인에게는 없는 권리 ☐

ㄴ 인간으로서 존중받을 가치와 권리 ☐

ㄷ 경제활동을 해야 가질 수 있는 권리 ☐

5 모든 사람이 차별받지 않고 동등하게 대우받을 수 있는 민주주의의 기본 정신은 무엇입니까?

ㄱ 존중 ☐   ㄴ 평등 ☐   ㄷ 배려 ☐

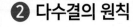

❷ 다수결의 원칙

다수결의 원칙

의미	사용하는 경우	주의할 점
다수의 의견이 합리적일 것이라고 가정하고 다수의 의견을 따르는 방법	대화와 토론을 했지만 의견을 하나로 모으기 어려운 경우	대화와 토론을 거치고 소수의 의견을 존중해야 함.

✳ 중요한 내용을 정리해 보세요!

● 다수결의 원칙이란?

● 다수결의 원칙을 활용할 때 주의할 점은?

1
단원

개념 확인하기

정답 19쪽

✑ 다음 문제를 읽고 답을 찾아 ☐ 안에 ✔표를 하시오.

1 의사를 결정할 때 많은 사람이 선택한 의견을 따르는 방법은 어느 것입니까?

ㄱ 다수결의 원칙 ☐

ㄴ 권력 분립의 원칙 ☐

2 다수결의 원칙을 사용하는 경우는 언제입니까?

ㄱ 타협이 쉽게 잘 이루어지는 경우 ☐

ㄴ 대화를 통해 문제가 해결되는 경우 ☐

ㄷ 토론을 해도 의견을 모으기 어려운 경우 ☐

3 다수결의 원칙에서 가정하는 것은 무엇입니까?

ㄱ 다수의 의견이 합리적이다. ☐

ㄴ 소수의 의견이 합리적이다. ☐

4 다수결의 원칙의 장점은 무엇입니까?

ㄱ 쉽고 빠르게 문제를 해결할 수 있다. ☐

ㄴ 오랜 시간 동안 깊게 생각해 볼 수 있다. ☐

5 다수결의 원칙을 활용할 때 주의할 점은 무엇입니까?

ㄱ 소수의 의견을 무시한다. ☐

ㄴ 대화와 토론 없이 빠르게 결정한다. ☐

ㄷ 차별 없이 의견을 말할 기회를 준다. ☐

천재교육, 천재교과서, 교학사, 금성출판사, 김영사,
동아출판, 미래엔, 비상교과서, 비상교육

1 정치가 필요한 이유로 알맞은 것은 어느 것입니까?

(   )

① 사람들의 생각이 같아서
② 사람들이 다투는 일이 없어서
③ 사람들이 공동체에 속하지 않아서
④ 공동의 문제를 해결하려는 의지가 없어서
⑤ 사람들이 함께 해결해야 하는 문제가 있어서

천재교육, 천재교과서, 교학사, 금성출판사, 김영사,
동아출판, 미래엔, 비상교과서, 비상교육

2 다음 그림을 보고 바르게 말한 어린이를 쓰시오.

⊙ 학급에서   ⊙ 지역에서

> 지성: 학급이나 지역에서 발생한 공동의 문제를
> 해결하는 모습이에요.
> 현준: 생활 속에서 이야기하는 모습이기 때문에
> 정치라고 할 수 없어요.
> 도원: 학급에서는 선생님이 모든 것을 정하고, 지
> 역에서는 어른들이 모든 것을 정해야 해요.

(   )

3 민주주의에 대한 설명으로 알맞은 것을 두 가지 고르
시오. (,   )

① 정치 형태 중 하나이다.
② 우리나라에서는 볼 수 없는 모습이다.
③ 누구나 정치에 참여할 수 있는 것이다.
④ 독재를 하는 사람이 나라를 지배하는 것이다.
⑤ 권력을 가진 사람이 정치에 더 많이 참여하는
것이다.

4 다음 어린이의 말풍선 안에 들어갈 알맞은 말은 어느 것
입니까? (   )

① 우리는 모두 인간으로서 존중받을 권리가 있어요.
② 범죄를 저지른 사람에게는 인간의 존엄성이 없
어요.
③ 생산 활동을 해야 인간의 존엄성을 가질 수 있
어요.
④ 어린이는 어른이 되어야 인간의 존엄성을 가질
수 있어요.
⑤ 자유와 평등을 보장하지 않아도 인간의 존엄성
을 지킬 수 있어요.

천재교과서

5 다음 ㉠, ㉡ 그림에서 지켜지지 않은 민주주의의 기본
정신을 바르게 짝 지은 것은 어느 것입니까? (   )

⊙ 예전에는 특정 종교를 믿는 것   ⊙ 예전에는 성별, 신분, 재산 등에
을 나라에서 금지했음.   따라 선거권을 제한했음.

	㉠	㉡		㉠	㉡
①	평등	자유	②	평등	경쟁
③	경쟁	평등	④	자유	평등
⑤	경쟁	자유			

[6~7] 다음 학급 회의를 하는 모습을 보고, 물음에 답하시오.

다음 주는 우리 반이 운동장 청소를 할 차례입니다. 언제 청소하면 좋을지 의견 주세요. 다희

6 위 다희의 이야기를 듣고 바람직한 태도로 답한 어린 이는 누구입니까? ( )

① 각자 점심 먹는 속도가 달라서 함께 청소하기 어려운 점심시간 보다 중간 놀이 시간을 이용하면 어떨까요? 민우

② 중간 놀이 시간은 무조건 싫습니다. 말도 안 됩니다. 재은

③ 저는 집이 멀어서 청소에서 빠질래요. 도현

④ 빨리 집에 가고 싶다. 나는 무조건 짝꿍 의견에 찬성 할 건데…… 선우

7 위 6번 답의 친구가 바람직한 태도를 지니고 있다고 생각한 까닭은 어느 것입니까? ( )

① 고민을 하지 않아서
② 자기 의견만 고집해서
③ 협의하는 태도를 지녀서
④ 공동체의 일에 관심이 없어서
⑤ 다른 친구의 의견만 따르려고 해서

8 다음과 같은 문제를 해결하는 방법으로 가장 알맞은 것은 어느 것입니까? ( )

요즘 ○○ 아파트 주민들은 늦은 밤 생활 소음 으로 고통을 받고 있습니다.

① 주민들이 모여 주민 회의를 연다.
② 소음을 내는 집은 이사를 가라고 한다.
③ 소음이 발생할 때마다 경찰에 신고한다.
④ 소음이 발생하는 집에 찾아가서 직접 혼내 준다.
⑤ 아파트 대표가 혼자 소음에 대한 규칙을 만들어 서 지키라고 한다.

1 단원

9 다음과 같은 주의할 점을 지닌 민주적 의사 결정 원리 를 쓰시오.

주의할 점
• 소수의 의견을 존중합니다.
• 차별 없이 의견을 말할 기회가 주어져야 합니다.
• 결정에 앞서 충분한 대화와 토론을 거쳐야 합니다.

(   )

천재교육, 천재교과서, 김영사, 동아출판, 비상교과서, 아이스크림 미디어

10 다음 내용에 해당하는 민주적 의사 결정의 과정을 보기 에서 찾아 기호를 쓰시오.

문제 해결 방안을 이야기해 보고, 장단점을 생 각해 봅니다.

보기
㉠ 공동의 문제 확인
㉡ 문제 발생 원인 파악
㉢ 문제 해결 방안 탐색
㉣ 문제 해결 방안 결정

(   )

1 단원

연습 🦉 도움말을 참고하여 내 생각을 차근차근 써 보세요.

1 다음은 옛날과 오늘날 나라를 다스리는 모습을 표로 정리한 것입니다. [총 8점]

㉠	모든 사람이 사회 공동의 문제를 해결하는 과정에 참여할 수 있음.
㉡	왕이나 신분이 높은 사람들만 국가의 일을 의논하고 결정할 수 있음.

(1) 위 ㉠, ㉡을 시기에 알맞게 줄로 이으시오. [2점]

(가) 옛날 •　　　　• ㉠

(나) 오늘날 •　　　　• ㉡

(2) 위 ㉠과 ㉡ 중 다음 사례와 관련 있는 것의 기호를 쓰시오. [2점]

🔺 시민 공청회

🔺 지방 의회

(　　　　　　)

(3) 위 ㉠의 여러 사람이 함께 문제를 해결하면 어떤 점이 좋은지 쓰시오. [4점]

🦉 여러 사람이 정치에 참여할 때 좋은 점을 생각해서 써 보세요.
꼭 들어가야 할 말 의견 / 반영 / 자발적

_____

_____

2 다음은 민주주의에 대한 자료입니다. [총 10점]

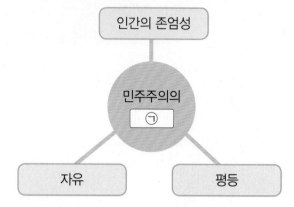

(1) 위 ㉠에 들어갈 알맞은 말을 **보기**에서 찾아 쓰시오. [2점]

보기
• 역할　　　　• 기본 정신
• 국가 형태　　• 의사 결정 방법

(　　　　　　)

(2) 위 인간의 존엄성, 자유, 평등의 관계를 바르게 말한 어린이를 쓰시오. [2점]

가은: 자유보다 평등이 훨씬 더 중요해요.
진수: 인간의 존엄성을 실현하려면 자유와 평등을 보장해야 해요.
해운: 자유와 평등을 위해 인간의 존엄성을 존중하지 않아도 돼요.

(　　　　　　)

(3) 위 내용을 바탕으로 인간의 존엄성의 의미를 쓰시오. [6점]

_____

_____

3 다음은 학급에서 자리를 바꾸는 문제를 가지고 의견을 나누는 모습입니다. [총 10점]

ㄱ 키 순서로 앉자는 의견도 좋은 것 같아!

ㄴ 키가 큰 친구가 시력이 좋지 않아 앞자리에 앉으면 뒤에 앉은 친구가 칠판이 잘 보이지 않을 수 있어.

ㄷ 키 순서로 자리를 정한 다음에 시력이 좋지 않은 친구들은 다시 자리를 바꾸는 것이 좋겠어.

ㄹ 친구들과 의견을 모아 결정한 일은 잘 따르고 실천하는 것이 중요해.

(1) 위 어린이들의 대화를 통해 알 수 있는 점에서 다음 (   ) 안의 알맞은 말에 ○표를 하시오. [2점]

위 어린이들을 통해 (민주주의 / 자본주의)를 실천하는 바람직한 태도를 알 수 있습니다.

(2) 위 ㄱ~ㄹ 중 비판적 태도를 찾아 기호를 쓰시오. [2점]

(   )

(3) 위와 같은 모습을 참고하여 관용의 의미를 쓰시오. [6점]

_____

_____

4 다음은 일상생활에서 일어나는 민주적 의사 결정을 하는 모습입니다. [총 10점]

△ 선거로 대표 결정   △ 학급 회의로 안건 결정

(1) 위의 모습과 관련 있는 다음에서 설명하는 원칙은 무엇인지 쓰시오. [2점]

다수의 의견이 소수의 의견보다 합리적일 것이라고 가정하고 다수의 의견을 채택하는 방법입니다.

(   )

(2) 위의 (1)번 답을 사용하는 상황으로 알맞은 것을 보기 에서 찾아 기호를 쓰시오. [2점]

보기
ㄱ 모든 의견을 결정할 때
ㄴ 대화와 토론을 거쳐 문제를 해결했을 때
ㄷ 양보와 타협으로 합의에 이를 수 없을 때

(   )

(3) 위의 (1)번 답을 사용하여 의사를 결정할 때 주의해야 할 점을 쓰시오. [6점]

_____

_____

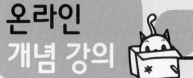
1단원

❶ 국회

국회가 하는 일

법을 만들거나 고치고 없앰.

국정감사로 나랏일을 잘 했는지 살펴봄.

국회의원

예산안을 심의하고 확정함.

✳ 중요한 내용을 정리해 보세요!

● 국회란?

● 국회가 하는 일은?

개념 확인하기

정답 21쪽

🍃 다음 문제를 읽고 답을 찾아 ☐ 안에 ✔표를 하시오.

1 국회의원들이 일하는 곳은 어디입니까?

- ㉠ 법원 ☐
- ㉡ 국회 ☐
- ㉢ 정부 ☐
- ㉣ 학교 ☐

2 국회 의사당 건물에서 국민의 다양한 의견을 하나로 모으겠다는 의미가 담긴 모습은 어느 것입니까?

- ㉠ 둥근 모양의 지붕 ☐
- ㉡ 건물을 둘러싼 24개의 기둥 ☐
- ㉢ 건물 앞을 지키고 있는 해태 동상 ☐

3 국회에서 하는 일은 무엇입니까?

- ㉠ 법을 만든다. ☐
- ㉡ 법에 따라 판결한다. ☐
- ㉢ 법을 지키지 않는 사람을 처벌한다. ☐

4 정부가 나랏일을 잘하고 있는지 국회에서 확인하는 일은 무엇입니까?

- ㉠ 국정감사 ☐
- ㉡ 예산안 확정 ☐

5 나라의 살림에 필요한 예산이 적절한지 판단하는 일은 어느 것입니까?

- ㉠ 법률안 심의 ☐
- ㉡ 예산안 심의 ☐

❷ 정부

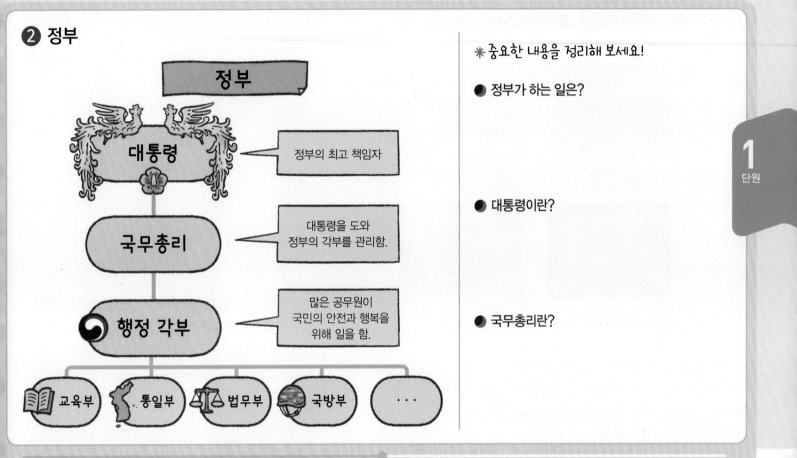

| 정부 |

대통령 — 정부의 최고 책임자

국무총리 — 대통령을 도와 정부의 각부를 관리함.

행정 각부 — 많은 공무원이 국민의 안전과 행복을 위해 일을 함.

교육부 통일부 법무부 국방부 ⋯

*중요한 내용을 정리해 보세요!

● 정부가 하는 일은?

● 대통령이란?

● 국무총리란?

개념 확인하기

정답 21쪽

✍ 다음 문제를 읽고 답을 찾아 ☐ 안에 ✔표를 하시오.

1 나라의 살림살이를 맡아 하는 국가기관은 어디입니까?

㉠ 국회 ☐　　㉡ 정부 ☐

㉢ 법원 ☐　　㉣ 헌법 재판소 ☐

2 정부에서 하는 일은 무엇입니까?

㉠ 국민을 보호한다. ☐

㉡ 국정감사를 한다. ☐

㉢ 법에 따라 판결을 한다. ☐

3 정부의 최고 책임자는 누구입니까?

㉠ 판사 ☐　　㉡ 변호사 ☐

㉢ 대통령 ☐　　㉣ 국무총리 ☐

4 대통령을 도와 행정 각부를 관리하는 사람은 누구입니까?

㉠ 국무총리 ☐　　㉡ 국회의원 ☐

5 행정 각부 중 나라를 지키는 것과 관련 있는 일을 하는 곳은 어디입니까?

㉠ 교육부 ☐　　㉡ 국방부 ☐

㉢ 환경부 ☐　　㉣ 법무부 ☐

1 국민 주권의 원리를 실현하는 모습으로 알맞지 <u>않은</u> 것은 어느 것입니까? (   )

천재교육

① ▲ 국민은 선거에서 원하는 후보자에게 투표함.

② ▲ 국민은 인터넷 게시판에 정책을 제안함.

③ ▲ 국민은 사회 문제가 있을 때 직접 모여서 해결을 요구함.

④ ▲ 법원은 법에 따라 재판하는 사법권이 있음.
[출처: 뉴스뱅크]

2 다음 할머니가 말하고 있는 선거의 원칙은 어느 것입니까? (   )

천재교과서, 금성출판사, 김영사, 미래엔,
비상교과서, 비상교육, 지학사

누가 나 대신 투표할 수 없으니 다리가 아파도 내가 가서 투표를 해야지.

① 보통 선거   ② 직접 선거
③ 간접 선거   ④ 평등 선거
⑤ 비밀 선거

3 국회의원에 대한 설명으로 알맞은 것은 어느 것입니까? (   )
① 한 번만 할 수 있다.
② 4년에 한 번씩 뽑는다.
③ 주로 법원에서 일을 한다.
④ 대통령이 뽑아서 임명한다.
⑤ 만 40세 이상의 대한민국 국민이어야 한다.

4 국회의원이 하는 일과 관련하여 ☐ 안에 들어갈 알맞은 말은 어느 것입니까? (   )

차들이 너무 빨리 달려서 무서워.

초등학교 주변에 과속 방지 시설을 설치하는 ☐을/를 제안합니다.

① 법   ② 선거   ③ 투표
④ 집회   ⑤ 캠페인

5 다음 그림과 같이 국회에서 정부가 일을 잘하고 있는지 살펴보는 것은 무엇입니까? (   )

정부는 어린이 제품의 안전성을 위해 어떤 노력을 하고 있습니까?

① 재판   ② 공청회
③ 국정감사   ④ 국무 회의
⑤ 인사 청문회

6 다음에서 설명하는 사람은 누구입니까? ( )

- 정부에서 일하고 있습니다.
- 각 행정 부서의 최고 책임자입니다.

① 교사　　　　　② 장관
③ 부통령　　　　④ 재판관
⑤ 국회의원

7 다음 행정 각부가 하는 일을 바르게 줄로 이으시오.

(1) 교육부　　　•　　　• ㉠　질병 예방 계획을 세움.

(2) 기획 재정부　　•　　　• ㉡　세금으로 나라 살림을 꾸림.

(3) 보건 복지부　　•　　　• ㉢　국민의 교육에 관한 일을 책임짐.

8 다음과 같은 일을 하는 국가기관은 어디입니까?
( )

- 사람들 사이에 갈등을 해결합니다.
- 법을 지키지 않은 사람을 처벌합니다.
- 개인과 국가, 지방 자치 단체 사이에서 생긴 갈등을 해결합니다.

① 국회　　　　　② 법원
③ 법무부　　　　④ 국방부
⑤ 헌법 재판소

9 다음 그림에 대한 설명으로 알맞지 <u>않은</u> 것은 어느 것입니까? ( )

① 재판을 하는 모습이다.
② 방청하는 사람들이 있다.
③ 판사, 검사, 변호인 등이 있다.
④ 법을 지키지 않는 사람을 처벌하려고 한다.
⑤ 이 사건에 대한 최종 판결과 국민의 생활은 관련이 없다.

10 다음 자료가 나타내고 있는, ☐ 안에 들어갈 알맞은 말을 보기 에서 찾아 기호를 쓰시오.

보기
㉠ 삼권 통합　　　㉡ 삼권 통일
㉢ 국민 주권　　　㉣ 삼권 분립

( )

연습 🐱 도움말을 참고하여 내 생각을 차근차근 써 보세요.

1 다음은 아픈 몸을 이끌고 투표를 한 어느 아주머니의 이야기입니다. [총 8점]

> **바다 건너 전해진 한 표의 희망**
> 20△△년에 치러진 제△△대 대통령 선거에서 ○○ 씨는 미국 로스앤젤레스에 마련된 투표소에서 소중한 한 표를 투표함에 넣었다.
> 폐암 말기의 힘든 몸을 이끌고 산소통을 매단 휠체어를 탄 채, 남편의 도움을 받아 대한민국 국민의 소중한 권리를 행사했다. …(중략)…

(1) 위의 이야기 속 주인공이 행사한 국민의 주인된 권리는 무엇인지 쓰시오. [2점]

(   )

(2) 위의 (1)번 답과 관련 있는 헌법 조항을 **보기** 에서 찾아 기호를 쓰시오. [2점]

> **보기**
> ㉠ 제1조 제2항   대한민국의 주권은 국민에게 있고, 모든 권력은 국민으로부터 나온다.
> ㉡ 제10조   모든 국민은 인간으로서의 존엄과 가치를 가지며, 행복을 추구할 권리를 가진다.

(   )

(3) 위의 (1)번 답을 지키기 위해 우리가 할 수 있는 일을 한 가지만 쓰시오. [4점]

> 🐱 우리가 주권을 지키기 위해 할 수 있는 일은 무엇인지 생각하여 써 보세요.
> **꼭 들어가야 할 말** 주권 / 정치 / 참여

_____

_____

2 다음은 어떤 국가기관에서 하는 일입니다. [총 10점]

하는 일	구체적인 내용
법을 만들고 고치거나 없애기	법은 민주주의 국가에서 일어나는 문제를 해결하는 기준이 됨.
예산안을 살펴보고 결정하며, 이미 쓰인 예산을 검토하기	• 나라의 살림에 필요한 예산을 심의하여 확정하는 일을 함. • 정부에서 계획한 예산안을 살펴보고, 이미 사용한 예산이 잘 쓰였는지를 검토함.
㉠ 하기	• 정부가 법에 따라 일을 잘하고 있는지 확인하기 위해서 함. • 공무원에게 나랏일 가운데 궁금한 점을 질문하고, 잘못한 일이 있으면 바로잡도록 요구함.

(1) 위와 같은 일을 하는 국가기관은 어디인지 쓰시오.
[2점]

(   )

(2) 위의 ㉠에 들어갈 알맞은 말을 쓰시오. [2점]

(   )

(3) 위의 (1)번 답이 밑줄 친 활동을 하는 까닭을 쓰시오.
[6점]

_____

_____

3 다음은 정부에서 하는 일입니다. [총 10점]

ㄱ 식품과 의약품 등의 안전을 책임져요.
ㄴ 국민의 교육에 관한 일을 책임져요.
ㄷ 나라를 지켜요.
ㄹ 국민의 생명과 재산을 보호해요.

(1) 위 ㄱ~ㄹ 중 소방청이 하는 일을 찾아 기호를 쓰시오.
[2점]

(   )

(2) 위 ㄱ~ㄹ과 같은 일을 하는 정부의 최고 책임자로 나라의 중요한 일을 결정하는 사람은 누구인지 쓰시오.
[2점]

(   )

(3) 위와 같은 일을 정부가 함으로써 국민에게 주는 이로움을 쓰시오. [6점]

_____

_____

4 다음은 삼권 분립을 나타낸 것입니다. [총 10점]

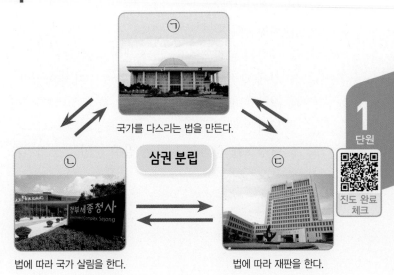

ㄱ 국가를 다스리는 법을 만든다.
삼권 분립
ㄴ 법에 따라 국가 살림을 한다.
ㄷ 법에 따라 재판을 한다.

1 단원

진도 완료 체크

(1) 위의 ㄱ~ㄷ에 들어갈 알맞은 국가기관을 쓰시오.
[3점]

ㄱ (   )
ㄴ (   )
ㄷ (   )

(2) 위와 같이 국가기관이 권력을 나누어 가지고 서로 감시하는 민주정치 원리를 무엇이라고 하는지 쓰시오.
[2점]

(   )

(3) 위와 같이 우리나라가 삼권 분립을 시행하는 까닭을 쓰시오. [5점]

_____

_____

1 다음 중 4·19 혁명이 일어난 원인으로 알맞은 것은 어느 것입니까? (   )

11종 공통

① 지방 자치제가 시행되었다.
② 북한의 남침으로 6·25 전쟁이 일어났다.
③ 경제 발전으로 국민들의 생활 수준이 좋아졌다.
④ 정부통령 선거에서 이기려고 부정 선거가 일어났다.
⑤ 박정희를 중심으로 하는 일부 군인들이 정변을 일으켰다.

2 4·19 혁명 이후의 일로 알맞지 <u>않은</u> 것은 어느 것입니까? (   )

11종 공통

① 이승만이 물러났다.
② 군사 정변이 일어났다.
③ 박정희가 정권을 잡았다.
④ 국민들이 민주 사회를 기대했다.
⑤ 우리나라의 첫 대통령이 탄생했다.

3 다음에서 설명하는 것은 무엇입니까? (   )

11종 공통

> 박정희는 1972년 10월에 헌법을 또 바꿔 대통령을 할 수 있는 횟수를 제한하지 않았으며, 대통령 직선제를 간선제로 바꾸었습니다.

① 3선 개헌   ② 유신 헌법
③ 12·12 사태   ④ 3·15 부정 선거
⑤ 5·18 민주화 운동

4 다음 사진은 박정희 정부 시기에 있었던 일입니다. 이 사진을 통해 알 수 있는 당시 상황은 어느 것입니까?

천재교육, 지학사

(   )

⚠ 머리카락 길이를 단속받던 사람

① 대통령을 직선제로 뽑았다.
② 선거의 원칙이 모두 보장되었다.
③ 지방 자치제를 실시하고 있었다.
④ 국가가 개인의 자유를 억압했다.
⑤ 민주주의 사회로 한걸음 나아갔다.

5 다음은 1980년 5월에 전남도청 앞에 모인 사람들의 모습입니다. 말풍선 안에 들어갈 말로 알맞은 것은 어느 것입니까? (   )

11종 공통

① 신분 제도를 도입하라.
② 정부는 계엄을 선포하라.
③ 대통령 간선제를 실시하라.
④ 독재 없는 민주주의를 원한다.
⑤ 정부통령 선거를 다시 실시하라.

6 11종 공통

다음 중 5·18 민주화 운동에 대한 설명으로 알맞은 것은 어느 것입니까? (   )

① 박정희 대통령을 지지하였다.

② 전국적으로 일어난 사건이다.

③ 다치거나 죽은 사람이 없었다.

④ 군인들이 일으킨 민주화 시위였다.

⑤ 전두환은 진압을 위해 계엄군을 보냈다.

7 11종 공통

오늘날 시민들이 사회 공동의 문제 해결에 참여하는 방식으로 알맞지 <u>않은</u> 것은 어느 것입니까? (   )

① 1인 시위하기

② 정당 가입하기

③ 캠페인 활동하기

④ 시민 단체 활동하기

⑤ 폭력적으로 집단 시위하기

8 천재교육, 금성출판사, 김영사, 동아출판, 미래엔, 비상교육, 아이스크림 미디어

옛날에 국가의 정치에 주로 참여할 수 있었던 사람은 누구입니까? (   )

① 노인   ② 노예

③ 농민   ④ 어린이

⑤ 신분이 높은 사람

9 천재교육, 천재교과서, 교학사, 금성출판사, 김영사, 동아출판, 미래엔, 비상교과서, 비상교육

다음에서 설명하는 것은 어느 것입니까? (   )

> • 사람들이 함께 살아가면서 생기는 여러 가지 문제를 원만하게 해결해 가는 과정입니다.
> • 갈등을 조정하고 많은 사람에게 영향을 끼치는 공동의 문제를 해결해 가는 활동입니다.

① 정치   ② 평등

③ 대화   ④ 자유

⑤ 여론

1단원

10 11종 공통

다양한 민주주의의 모습으로 알맞지 <u>않은</u> 것은 어느 것입니까? (   )

① ▲ 학급의 일은 학급 구성원들이 결정함.

② ▲ 모든 일을 다수결의 원칙으로 결정함.

③ ▲ 선거에 참여하여 대표자를 뽑음.

④ ▲ 공청회에 참여하여 의견을 말함.

11종 공통

11 다음은 가족 여행 장소를 정하고 있는 모습입니다. 비판적인 태도를 지니고 있는 사람은 누구입니까?

( )

③ 저는 놀이공원에 가고 싶은데요.

④ 놀이공원보다는 가족 모두가 즐겁게 여행할 수 있는 곳은 어떨까요?

② 저도 산이 좋아요.

① 나는 산으로 여행을 가고 싶구나.

⑤ 그럼 바다도 좋을 것 같구나.

11종 공통

12 다수결의 원칙에 대한 설명으로 알맞지 <u>않은</u> 것은 어느 것입니까? ( )

① 항상 옳은 방법이라고 할 수 없다.

② 양보와 타협이 어려울 때 사용한다.

③ 쉽고 빠르게 문제를 해결할 수 있다.

④ 소수의 의견은 고려하지 않아도 된다.

⑤ 다수의 의견이 소수의 의견보다 합리적일 것이라고 가정한다.

천재교육, 천재교과서, 김영사, 동아출판, 비상교과서, 아이스크림 미디어

13 다음 대화에 해당하는 민주적 의사 결정 과정은 어느 것입니까? ( )

> 재우: 점심을 먹고 난 후 고학년 학생들이 항상 운동장을 차지하고 축구를 해서 저학년 학생들이 놀 수 있는 공간이 없어요.
> 현민: 그건 고학년 때문이 아니라 저학년 학생들이 점심을 천천히 먹어서 그런 거예요.

① 문제 발생 원인 파악

② 문제 해결 방안 탐색

③ 문제 해결 방안 결정

④ 문제 해결 방안 실천

⑤ 문제 발생 원인 제거

11종 공통

14 다음 그림과 같이 권력이 나누어져 있는 까닭은 어느 것입니까? ( )

법을 만드는 입법권은 국회에 있어.

법에 따라 나라를 운영하는 행정권은 정부에 있어.

법에 따라 재판하는 사법권은 법원에 있지!

① 권력을 강하게 하기 위해

② 국민의 권리를 지키기 위해

③ 국가기관의 수를 늘리기 위해

④ 대통령에게 많은 권력을 주기 위해

⑤ 국가의 중요한 일을 모두 국회의원이 정하기 위해

천재교과서

15 다음과 같이 학교 앞에 교통 안전시설이 설치되는 과정에 대한 설명으로 알맞은 것은 어느 것입니까?

( )

학교 앞에 교통 안전시설이 생겨서 마음이 놓이는구나.

① 국민들이 학교 앞에서 일어나는 교통사고에 대해 무관심했다.

② 국민들이 투표를 해서 학교 앞 교통 안전시설 설치에 반대했다.

③ 법원에서 학교 앞에 교통 안전시설 설치를 해야 하는지 판결했다.

④ 국회의원이 학교 앞 교통 안전시설을 설치하는 법률안을 발의했다.

⑤ 학교의 학생들이 예산을 모아서 학교 앞 교통 안전시설을 직접 설치했다.

16 국회에서 다음과 같은 일을 하는 까닭은 무엇입니까? (   )

11종 공통

> 공무원에게 나랏일 가운데 궁금한 점을 질문하고, 잘못한 일이 있으면 바로잡도록 요구합니다.

① 예산안을 직접 짜기 위해
② 헌법의 내용을 바꾸기 위해
③ 법이 잘 만들어졌는지 살펴보기 위해
④ 법원이 판결을 공정하게 했는지 확인하기 위해
⑤ 정부가 국정에 관한 일을 잘하고 있는지 확인하기 위해

17 다음 중 정부에 대한 설명으로 알맞은 것은 어느 것입니까? (   )

11종 공통

① 법원의 판결을 감시하는 기관이다.
② 법에 따라 국가 살림을 하는 곳이다.
③ 대통령과 국무총리로만 구성되어 있다.
④ 국회의원, 검사, 판사로 구성되어 있다.
⑤ 헌법과 관련된 다툼을 해결하는 일을 한다.

18 정부에 속해서 일하는 사람이 <u>아닌</u> 사람은 누구입니까? (   )

천재교과서, 금성출판사, 미래엔, 비상교과서

① 장관   ② 차관
③ 대통령   ④ 대법관
⑤ 국무총리

19 다음 정의의 여신상에 대한 설명에서 □ 안에 들어갈 알맞은 말은 어느 것입니까? (   )

천재교육, 천재교과서, 교학사, 금성출판사

한 손에는 저울을, 한 손에는 법전을 들고 있는 정의의 여신상은 법에 따라 □ 하게 재판을 한다는 의미를 담고 있습니다.

① 차분   ② 공정
③ 신속   ④ 단호
⑤ 친절

1 단원

진도 완료 체크

20 다음 그림과 관련 있는 법원에서 하는 일은 어느 것입니까? (   )

11종 공통

절도죄가 인정되어 징역 ○년을 선고합니다.

① 필요하지 않은 법을 없앤다.
② 사람들에게 필요한 법을 만든다.
③ 법을 지키지 않은 사람을 처벌한다.
④ 법률이 헌법에 어긋나는지 판단한다.
⑤ 개인과 국가 사이에서 생긴 갈등을 해결한다.

· 답안 입력하기   · 온라인 피드백 받기

1 다음에서 설명하는 사람은 누구입니까? (   )

11종 공통

> • 우리나라의 첫 번째 대통령입니다.
> • 부정부패로 국민의 생활을 어렵게 하였습니다.

① 노태우　　　　② 전두환
③ 박정희　　　　④ 김영삼
⑤ 이승만

2 3·15 부정 선거 때 있었던 일로 알맞지 <u>않은</u> 것은 어느 것입니까? (   )

11종 공통

① 투표지를 불에 태웠다.
② 조를 짜서 투표를 했다.
③ 국회의원들만 투표에 참여했다.
④ 투표 결과를 조장에게 알려 줘야 했다.
⑤ 유권자에게 돈이나 물건을 주며 이승만을 뽑으라고 했다.

3 4·19 혁명에 대한 설명으로 알맞지 <u>않은</u> 것은 어느 것입니까? (   )

11종 공통

① 대학교수들이 시위를 지지했다.
② 민주주의를 바로 세우고자 하였다.
③ 정부는 평화적으로 시위를 진압했다.
④ 김주열의 죽음으로 시위가 더욱 확대되었다.
⑤ 각계각층의 시민이 참여하는 전국 시위로 확대되었다.

4 5·16 군사 정변과 관련 있는 사진은 어느 것입니까?

11종 공통

(   )

①

⚠ 선거 무효를 외치는 마산 지역의 학생들 [출처: 뉴스뱅크]

②

⚠ 시민군이 된 시민들

③
⚠ 정권을 잡고 서울 시내를 지나는 군인들

④
⚠ 고문을 받다 죽은 박종철을 추모하는 학생들 [출처: 뉴스뱅크]

5 전두환이 정권을 잡자 시민들이 대규모 시위에 참여한 까닭으로 알맞은 것은 어느 것입니까? (   )

11종 공통

① 정당에 가입하기 위해서
② 군사 정권을 세우기 위해서
③ 유신 헌법을 반대하기 위해서
④ 부정 선거를 무효화하기 위해서
⑤ 민주적인 정부 수립을 요구하기 위해서

천재교육, 천재교과서, 교학사, 금성출판사, 김영사, 동아출판, 미래엔, 비상교과서, 비상교육

11종 공통

6 다음 중 가장 늦게 일어난 일은 어느 것입니까? (   )

① 지방 자치제가 정착되었다.
② 6월 민주 항쟁이 일어났다.
③ 6·29 민주화 선언을 발표했다.
④ 제13대 대통령으로 노태우가 선출되었다.
⑤ 유신 헌법에 따라 대통령 간선제가 실시되었다.

8 다음 중 생활 속 정치의 예로 볼 수 없는 것은 어느 것입니까? (   )

① 가게에서 필요한 물건을 구입한다.
② 학급 회의에서 학급 규칙을 정한다.
③ 청소 당번을 정하는 학급 회의를 한다.
④ 가족회의에서 가족 여행 장소를 정한다.
⑤ 학교에서 전교 어린이회 임원 선거를 한다.

11종 공통

9 민주주의의 기본 정신을 바르게 짝 지은 것은 어느 것입니까? (   )

① 자유, 평등, 우정
② 자유, 평등, 희망
③ 자유, 희망, 우정
④ 인간의 존엄, 평등, 사랑
⑤ 인간의 존엄, 자유, 평등

천재교과서

7 다음 내용과 관련 있는 사회 문제 해결 방법은 어느 것입니까? (   )

> 자신과 뜻을 같이하는 사람들과 단체를 만들면 혼자서 활동하는 것보다 효과적으로 사회 문제 해결에 참여할 수 있습니다.

△ 선거나 투표하기

△ 1인 시위하기

△ 정당 활동하기

△ 누리집에 의견 올리기

11종 공통

10 민주주의를 실천하면 좋은 점은 어느 것입니까? (   )

① 독재를 할 수 있다.
② 인간을 차별할 수 있다.
③ 자유를 제한할 수 있다.
④ 인간의 존엄성을 누릴 수 있다.
⑤ 인간을 신분에 따라 달리 대할 수 있다.

교학사, 동아출판, 미래엔, 아이스크림 미디어

11 다음 링컨의 말에서 밑줄 친 부분의 의미로 알맞은 것은 어느 것입니까? (   )

국민의, 국민에 의한, 국민을 위한 정부는 지구상에서 영원히 사라지지 않을 것입니다.

① 나라의 주인은 국민이다.
② 나라의 주인은 국회의원이다.
③ 대통령이 있어야 나라가 있다.
④ 국민은 대통령의 말에 따라야 한다.
⑤ 일부 국민만 정치에 참여할 수 있다.

11종 공통

12 다음 민아의 일기에 대한 설명으로 알맞은 것은 어느 것입니까? (   )

> 오늘은 반 친구들의 의견을 모아 체험 학습 장소를 정했다. 친구들은 산, 동물원, 미술관, 박물관 등 여러 장소를 추천했다. 우리는 여러 장소 중 친구들이 많이 선택한 곳을 가기로 했다. 그런데 소율이가 어제 다리를 다쳐서 산은 다니기 힘들 것 같다고 얘기했다. 그래서 우리는 산은 빼고 친구들이 추천한 곳중에 가고 싶은 곳을 정하기로 하고 투표를 했다.

① 민아네 반 친구들은 소수의 의견을 듣지 않았다.
② 민아네 반 친구들은 대화를 하지 않고 체험 학습 장소를 정했다.
③ 민아네 반 친구들은 다수결의 원칙으로 체험 학습 장소를 정했다.
④ 민아네 반 친구들은 체험 학습 장소를 정하는 데 참여하지 않았다.
⑤ 민아네 반 친구들은 선생님의 결정에 따라 체험 학습 장소를 정했다.

천재교육, 천재교과서, 김영사, 동아출판, 비상교과서, 아이스크림 미디어

13 다음은 민주적 의사 결정 원리에 따른 문제 해결 과정입니다. 민주적인 문제 해결 과정을 순서에 맞게 나열한 것은 어느 것입니까? (   )

> ㉠ 문제 확인
> ㉡ 문제 해결 방안 탐색
> ㉢ 문제 발생 원인 파악
> ㉣ 문제 해결 방안 실천
> ㉤ 문제 해결 방안 결정

① ㉠ → ㉡ → ㉢ → ㉣ → ㉤
② ㉠ → ㉡ → ㉣ → ㉢ → ㉤
③ ㉠ → ㉢ → ㉡ → ㉤ → ㉣
④ ㉡ → ㉢ → ㉣ → ㉠ → ㉤
⑤ ㉣ → ㉡ → ㉠ → ㉢ → ㉤

천재교과서, 금성출판사, 김영사, 미래엔, 비상교과서, 비상교육, 지학사

14 다음 중 보통 선거를 나타내고 있는 것은 어느 것입니까? (   )

①
만 18세 이상의 국민은 누구나 투표할 수 있어요.

②
모든 사람이 행사하는 표의 개수와 가치는 같아요.

③
투표는 선거권이 있는 사람이 직접 해야 해요.

④
누구에게 투표했는지 다른 사람이 알 수 없어요.

개념 다지기

11종 공통

1 무역에 대한 알맞은 설명에 ○표를 하시오.

(1) 무역은 나라 사이에 물건과 서비스를 사고팔며 경제적으로 교류하는 것입니다. (   )

(2) 다른 나라에 물건이나 서비스를 파는 것을 수입, 사 오는 것을 수출이라고 합니다. (   )

11종 공통

2 다음 ( ) 안의 알맞은 말에 각각 ○표를 하시오.

> 나라마다 자연환경, 자원, 기술 수준 등에 차이가 ❶(있어 / 없어) 더 잘 만들 수 있는 물건이나 서비스가 ❷(같기 / 다르기) 때문에 무역을 합니다.

11종 공통

3 다음 ☐ 안에 들어갈 우리나라의 주요 수출품은 어느 것입니까? (   )

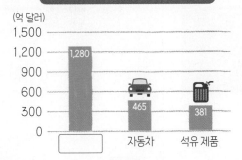

우리나라의 주요 수출품 (2021년)

(억 달러)

1,280 / 자동차 465 / 석유 제품 381

① 목재
② 원유
③ 반도체
④ 유제품
⑤ 열대 과일

천재교육

4 다음 신문 기사를 통해 알 수 있는 우리나라의 경제 교류에 대한 설명으로 알맞은 것은 어느 것입니까?

(   )

> **온라인 동영상 서비스 인기**
>
> 최근 우리나라에서 미국의 온라인 동영상 서비스가 큰 인기를 얻고 있습니다.
> 우리나라에서 월 1천만 명 이상이 사용합니다.

① 서비스가 아닌 물건만 수입한다.
② 미국에 온라인 동영상 서비스를 수출했다.
③ 다른 나라와 경제 교류를 전혀 하지 않는다.
④ 미국의 온라인 동영상 서비스를 수입하여 사용하고 있다.
⑤ 미국의 온라인 동영상 서비스는 우리나라에서 인기가 없다.

11종 공통

5 우리나라와 다른 나라의 경제 관계에 관한 설명으로 알맞은 것은 어느 것입니까? (   )

① 경제적으로 관련이 없다.
② 상호 경쟁하지만 의존하지는 않는다.
③ 자연환경이 비슷한 나라와만 의존한다.
④ 필요한 모든 자원은 우리나라 안에서 구한다.
⑤ 서로 비슷한 물건을 생산하는 나라와 경쟁한다.

11종 공통

6 자유 무역 협정(FTA)에 대해 알맞게 말한 어린이를 쓰시오.

> 다희: 나라 간 물건이나 서비스의 이동을 제한하는 약속이야.
> 윤철: 세금, 법, 제도 등의 무역 장벽을 줄이거나 없애기도 해.
> 예슬: 자유 무역 협정을 체결하면 우리나라가 수입, 수출하는 물건이 줄어들게 돼.

(   )

2 단원

6 경제 교류가 우리 생활에 미친 영향 / 무역 문제

개념 1 경제 교류가 우리 경제생활에 미친 영향

1. 의식주 및 여가 생활의 변화 → 소비자들이 제품을 선택할 수 있는 폭이 넓어졌습니다.

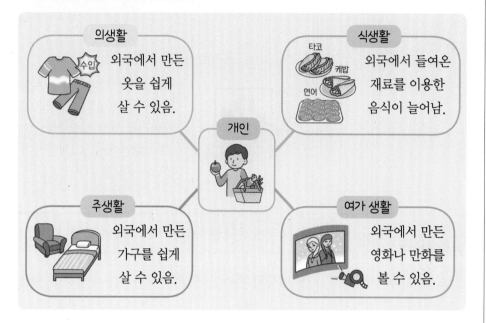

- **의생활**: 외국에서 만든 옷을 쉽게 살 수 있음.
- **식생활**: 외국에서 들여온 재료를 이용한 음식이 늘어남. (타코, 케밥, 연어)
- **개인**
- **주생활**: 외국에서 만든 가구를 쉽게 살 수 있음.
- **여가 생활**: 외국에서 만든 영화나 만화를 볼 수 있음.

2. 개인과 기업의 경제생활의 변화

개인	• 외국 기업에서 일자리를 얻거나 외국에서 일하기도 함. → 우리나라 기업에 취업하는 외국인도 많아졌습니다. • 전 세계의 값싸고 다양한 물건을 선택할 수 있는 기회가 늘어남.
기업	• 다른 나라의 새로운 기술과 아이디어를 주고받을 수 있음. • 다른 나라에 공장을 세워 값싼 노동력을 활용해 생산 비용을 줄이고, 운반 비용을 줄일 수 있음.

개인에 미친 영향

🔼 다른 나라에서 수입한 열대 과일을 살 수 있음.

기업에 미친 영향

🔼 신재생 에너지 기술 교류 박람회에 참석함. [출처: 연합뉴스]

🔼 인도에 우리나라 기업의 자동차 공장을 세움.

내 교과서 살펴보기 / **천재교과서**

다른 나라와의 경제 교류로 달라진 생활 모습 조사하기

1️⃣ 모둠별로 의생활, 식생활, 주생활, 여가 생활 중 조사할 주제를 정합니다.
2️⃣ 관련된 책, 인터넷 검색, 직접 경험한 내용을 바탕으로 달라진 생활 모습을 조사합니다.
3️⃣ 조사하면서 새로 알게 된 점이나 느낀 점을 작성합니다.

☑ 경제 교류가 개인에게 미친 영향

개인은 경제 교류로 인해 다른 나라의 다양한 물건과 서비스를 선택할 수 있는 ❶ [ㄱ][ㅎ]가 늘어났습니다.

쌀국수는 너무 맛있어.

저녁은 인도 음식을 먹을까?

☑ 경제 교류가 기업에게 미친 영향

기업은 경제 교류로 인해 다른 나라와 새로운 ❷ [ㄱ][ㅅ] 및 아이디어를 주고받을 수 있습니다.

한국 기업과 기술을 교류하기 위해 왔어요.

정답 ❶ 기회 ❷ 기술

용어 사전

● **신재생 에너지**
지속 가능한 에너지 공급을 위해 화석 연료가 아닌 햇빛, 물, 지열 등을 이용하는 에너지

개념② 경제 교류를 하면서 생기는 문제점

1. 다른 나라와 무역을 하면서 생기는 문제

우리나라는 이제 농산물을 수입하지 않겠습니다.

⬆ 다른 나라의 수입 제한으로 우리나라의 수출이 감소함.

대한민국에서 수입하는 세탁기에 세금을 더 부과하겠습니다.

⬆ 우리나라에서 수출하는 물건에 높은 관세를 부과함.

우리는 당분간 ○○ 나라의 수산물을 수입하지 않겠습니다.

○○ 나라 수산물 수입 금지

⬆ 수입을 거부하면서 다른 나라와 갈등이 발생함.

기후 변화로 △△ 나라의 커피 생산량이 크게 줄어 수입이 어려워졌어.

⬆ 다른 나라에 의존하는 물건의 수입 문제가 발생함.

2. 무역 문제의 원인: 서로 자기 나라의 경제를 보호하고 산업을 더 키우려고 해서 발생합니다.

중요 3. 자기 나라 경제를 보호하려는 까닭

정부

다른 나라보다 경쟁력이 부족한 우리나라의 산업을 먼저 보호하기 위해서

폐업

수입품 때문에 우리나라의 상품이 잘 팔리지 않아 생기는 국내 근로자의 실업을 방지하기 위해서

쌀 산업과 같이 나라의 기본이 되는 산업을 보호하기 위해서

내 교과서 살펴보기 / 아이스크림 미디어

우리나라의 무역 의존도

우리나라 무역의 특징	주요 수출입품이 한정적이고, 주요 무역 상대국이 다양하지 않아 무역 의존도가 높음. ⟶ 예) 반도체, 자동차, 원유 ⟶ 예) 미국, 중국
무역 의존도가 높아서 발생하는 문제점	• 주요 무역 상대국의 경제 상황에 따라 우리나라 경제도 많은 영향을 받음. • 국가 관계가 악화되면 수출과 수입에 타격을 받음.

☑ **여러 가지 무역 문제**

우리나라에서 수출하는 물건에 높은 ❸[ㄱ][ㅅ]를 부과하면 가격이 올라 경쟁에서 불리해집니다.

최근에 우리나라 세탁기에 대한 관세가 늘었습니다.

수출이 어려워지겠어······.

☑ **무역 문제가 발생하는 까닭**

서로 자기 나라 경제를 ❹[ㅂ][ㅎ] 하고 자기 나라의 산업을 더 키우려 하기 때문에 무역 문제가 발생합니다.

산업 보호를 위해 더이상 수입을 하지 않겠습니다.

우리 물건 좀 사세요.

정답 ❸ 관세 ❹ 보호

용어 사전

• **관세(關 관계할 관 稅 세금 세)**
수입품에 매기는 세금으로, 수입품의 가격을 높여 국내 산업을 보호할 수 있음.
• **무역 의존도**
한 나라의 경제가 무역에 얼마나 의존하고 있는지 나타내는 지표

개념 ③ 무역 문제의 해결 방안

1. 무역 문제를 해결하기 위한 노력 → 상품의 품질을 개선하거나 수출입 종목을 확대할 수도 있습니다.

① 무역 문제가 발생한 나라끼리 서로 협상하고 합의해야 합니다.

② 무역 문제를 해결해 줄 수 있는 국제기구에 도움을 요청해야 합니다.

③ 우리나라의 상품을 수출할 수 있는 다른 나라를 찾아보아야 합니다.

2. 무역 문제를 중재하는 세계 무역 기구(WTO)

만든 목적	나라 간 무역을 하며 발생하는 문제를 공정하게 심판하여 해결해 주기 위해 국제기구를 만듦. → 1995년 1월에 설립되었습니다.
하는 일	• 나라 간에 무역 갈등이 발생했을 때 판결을 하여 해결함. • 무역이 쉽게 이루어지지 않았던 분야도 개방할 수 있도록 무역 장벽을 낮춤.

3. 무역 문제 해결 사례 예

① 우리나라와 미국 간의 철강 무역 문제

> **우리나라, 미국과의 철강 무역 문제에서 승리**
>
> 세계 무역 기구(WTO)는 미국 정부가 대한민국의 철강 수출품에 높은 관세를 부과한 것을 확인하고, 우리나라 정부의 손을 들어 주었다. 우리나라 정부는 미국의 관세 부과 정책에 여러 차례 문제를 제기했지만 해결되지 않자, 지난 2018년 2월에 세계 무역 기구에 문제를 제기하였고, 약 3년 만에 해결되었다.
>
> [출처: 대한민국 정책 브리핑, 2021.]

➡ 세계 무역 기구는 미국이 우리나라에 부과한 관세가 정당하지 않다고 판단하여 우리나라의 손을 들어주었습니다.

② 우리나라와 필리핀 간의 자동차 무역 문제

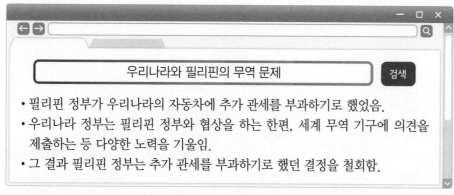

우리나라와 필리핀의 무역 문제   검색

• 필리핀 정부가 우리나라의 자동차에 추가 관세를 부과하기로 했었음.
• 우리나라 정부는 필리핀 정부와 협상을 하는 한편, 세계 무역 기구에 의견을 제출하는 등 다양한 노력을 기울임.
• 그 결과 필리핀 정부는 추가 관세를 부과하기로 했던 결정을 철회함.

➡ 필리핀 정부와 우리나라 정부가 협상을 통해 서로 합의하고, 세계 무역 기구에 의견을 제출하며 무역 문제를 해결했습니다.

☑ **무역 문제를 해결하기 위한 노력**

무역 문제로 인한 피해를 ❺(늘릴 / 줄일) 수 있는 대책을 마련해야 합니다.

☑ **세계 무역 기구**

세계 무역 기구는 나라 간에 발생하는 무역 문제를 ❻ ㄱ ㅈ 하게 심판합니다.

정답 ❺ 줄일 ❻ 공정

국제기구(國 나라 국 際 사이 제 機 틀 기 構 얽을 구)
여러 나라가 모여 지구촌의 협력을 위해 활동하는 단체

11종 공통

1 다음 그림을 통해 알 수 있는 경제 교류로 달라진 일상생활은 어느 것입니까? (   )

이 청바지와 허리띠가 마음에 들어.

① 외국에서 만든 옷을 살 수 있다.
② 외국 기업이 만든 가구를 살 수 있다.
③ 외국 기업에 취직하기 위해 준비한다.
④ 외국 재료를 활용한 음식이 많아졌다.
⑤ 극장에서 외국 만화 영화를 볼 수 있다.

11종 공통

2 다음 ㉠과 ㉡에 들어갈 말이 알맞게 짝 지어진 것은 어느 것입니까? (   )

> 경제 교류가 활발해지면서 기업은 다른 나라에 공장을 세워 ㉠ 노동력을 활용해 ㉡ 을/를 줄일 수 있습니다.

	㉠	㉡		㉠	㉡
①	값싼	기술력	②	비싼	아이디어
③	값싼	아이디어	④	비싼	생산 비용
⑤	값싼	생산 비용			

11종 공통

3 다음 성연이의 질문에 대한 답으로 알맞은 것은 어느 것입니까? (   )

성연 ▶ 정부가 자기 나라의 경제를 보호하려는 까닭은 무엇일까?

① 수입을 늘리고 수출을 줄이기 위해서
② 자기 나라의 무역 의존도를 높이기 위해서
③ 나라의 기본이 되는 산업을 보호하기 위해서
④ 수입품 때문에 국내 근로자의 실업이 줄어서
⑤ 다른 나라보다 우리나라의 산업 경쟁력이 뛰어나서

11종 공통

4 다음 그림과 관련된 무역 문제는 어느 것입니까?
(   )

기후 변화로 △△ 나라의 커피 생산량이 크게 줄어 수입이 어려워졌어.

① 우리나라의 수출 거부
② 다른 나라의 수입 제한
③ 우리나라 물건의 가격 하락
④ 우리나라 물건에 높은 관세 부과
⑤ 다른 나라에 의존해야 하는 물건의 수입 문제

11종 공통

5 무역 문제를 해결하기 위한 노력으로 알맞지 <u>않은</u> 것은 어느 것입니까? (   )

① 상품을 수출할 수 있는 다른 나라를 찾아본다.
② 우리나라 물건에 붙은 관세를 늘리기 위해 노력한다.
③ 무역 문제가 발생한 나라끼리 서로 협상하고 합의한다.
④ 무역 문제를 해결해 줄 수 있는 국제기구에 도움을 요청한다.
⑤ 상대 나라의 정책으로 우리나라가 입게 되는 피해를 줄일 수 있도록 대책을 마련한다.

11종 공통

6 다음 ☐ 안에 들어갈 알맞은 말을 **보기**에서 찾아 쓰시오.

> 나라 간 무역을 하며 발생하는 문제를 공정하게 심판하여 해결해 주기 위해 만들어진 국제기구를 ☐(이)라고 합니다.

보기
• 법원   • 정부   • 세계 무역 기구

(   )

Step ① 단원평가

1 나라와 나라가 물건이나 서비스를 사고파는 것을 무 엇이라고 합니까?　(　　　　　　　　　)

2 우리나라와 세계 여러 나라는 한 상품을 위해 (협력 / 견제)하여 다른 나라의 재료, 노동력, 기술 등을 활용 하기도 합니다.

3 경제 교류가 활발해지면서 기업은 다른 나라에 공장 을 세워 값싼 노동력을 활용해 생산 비용을 (늘릴 / 줄일) 수 있습니다.

4 국내 산업을 보호하기 위해 국가에서 수입품에 매기는 세금을 무엇이라고 합니까?

(　　　　　　　　　)

5 세계 무역 기구에서는 무역이 이루어지지 않았던 분 야도 개방할 수 있도록 무역 장벽을 (높입니다 / 낮춥니다).

11종 공통

6 다음 중 무역에 대해 잘못 말한 어린이를 쓰시오.

> 소현: 무역을 통해 경제적 이익을 얻을 수는 없어.
> 상호: 다른 나라에 물건이나 서비스를 파는 것을 수출이라고 해.
> 봉훈: 자기 나라가 더 잘 만들 수 있는 물건이나 서비스를 생산하고 교류하는 일이야.

(　　　　　　　　　)

[7~8] 다음 ○○ 나라와 △△ 나라의 특징을 정리한 표를 보고, 물음에 답하시오.

	○○ 나라	△△ 나라
기후	일 년 내내 덥고 습함.	사계절이 뚜렷함.
자원	천연자원이 풍부함.	천연자원이 부족함.
기술	물건을 생산하는 기술 이 부족함.	물건을 생산하는 기술 이 뛰어남.

11종 공통

7 위 ○○ 나라와 △△ 나라가 서로 무역을 할 때 수출 할 물건을 보기에서 찾아 각각 기호를 쓰시오.

> **보기**
> ㉠ 원유　　　　　㉡ 목재
> ㉢ 스마트폰　　　㉣ 대형 선박

(1) ○○ 나라: (　　　　, 　　　　)
(2) △△ 나라: (　　　　, 　　　　)

11종 공통

8 위 두 나라가 경제 교류를 하는 까닭으로 알맞은 것은 어느 것입니까? (　　　　)

① 경제적 손해를 얻기 위해
② ○○ 나라의 기술력이 좋아서
③ △△ 나라의 천연자원이 풍부해서
④ 두 나라의 자연환경과 기술이 달라서
⑤ 두 나라가 서로 부족하거나 필요한 것이 없어서

9 다음 그래프를 보고 알 수 있는 우리나라 무역의 특징으로 알맞은 것은 어느 것입니까? ( )

11종 공통

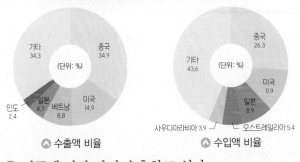

우리나라의 나라별 무역액 비율 (2021년)

기타 34.3 / 중국 34.9 / (단위: %) / 일본 4.7 / 인도 2.4 / 베트남 8.8 / 미국 14.9

▲ 수출액 비율

중국 26.3 / 기타 43.6 / (단위: %) / 미국 11.9 / 일본 8.9 / 사우디아라비아 3.9 / 오스트레일리아 5.4

▲ 수입액 비율

① 미국에 가장 많이 수출하고 있다.
② 일본에서는 전혀 수입하지 않는다.
③ 수입을 가장 많이 하는 나라는 중국이다.
④ 중국, 미국, 베트남, 일본, 인도에만 수출하고 있다.
⑤ 수입을 많이 하는 국가와 수출을 많이 하는 국가가 전혀 다르다.

10 다음 중 우리나라의 주요 수출품으로 알맞은 것에 ○표를 하시오.

11종 공통

(1) ▲ 자동차 ( )
(2) ▲ 열대 과일 ( )

11 우리나라가 다른 나라와 경쟁하며 교류하는 모습으로 가장 알맞은 것은 어느 것입니까? ( )

11종 공통

① 외국에서 원유를 수입한다.
② 어려운 나라에 기부금을 보낸다.
③ 다른 나라와 자유 무역 협정을 맺는다.
④ 해외에 공장을 짓고 그 나라 사람들을 고용한다.
⑤ 휴대 전화를 더 많이 수출하기 위해 기술을 개발한다.

12 다음은 나라 간의 경제 교류가 개인의 어떤 생활에 미친 영향입니까? ( )

11종 공통

이 식당에서 부리토를 먹으면 정말 멕시코에 온 것 같아.

① 주생활
② 식생활
③ 의생활
④ 여가 생활
⑤ 취업 활동

[13~14] 다음 신문 기사를 읽고, 물음에 답하시오.

우리나라, 미국과의 철강 무역 문제에서 승리

우리나라 정부는 미국의 관세 부과 정책에 여러 차례 문제를 제기하였지만 해결되지 않자, 지난 2018년 2월에 ⊙ 에 문제를 제기하였고, 약 3년 만에 해결되었다.

천재교육

13 위와 같은 무역 문제가 발생한 까닭으로 알맞은 것에 ○표를 하시오.

(1) 우리나라가 미국의 수출품 수입을 제한했습니다. ( )
(2) 미국이 우리나라의 철강 수출품에 높은 관세를 부과했습니다. ( )
(3) 미국이 근로자의 실업을 방지하기 위해 수출을 제한했습니다. ( )

14 위 ⊙에 들어갈 국제기구가 하는 일로 알맞은 것은 어느 것입니까? ( )

11종 공통

① 나라 간의 무역 장벽을 높인다.
② 수출은 제한하고 수입을 늘리도록 돕는다.
③ 나라들이 서로 제한적인 무역을 하도록 돕는다.
④ 나라 간에 무역 갈등이 발생했을 때 공정하게 판결한다.
⑤ 환경오염을 막고 기후 변화에 대응하기 위한 다양한 노력을 한다.

15 다음은 제품의 생산 정보를 나타낸 표입니다.   11종 공통

㉠ 음료수	
기업명	㉠ 음료 회사
본사	경상남도
생산 지역	경상남도
주요 재료의 원산지	• 정제수(대한민국) • 오렌지(미국) • 망고(베트남)

㉡ 자동차	
기업명	㉡ 자동차 회사
본사	이탈리아
생산 지역	대전광역시
주요 재료의 원산지	• 엔진(이탈리아) • 강판(미국) • 타이어(대한민국)

(1) 위 ㉠, ㉡과 같은 제품을 만들기 위한 재료를 외국으로부터 사 오는 것을 무엇이라고 하는지 쓰시오.   (   )

(2) 위와 같이 한 상품을 만들기 위해 여러 나라가 협력하는 까닭에 관해 쓰시오.

답 다른 나라의 좋은 ❶[   ], 값싼 노동력, 뛰어난 ❷[   ] 등을 활용하면 더 좋은 상품이나 서비스를 생산할 수 있기 때문이다.

16 다음은 경제 교류가 개인과 기업의 경제생활에 미친 영향입니다.   11종 공통

▲ 다른 나라에서 수입한 열대 과일을 살 수 있음.

▲ 신재생 에너지 기술 교류 박람회에 참여함.

▲ 인도에 우리나라 기업의 자동차 공장을 세움.

(1) 위 ㉠~㉢ 중 경제 교류가 개인에게 미치는 영향과 가장 관련 있는 것을 찾아 기호를 쓰시오.   (   )

(2) 위 자료를 통해 알 수 있는 경제 교류가 기업에게 미친 영향을 쓰시오.

_____

_____

17 세계 여러 나라가 자기 나라 경제를 보호하려는 까닭을 쓰시오.   11종 공통

_____

_____

서술형 가이드
어려워하는 서술형 문제!
서술형 가이드를 이용하여 풀어 봐!

15 (1) 다른 나라에 물건이나 서비스를 파는 것을 [ ][ ], 사 오는 것을 수입이라고 합니다.

(2) 한 기업이 제품을 만들려면 세계 여러 나라와 서로 [ ][ ]해야 합니다.

16 (1) 경제 교류로 소비자들은 제품을 [ ][ ]할 수 있는 폭이 넓어졌습니다.

(2) 경제 교류로 [ ][ ]은 다른 나라에 공장을 세워 생산 비용을 줄일 수 있게 되었습니다.

17 나라의 기본이 되는 쌀 산업과 같은 산업을 [ ][ ]하기 위해 수입을 제한하기도 합니다.

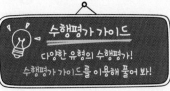

Step 3 수행평가

학습 주제　무역을 하는 까닭과 무역 문제

학습 목표　무역을 하는 까닭과 무역 문제를 해결하기 위한 노력을 알 수 있다.

[18~20] 다음은 ㉠ 나라와 ㉡ 나라의 무역 모습입니다.

11종 공통

18 다음 글을 읽고 위 ☐ 안에 들어갈 알맞은 수출품을 보기 에서 찾아 쓰시오.

> ㉠ 나라는 천연자원이 풍부하고 날씨가 따뜻하지만, 전자 제품을 만드는 기술력이 부족합니다.

보기
• 컴퓨터　　• 세탁기　　• 열대 과일　　• 첨단 의료 기기

(　　　　　　　　)

19 다음 (　　) 안의 알맞은 말에 각각 ○표를 하시오.

11종 공통

> ㉠ 나라와 ㉡ 나라의 ❶(자연환경 / 나라 이름), 자원, 기술, 노동력 등의 차이로 더 잘 만들 수 있는 물건이나 서비스가 다르고, 경제 교류를 통해 서로 ❷(이익 / 손해)을/를 얻을 수 있기 때문에 무역을 합니다.

20 ㉠ 나라에서 ㉡ 나라 상품의 수입량을 제한한다면, ㉡ 나라의 입장에서 어떻게 문제를 해결할 수 있는지 방안을 쓰시오.

11종 공통

_____

_____

무역을 하는 까닭과 무역 문제

• 나라마다 더 잘 만들 수 있는 물건이나 서비스가 다르기 때문에 무역을 합니다.

• 무역 문제가 발생하면 무역 문제가 발생한 나라끼리 서로 협상하고 합의해야 합니다.

무역 문제를 해결하기 위해 어떤 노력을 할 수 있을까?

🔍 배점 표시가 없는 문제는 문제당 4점입니다.

1 경제주체의 역할과 우리나라 경제체제

11종 공통

1 다음 ㉠, ㉡에 대한 설명으로 알맞은 것은 어느 것입니까? [6점] (   )

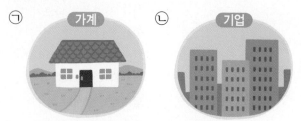

㉠ 가계   ㉡ 기업

① ㉡은 ㉠에게 일자리를 제공한다.
② ㉠과 ㉡이 하는 일은 서로 관련이 없다.
③ ㉠은 ㉡에게 물건을 제공해 이윤을 얻는다.
④ ㉠은 전문적으로 생산 활동을 하는 경제주체이다.
⑤ ㉡은 생산 활동에 참여하여 얻은 소득으로 소비 활동을 한다.

[3~4] 다음 선아와 할머니의 대화를 보고, 물음에 답하시오.

냉장고와 텔레비전 중 무엇을 먼저 사야 할까?

음식이 상하지 않도록 냉장고를 먼저 사야 해요.

천재교육, 금성출판사, 비상교과서, 비상교육, 지학사

3 위 대화를 읽고 다음 ☐ 안에 들어갈 알맞은 말을 보기 에서 찾아 쓰시오.

선아와 할머니는 냉장고와 텔레비전 중 더 필요한 물건이 무엇인지 ☐☐☐을/를 정하고 있습니다.

보기
• 서비스   • 우선순위   • 생산 방법

(   )

11종 공통

2 다음 ☐ 안에 공통으로 들어갈 알맞은 말을 쓰시오.

물건이나 서비스를 사고파는 사람이 모여 거래하는 곳을 ☐☐☐이라고 합니다. ☐☐☐에서는 물건을 사고팔기도 하고, 돈이나 집을 사고팔기도 합니다.

(   )

11종 공통

4 위 선아와 할머니가 합리적인 소비를 위해 고려할 수 있는 선택 방법이 **아닌** 것은 어느 것입니까? (   )

① 성능이 좋은 제품을 고른다.
② 가격이 가장 비싼 제품을 고른다.
③ 관련 서비스가 좋은 제품을 고른다.
④ 디자인이 마음에 드는 제품을 고른다.
⑤ 환경 보호를 위해 노력하는 기업의 제품을 고른다.

5 다음 조사 결과를 토대로 기업이 가장 적극적으로 홍보에 나설 곳은 어디입니까? ( )

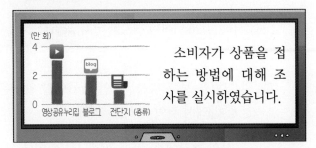

소비자가 상품을 접하는 방법에 대해 조사를 실시하였습니다.

① 블로그 ② 길거리
③ 관광지 ④ 누리 소통망
⑤ 영상 공유 누리집

서술형·논술형 문제

11종 공통

6 다음은 사람들이 면접을 보는 모습입니다. [총 10점]

자신의 장점을 말해보세요.

면접관

(1) 위 그림을 보고 다음 ( ) 안의 알맞은 말에 ○표를 하시오. [4점]

우리나라에서 개인은 자유롭게 직업을 선택하기 위해 다른 사람과 (경쟁 / 양보)합니다.

(2) 위 (1)번의 답이 개인의 생활에 주는 도움을 쓰시오. [6점]

_____

_____

11종 공통

7 법과 제도를 만들어 기업의 불공정한 경제활동을 규제하는 곳은 어디입니까? ( )

① 기업   ② 학교   ③ 정부
④ 방송국   ⑤ 시민 단체

---

2 우리나라의 경제 성장과 경제생활의 변화

11종 공통

8 다음에서 설명하는 산업의 형태는 무엇인지 쓰시오.

1960년대에는 옷, 신발, 가방 등을 만드는 산업이 발전했습니다.

( )

11종 공통

9 다음 ( ) 안의 알맞은 말에 각각 ○표를 하시오.

1970년대에는 발전시키는 데 돈과 기술이 더 많이 필요한 ❶(소비재 / 중화학) 공업이 주로 발전했습니다. 이로 인해 우리나라의 수출액과 함께 국민 소득도 ❷(늘었습니다 / 줄었습니다).

천재교육, 천재교과서, 교학사, 금성출판사, 김영사, 미래엔, 비상교과서, 비상교육, 지학사

10 다음 지도에 나타난 변화가 우리나라의 경제 성장에 미친 영향으로 알맞은 것은 어느 것입니까? ( )

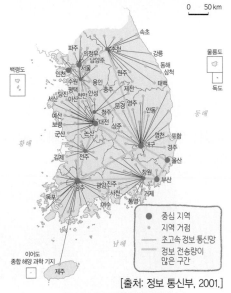

[출처: 정보 통신부, 2001.]

초고속 정보 통신망 설치

① 반도체 관련 산업이 줄어들었다.
② 우리나라의 천연자원이 늘어났다.
③ 인터넷 관련 기업이 많이 생겨났다.
④ 밀가루, 설탕 산업이 주로 발전했다.
⑤ 해안 지역에 중화학 공업 단지가 건설되었다.

11종 공통

11 다음 연표의 색칠된 부분과 관련 있는 사회 모습은 어느 것입니까? ( )

1970년대	1980년대	1990년대	2000년대

①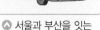
△ 서울과 부산을 잇는 고속 국도 개통

②
△ 컬러텔레비전 및 컴퓨터 보급

③
△ 흑백텔레비전 보급

④
△ 고속 철도 개통

11종 공통

12 다음은 우리나라의 경제 성장 과정에서 나타난 어떤 문제입니까? ( )

△ 노동자들의 시위 모습

① 농촌 문제
② 소음 문제
③ 환경오염 문제
④ 주택 부족 문제
⑤ 노동 환경 문제

🖥 서술형·논술형 문제
천재교육

13 오른쪽 그림은 우리나라의 경제 성장 과정에서 나타난 문제점입니다. [총 10점]

△ 산업 재해 문제

(1) 위 그림을 보고 다음 □ 안에 들어갈 알맞은 말을 보기 에서 찾아 쓰시오. [4점]

> 산업 현장에서 빨리, 싸게 생산하려다 보니 지켜야 할 □ 규칙이 지켜지지 않았습니다.

보기
• 안전 • 경쟁 • 정보 통신 • 환경 보존

( )

(2) 위와 같은 문제를 해결하기 위한 노력을 한 가지만 쓰시오. [6점]

_____

_____

---

3 세계 속의 우리나라 경제

11종 공통

14 다음 밑줄 친 곳에 들어갈 말로 알맞은 것에 ○표를 하시오.

다양한 나라들이 무역을 하는 까닭은 무엇일까?

_____ 때문이야.

(1) 경제적 이익을 얻을 수 있기 ( )
(2) 나라마다 만드는 물건이 모두 똑같기 ( )

11종 공통

15 우리나라의 주요 수출품과 관련 없는 것을 두 가지 고르시오. (,)

① 철광석
② 반도체
③ 자동차
④ 열대 과일
⑤ 대형 선박

[16~17] 다음 우리 교실에서 볼 수 있는 물건들의 특징을 정리한 표를 보고, 물음에 답하시오.

㉠ 실내화	
회사 이름	○○ 의류
주요 재료	합성 고무, 합성 가죽 등
생산 국가	베트남, 대한민국

㉡ 연필	
회사 이름	△△ 연필
주요 재료	연필심, 나무 등
생산 국가	필리핀, 대한민국

11종 공통

16 위 ㉠, ㉡과 관련 있는 우리나라와 다른 나라의 경제 관계에 대해 바르게 말한 어린이를 쓰시오.

> 지현: 서로 협력하고 의존해.
> 수영: 경제적으로 전혀 관계가 없어.
> 종욱: 자기 나라의 물건을 팔기 위해 서로 경쟁해.

(   )

🗂 서술형·논술형 문제

11종 공통

17 위와 같은 방법으로 기업이 물건이나 서비스를 생산하면 좋은 점을 쓰시오. [8점]

_____

_____

11종 공통

18 다른 나라와의 경제 교류가 우리 생활에 미친 영향으로 알맞지 **않은** 것은 어느 것입니까? (   )

① 우리나라의 전통 축제에 참여했다.
② 말레이시아에서 수입한 망고를 먹었다.
③ 가족들과 함께 스웨덴 가구를 구경했다.
④ 영국에서 만든 옷을 인터넷으로 주문했다.
⑤ 일본에서 만든 만화 영화를 보러 다녀왔다.

[19~20] 다음 뉴스를 보고, 물음에 답하시오.

> 최근 필리핀 정부가 우리나라의 수출품에 추가 관세를 부과하기로 했습니다.

11종 공통

19 위와 같은 무역 문제가 발생한 까닭으로 가장 알맞은 것은 어느 것입니까? [6점] (   )

① 우리나라의 산업을 보호하기 위해서
② 필리핀 물건이 우리나라 물건보다 잘 팔려서
③ 우리나라가 필리핀 물건을 수입에 의존해서
④ 우리나라와 필리핀 사이에 자유 무역 협정을 체결해서
⑤ 우리나라 수출품의 가격을 올려 경쟁력이 부족한 자기 나라 산업을 보호하려고

2 단원

진도 완료 체크

11종 공통

20 위와 같은 무역 문제를 해결하기 위한 방법을 가장 알맞게 말한 어린이는 누구입니까? (   )

① 공정 거래 위원회에 규제를 요청해야 해.

② 우리나라도 필리핀 물건에 관세를 부과해야 해.

③ 우리나라와 필리핀이 서로 무역을 중단해야 해.

④ 우리나라와 필리핀 정부가 함께 협상하고 합의해야 해.

우리 경제의 성장을 위해 정부가 노력한 일

경부 고속 국도 개통

기업이 만든 제품을 빠르게 운송하고 수출할 수 있도록 고속 국도를 만들었습니다.

고속 국도 | 높을 고高 | 빠를 속速 | 나라 국國 | 길 도道 |
빠른 통행을 위하여 만든 차 전용의 도로

춘천 수력 발전소 공사

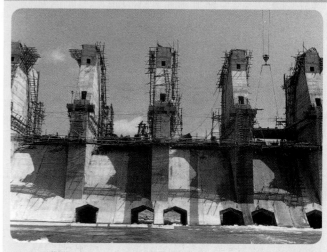

기업에게 에너지를 원활하게 공급할 수 있도록 발전소를 만들었습니다.

발전소 | 필 발發 | 전기 전電 | 바 소所 |
전력을 일으키는 시설을 갖춘 곳

한국 과학 기술 연구소 준공식

정부는 높은 기술력이 있는 인재를 육성하고자 교육 시설과 연구 시설을 설립했습니다.

연구소 | 갈 연研 | 연구할 구究 | 바 소所 |
연구를 전문으로 하는 곳

울산 석유 화학 단지 건설

철강 산업 단지, 석유 화학 단지 등을 건설하고 산업이 발전할 수 있도록 도와주었습니다.

산업 단지 | 낳을 산産 | 업 업業 | 모일 단團 | 땅 지地 |
산업을 육성하기 위해 지정한 곳

똑똑한 하루 시/리/즈

배우는 즐거움! 쌓이는 기초 실력!

공부 습관을
만들자!

하루 1⁰분!

똑똑한 하루 독해

기초
학습능력 강화
프로그램

♥ NEW

쉽다!
어휘력 강화로
쉬운 독해 시작

재미있다!
다양한 소재로
재미있는 독해 공부

똑똑하다!
생활 속 독해와
창의·융합·코딩 게임까지

1 단계
A
예비초~1학년

천재교육

과목	교재 구성	과목	교재 구성
하루 독해	예비초~6학년 각 A·B (14권)	하루 VOCA	3~6학년 각 A·B (8권)
하루 어휘	예비초~6학년 각 A·B (14권)	하루 Grammar	3~6학년 각 A·B (8권)
하루 글쓰기	예비초~6학년 각 A·B (14권)	하루 Reading	3~6학년 각 A·B (8권)
하루 한자	예비초: 예비초 A·B (2권) 1~6학년: 1A~4C (12권)	하루 Phonics	Starter A·B / 1A~3B (8권)
하루 수학	1~6학년 1·2학기 (12권)	하루 사회	3~6학년 1·2학기 (8권)
하루 계산	예비초~6학년 각 A·B (14권)	하루 과학	3~6학년 1·2학기 (8권)
하루 도형	예비초 A·B, 1~6학년 6단계 (8권)		
하루 사고력	1~6학년 각 A·B (12권)		

뭘 좋아할지 몰라 다 준비했어♥
전과목 교재

전과목 시리즈 교재

●무등생 해법시리즈

– 국어/수학	1~6학년, 학기용
– 사회/과학	3~6학년, 학기용
– SET(전과목/국수, 국사과)	1~6학년, 학기용

●똑똑한 하루 시리즈

– 똑똑한 하루 독해	예비초~6학년, 총 14권
– 똑똑한 하루 글쓰기	예비초~6학년, 총 14권
– 똑똑한 하루 어휘	예비초~6학년, 총 14권
– 똑똑한 하루 한자	예비초~6학년, 총 14권
– 똑똑한 하루 수학	1~6학년, 학기용
– 똑똑한 하루 계산	예비초~6학년, 총 14권
– 똑똑한 하루 도형	예비초~6학년, 총 8권
– 똑똑한 하루 사고력	1~6학년, 학기용
– 똑똑한 하루 사회/과학	3~6학년, 학기용
– 똑똑한 하루 Voca	3~6학년, 학기용
– 똑똑한 하루 Reading	초3~초6, 학기용
– 똑똑한 하루 Grammar	초3~초6, 학기용
– 똑똑한 하루 Phonics	예비초~초등, 총 8권

●독해가 힘이다 시리즈

– 초등 문해력 독해가 힘이다 비문학편	3~6학년, 총 8권
– 초등 수학도 독해가 힘이다	1~6학년, 학기용
– 초등 문해력 독해가 힘이다 문장제수학편	1~6학년, 총 12권

영어 교재

●초등영어 교과서 시리즈

파닉스(1~4단계)	3~6학년, 학년용
영단어(1~4단계)	3~6학년, 학년용
●LOOK BOOK 영단어	3~6학년, 단행본
●원서 읽는 LOOK BOOK 영단어	3~6학년, 단행본

국가수준 시험 대비 교재

●해법 기초학력 진단평가 문제집	2~6학년·중1 신입생, 총 6권

천재교육

홈스쿨링 ★ ★

우등생 온라인 학습북

서술형 문제 동영상 강의

개념 동영상 강의

온라인 성적 피드백

초등 사회 6·1

온라인 학습북 포인트 ③가지

▶ 「**개념 동영상 강의**」로 교과서 핵심만 정리!

▶ 「**서술형 문제 동영상 강의**」로 사고력도 향상!

▶ 「**온라인 성적 피드백**」으로 단원별로 내가 부족한 부분 꼼꼼하게 체크!

우등생 온라인 학습북 활용법

home.chunjae.co.kr

온라인 강의
개념 / 서술형 · 논술형 평가
/ 단원평가

**온라인 학습
스케줄 관리**
맞춤형 홈스쿨링 스케줄표 제공

**온라인 채점과
성적 피드백**
정답을 입력하면 채점과 성적 분석까지

단원평가의 답을 입력하여 제출하면
틀린 문제에 대한 피드백과 동영상 강의 제공!

우등생 사회 6-1
홈스쿨링 스피드 스케줄표(10회)

스피드 스케줄표는 온라인 학습북을 10회로 나누어
빠르게 공부하는 학습 진도표입니다.

1. 우리나라의 정치 발전

1회 온라인 학습북 4~9쪽	**2**회 온라인 학습북 10~15쪽	**3**회 온라인 학습북 16~21쪽
월 일	월 일	월 일

1. 우리나라의 정치 발전 / 2. 우리나라의 경제 발전

4회 온라인 학습북 22~25쪽	**5**회 온라인 학습북 26~29쪽	**6**회 온라인 학습북 30~35쪽
월 일	월 일	월 일

2. 우리나라의 경제 발전

7회 온라인 학습북 36~41쪽	**8**회 온라인 학습북 42~47쪽	**9**회 온라인 학습북 48~51쪽
월 일	월 일	월 일

2. 우리나라의 경제 발전

10회 온라인 학습북 52~55쪽
월 일

스피드
스케줄표
바로가기

차례

❶ 4·19 혁명

❋ 중요한 내용을 정리해 보세요!

● 4·19 혁명이란?

● 4·19 혁명이 발생한 까닭은?

개념 확인하기

정답 17쪽

✍ 다음 문제를 읽고 답을 찾아 ☐ 안에 ✔표를 하시오.

1 1960년 3월 15일에 치러진 정부통령 선거에서 있었던 일은 어느 것입니까?

　ㄱ 선거의 네 가지 원칙이 지켜졌다. ☐

　ㄴ 국민들의 감시 아래 공정한 선거를 치렀다. ☐

　ㄷ 유권자들에게 돈을 주고 부정 선거를 했다. ☐

2 4·19 혁명 전에 일어난 일은 무엇입니까?

　ㄱ 이승만의 사망 ☐

　ㄴ 3·15 부정 선거 ☐

　ㄷ 5·18 민주화 운동 ☐

3 4·19 혁명 당시의 대통령은 누구입니까?

　ㄱ 노태우 ☐　　　ㄴ 김영삼 ☐

　ㄷ 박정희 ☐　　　ㄹ 이승만 ☐

4 이승만이 한 일은 무엇입니까?

　ㄱ 6·29 민주화 선언을 발표했다. ☐

　ㄴ 헌법을 바꾸며 독재 정치를 했다. ☐

5 4·19 혁명 이후에 일어난 일은 무엇입니까?

　ㄱ 선거가 다시 치러졌다. ☐

　ㄴ 이승만 정부가 다시 정권을 잡았다. ☐

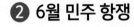
② 6월 민주 항쟁

6월 민주 항쟁

6·29 민주화 선언

투표소

대통령 직선제

대통령을 내 손으로

투표함

지방 자치제

언론의 자유 보장

✳ 중요한 내용을 정리해 보세요!

● 6월 민주 항쟁이란?

● 6·29 민주화 선언이란?

개념 확인하기

정답 17쪽

🌱 다음 문제를 읽고 답을 찾아 ☐ 안에 ✔표를 하시오.

1 전두환 정부의 독재에 반대하여 일어난 사건은 무엇입니까?

　㉠ 6·25 전쟁 ☐　　㉡ 4·19 혁명 ☐

　㉢ 6월 민주 항쟁 ☐　㉣ 5·16 군사 정변 ☐

2 6월 민주 항쟁에 대한 설명으로 알맞은 것은 무엇입니까?

　㉠ 대규모 민주화 시위였다. ☐

　㉡ 3·15 부정 선거가 원인이었다. ☐

　㉢ 박정희 정부 때 일어난 일이었다. ☐

3 6월 민주 항쟁에서 시민들이 원했던 것은 무엇입니까?

　㉠ 대통령 직선제 ☐　㉡ 대통령 간선제 ☐

4 6·29 민주화 선언을 발표한 사람은 누구입니까?

　㉠ 김구 ☐　　　㉡ 노태우 ☐

　㉢ 김대중 ☐　　㉣ 전두환 ☐

5 6·29 민주화 선언에 포함된 내용은 어느 것입니까?

　㉠ 대통령 간선제 ☐

　㉡ 지방 자치제 시행 ☐

　㉢ 철저한 언론 통제 ☐

1 다음 선거의 모습을 보고 바르게 말한 어린이를 쓰시오.

조를 짜서 투표한 후, 조장에게 투표 내용을 알려 주세요.

당선될 표를 준비했으니, 이 투표지들은 싹 태우세요.

창민: 공정한 선거가 치러지고 있는 모습이에요.

지아: 1960년 3월 15일에 치러졌던 정부통령 선거를 나타낸 그림이에요.

현수: 조를 짜서 투표한 후 조장에게 투표 내용을 알려 주는 것은 평등 선거의 원칙에 어긋나요.

( )

2 다음 4·19 혁명의 과정에서 가장 먼저 일어난 일은 어느 것입니까? ( )

①
🔺 김주열 학생의 죽음을 슬퍼하는 학생들

②
🔺 시위하는 제자들을 보고 거리로 나선 교수들

③
🔺 선거 무효를 외치는 마산 학생들

④
🔺 대통령 자리에서 물러나는 이승만

3 5·16 군사 정변에 대한 설명으로 알맞은 것을 두 가지 고르시오. (,)

① 4·19 혁명 이전에 일어났다.

② 군인들을 중심으로 한 정변이었다.

③ 전두환이 정권을 잡게 된 계기가 되었다.

④ 국민들에게 기대감과 희망을 안겨 준 사건이었다.

⑤ 새로운 정부가 들어선 지 1년도 되지 않아 발생했다.

4 다음 보기 에서 박정희가 한 일을 찾아 기호를 쓰시오.

보기

㉠ 6·29 민주화 선언을 발표했습니다.

㉡ 유신 헌법을 만들어 대통령 직선제를 간선제로 바꾸었습니다.

㉢ 1980년 5월, 광주에 계엄군을 보내 시민들을 폭력적으로 진압했습니다.

( )

5 다음과 같은 사건이 있었던 장소는 어디입니까?

( )

• 계엄군이 시위를 진압하여 많은 시민이 죽거나 다쳤습니다.

• 시민들은 자유와 민주주의를 지키기 위해 시민군을 조직해 계엄군에 맞섰습니다.

• 이 사건은 이후 우리나라 민주화 운동의 밑바탕이 되었으며, 세계 여러 나라의 민주화 운동에도 많은 영향을 끼쳤습니다.

① 마산　　② 서울　　③ 광주

④ 부산　　⑤ 인천

6 대통령 간선제를 통해 대통령이 된 사람을 두 명 고르시오. (,   )

① 박정희
② 김대중
③ 김영삼
④ 전두환
⑤ 노무현

7 다음 6월 민주 항쟁의 전개 과정 중 가장 마지막에 일어난 일을 보기 에서 찾아 기호를 쓰시오.

> [보기]
> ㉠ 이한열이 경찰이 쏜 최루탄에 맞아 사망했습니다.
> ㉡ 시민들은 대통령 직선제를 요구하며 전국에서 시위를 벌였습니다.
> ㉢ 노태우가 시민들의 민주주의 요구를 받아들이겠다고 발표했습니다.
> ㉣ 시민들이 헌법을 바꾸자고 요구했으나 전두환 정부는 이를 거부했습니다.

(   )

천재교육, 김영사, 비상교과서, 지학사

8 다음 밑줄 친 '지역 대표'에 해당하지 <u>않는</u> 사람은 누구입니까? (   )

> 지방 자치제는 지역 주민들이 직접 선출한 지역 대표들을 통하여 그 지역의 일을 처리하는 제도입니다.

① 시장
② 판사
③ 구청장
④ 도지사
⑤ 지방 의회 의원

9 다음 사진과 같은 활동의 공통점은 어느 것입니까?

(   )

⬆ 태안 기름 유출 사고 복구 활동   ⬆ 장애인 이동권 보장 시위

① 기업의 이익을 얻기 위한 활동이다.
② 민주화를 요구하는 대규모 시위이다.
③ 사회 문제를 해결하기 위한 시민운동이다.
④ 민주주의의 발전과는 관련이 없는 활동이다.
⑤ 지방 자치제를 통해 문제를 해결한 사례이다.

10 오늘날 정치 참여의 모습을 보고 바르게 말한 어린이를 쓰시오.

⬆ 정당 활동하기   ⬆ 누리집에 의견 올리기

> 다미: 옛날에 비해 다양한 방식으로 정치에 참여하고 있어요.
> 예나: 컴퓨터를 사용할 수 있어야 정치 참여를 할 수 있게 되었어요.
> 훈이: 선거나 투표, 시위 등의 정치 참여 방식은 찾아볼 수 없게 되었어요.

(   )

연습 🐱 도움말을 참고하여 내 생각을 차근차근 써 보세요.

1 다음은 1960년에 일어난 선거의 모습입니다.

[총 8점]

🔺 유권자들에게 돈이나 물건을 주면서 [ ] 정부에 투표하도록 했음.

🔺 투표한 용지를 불에 태워 없애거나 조작된 투표지를 넣어 투표함을 바꾸기도 했음.

(1) 위의 [ ] 안에 들어갈 대통령은 누구인지 쓰시오.

[2점]

( )

(2) 위의 사건을 무엇이라고 하는지 쓰시오. [2점]

( )

(3) 위의 (1)번 답이 위와 같은 부정 행위를 저지른 까닭은 무엇인지 쓰시오. [4점]

🐱 당시 정부가 부정 선거를 치른 까닭을 생각하며 써 보세요.
꼭 들어가야 할 말 부정 선거 / 정권

_____

_____

2 다음은 4·19 혁명 이후에 일어난 일입니다. [총 10점]

🔺 군사 정변을 일으키고 서울 시내를 지나는 군인들 [출처: 뉴스뱅크]

🔺 유신 헌법 공포식

(1) 위와 같은 일을 일으킨 대통령은 누구인지 쓰시오. [2점]

( )

(2) 위의 밑줄 친 '유신 헌법'에 담겨 있는 내용으로 알맞은 것을 **보기** 에서 찾아 기호를 쓰시오. [2점]

보기
㉠ 주민 소환제
㉡ 지방 자치제
㉢ 대통령 간선제

( )

(3) 위의 (1)번 답이 유신 헌법을 만든 까닭을 쓰시오. [6점]

_____

_____

3 다음은 5·18 민주화 운동의 사진입니다. [총 10점]

◆ 시민들과 대치 중인 계엄군

(1) 위의 시위가 발생한 지역은 어디인지 쓰시오. [2점]

(   )

(2) 위 5·18 민주화 운동이 일어난 까닭으로 알맞은 것을 **보기**에서 찾아 기호를 쓰시오. [2점]

> **보기**
> ㉠ 민주화를 요구하기 위해서
> ㉡ 유신 헌법을 유지하기 위해서
> ㉢ 박정희가 대통령이 되기를 원해서

(   )

(3) 위의 5·18 민주화 운동을 당시 국민들이 잘 모르고 있었던 까닭은 무엇인지 쓰시오. [6점]

_____

_____

4 다음은 오늘날 시민들이 사회 공동의 문제 해결에 참여하는 방법입니다. [총 10점]

㉠  ㉡

◆ 촛불 집회   ◆ 공청회 참석

(1) 위 ㉠과 ㉡ 중 다음에서 설명하는 것의 기호를 쓰시오. [2점]

> 다수의 시민들이 옥외에서 평화적인 시위를 하는 방식입니다.

(   )

(2) 오늘날 시민들이 사회 공동의 문제 해결을 위해 참여하는 방식을 한 가지만 더 쓰시오. [2점]

(   )

(3) 위와 같이 오늘날 시민들이 사회 공동의 문제 해결에 참여하는 방식의 특징을 쓰시오. [6점]

_____

_____

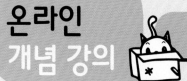

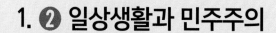

1. ❷ 일상생활과 민주주의

❶ 민주주의의 기본 정신

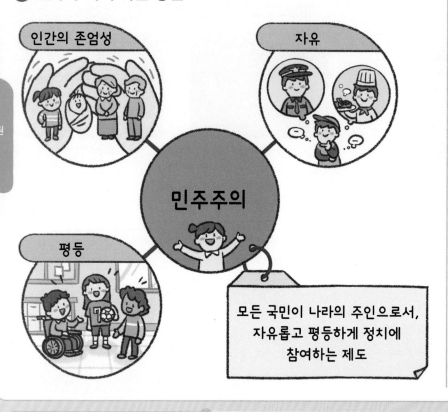

인간의 존엄성

자유

민주주의

평등

모든 국민이 나라의 주인으로서, 자유롭고 평등하게 정치에 참여하는 제도

✳ 중요한 내용을 정리해 보세요!

● 민주주의란?

● 민주주의의 기본 정신이란?

개념 확인하기

정답 19쪽

✐ 다음 문제를 읽고 답을 찾아 ☐ 안에 ✔표를 하시오.

1 민주주의에서 나라의 주인은 누구입니까?

㉠ 국민 ☐   ㉡ 어린이 ☐
㉢ 대통령 ☐   ㉣ 국회의원 ☐

2 모든 국민이 자유롭고 평등하게 정치에 참여하는 제도는 무엇입니까?

㉠ 지역주의 ☐   ㉡ 민주주의 ☐
㉢ 차별주의 ☐   ㉣ 민족주의 ☐

3 자신이 원하는 대로 판단하여 행동할 수 있는 민주주의의 기본 정신은 무엇입니까?

㉠ 자유 ☐   ㉡ 경쟁 ☐   ㉢ 노력 ☐

4 인간의 존엄성에 대해 바르게 설명한 것은 어느 것입니까?

㉠ 어린이나 노인에게는 없는 권리 ☐
㉡ 인간으로서 존중받을 가치와 권리 ☐
㉢ 경제활동을 해야 가질 수 있는 권리 ☐

5 모든 사람이 차별받지 않고 동등하게 대우받을 수 있는 민주주의의 기본 정신은 무엇입니까?

㉠ 존중 ☐   ㉡ 평등 ☐   ㉢ 배려 ☐

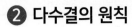

❷ 다수결의 원칙

다수결의 원칙

의미	사용하는 경우	주의할 점
다수의 의견이 합리적일 것이라고 가정하고 다수의 의견을 따르는 방법	대화와 토론을 했지만 의견을 하나로 모으기 어려운 경우	대화와 토론을 거치고 소수의 의견을 존중해야 함.

✻ 중요한 내용을 정리해 보세요!

● 다수결의 원칙이란?

● 다수결의 원칙을 활용할 때 주의할 점은?

1
단원

개념 확인하기

정답 19쪽

✍ 다음 문제를 읽고 답을 찾아 ☐ 안에 ✔표를 하시오.

1 의사를 결정할 때 많은 사람이 선택한 의견을 따르는 방법은 어느 것입니까?

⊙ 다수결의 원칙 ☐

ⓛ 권력 분립의 원칙 ☐

2 다수결의 원칙을 사용하는 경우는 언제입니까?

⊙ 타협이 쉽게 잘 이루어지는 경우 ☐

ⓛ 대화를 통해 문제가 해결되는 경우 ☐

ⓒ 토론을 해도 의견을 모으기 어려운 경우 ☐

3 다수결의 원칙에서 가정하는 것은 무엇입니까?

⊙ 다수의 의견이 합리적이다. ☐

ⓛ 소수의 의견이 합리적이다. ☐

4 다수결의 원칙의 장점은 무엇입니까?

⊙ 쉽고 빠르게 문제를 해결할 수 있다. ☐

ⓛ 오랜 시간 동안 깊게 생각해 볼 수 있다. ☐

5 다수결의 원칙을 활용할 때 주의할 점은 무엇입니까?

⊙ 소수의 의견을 무시한다. ☐

ⓛ 대화와 토론 없이 빠르게 결정한다. ☐

ⓒ 차별 없이 의견을 말할 기회를 준다. ☐

천재교육, 천재교과서, 교학사, 금성출판사, 김영사,
동아출판, 미래엔, 비상교과서, 비상교육

1 정치가 필요한 이유로 알맞은 것은 어느 것입니까?
( )

① 사람들의 생각이 같아서
② 사람들이 다투는 일이 없어서
③ 사람들이 공동체에 속하지 않아서
④ 공동의 문제를 해결하려는 의지가 없어서
⑤ 사람들이 함께 해결해야 하는 문제가 있어서

천재교육, 천재교과서, 교학사, 금성출판사, 김영사,
동아출판, 미래엔, 비상교과서, 비상교육

2 다음 그림을 보고 바르게 말한 어린이를 쓰시오.

△ 학급에서   △ 지역에서

> 지성: 학급이나 지역에서 발생한 공동의 문제를
>   해결하는 모습이에요.
> 현준: 생활 속에서 이야기하는 모습이기 때문에
>   정치라고 할 수 없어요.
> 도원: 학급에서는 선생님이 모든 것을 정하고, 지
>   역에서는 어른들이 모든 것을 정해야 해요.

( )

3 민주주의에 대한 설명으로 알맞은 것을 두 가지 고르
시오. (,)

① 정치 형태 중 하나이다.
② 우리나라에서는 볼 수 없는 모습이다.
③ 누구나 정치에 참여할 수 있는 것이다.
④ 독재를 하는 사람이 나라를 지배하는 것이다.
⑤ 권력을 가진 사람이 정치에 더 많이 참여하는
   것이다.

4 다음 어린이의 말풍선 안에 들어갈 알맞은 말은 어느 것
입니까? ( )

① 우리는 모두 인간으로서 존중받을 권리가 있어요.
② 범죄를 저지른 사람에게는 인간의 존엄성이 없
   어요.
③ 생산 활동을 해야 인간의 존엄성을 가질 수 있
   어요.
④ 어린이는 어른이 되어야 인간의 존엄성을 가질
   수 있어요.
⑤ 자유와 평등을 보장하지 않아도 인간의 존엄성
   을 지킬 수 있어요.

천재교과서

5 다음 ㉠, ㉡ 그림에서 지켜지지 않은 민주주의의 기본
정신을 바르게 짝 지은 것은 어느 것입니까? ( )

△ 예전에는 특정 종교를 믿는 것   △ 예전에는 성별, 신분, 재산 등에
을 나라에서 금지했음.   따라 선거권을 제한했음.

	㉠	㉡		㉠	㉡
①	평등	자유	②	평등	경쟁
③	경쟁	평등	④	자유	평등
⑤	경쟁	자유			

[6~7] 다음 학급 회의를 하는 모습을 보고, 물음에 답하시오.

다음 주는 우리 반이 운동장 청소를 할 차례입니다. 언제 청소하면 좋을지 의견 주세요.

다희

6 위 다희의 이야기를 듣고 바람직한 태도로 답한 어린이는 누구입니까? (　　　)

① 각자 점심 먹는 속도가 달라서 함께 청소하기 어려운 점심시간보다 중간 놀이 시간을 이용하면 어떨까요?

민우

② 중간 놀이 시간은 무조건 싫습니다. 말도 안 됩니다.

재은

③ 저는 집이 멀어서 청소에서 빠질래요.

도현

④ 빨리 집에 가고 싶다. 나는 무조건 짝꿍 의견에 찬성할 건데······.

선우

7 위 6번 답의 친구가 바람직한 태도를 지니고 있다고 생각한 까닭은 어느 것입니까? (　　　)

① 고민을 하지 않아서

② 자기 의견만 고집해서

③ 협의하는 태도를 지녀서

④ 공동체의 일에 관심이 없어서

⑤ 다른 친구의 의견만 따르려고 해서

8 다음과 같은 문제를 해결하는 방법으로 가장 알맞은 것은 어느 것입니까? (　　　)

요즘 ○○ 아파트 주민들은 늦은 밤 생활 소음으로 고통을 받고 있습니다.

① 주민들이 모여 주민 회의를 연다.

② 소음을 내는 집은 이사를 가라고 한다.

③ 소음이 발생할 때마다 경찰에 신고한다.

④ 소음이 발생하는 집에 찾아가서 직접 혼내 준다.

⑤ 아파트 대표가 혼자 소음에 대한 규칙을 만들어서 지키라고 한다.

9 다음과 같은 주의할 점을 지닌 민주적 의사 결정 원리를 쓰시오.

주의할 점
• 소수의 의견을 존중합니다.
• 차별 없이 의견을 말할 기회가 주어져야 합니다.
• 결정에 앞서 충분한 대화와 토론을 거쳐야 합니다.

(　　　　　　　)

천재교육, 천재교과서, 김영사, 동아출판,
비상교과서, 아이스크림 미디어

10 다음 내용에 해당하는 민주적 의사 결정의 과정을 보기 에서 찾아 기호를 쓰시오.

문제 해결 방안을 이야기해 보고, 장단점을 생각해 봅니다.

보기
㉠ 공동의 문제 확인
㉡ 문제 발생 원인 파악
㉢ 문제 해결 방안 탐색
㉣ 문제 해결 방안 결정

(　　　　　　　)

연습 🐱 도움말을 참고하여 내 생각을 차근차근 써 보세요.

1 다음은 옛날과 오늘날 나라를 다스리는 모습을 표로 정리한 것입니다. [총 8점]

㉠	모든 사람이 사회 공동의 문제를 해결하는 과정에 참여할 수 있음.
㉡	왕이나 신분이 높은 사람들만 국가의 일을 의논하고 결정할 수 있음.

(1) 위 ㉠, ㉡을 시기에 알맞게 줄로 이으시오. [2점]

| ㈎ | 옛날 | • | | • | ㉠ |
| ㈏ | 오늘날 | • | | • | ㉡ |

(2) 위 ㉠과 ㉡ 중 다음 사례와 관련 있는 것의 기호를 쓰시오. [2점]

🔺 시민 공청회

🔺 지방 의회

(   )

(3) 위 ㉠의 여러 사람이 함께 문제를 해결하면 어떤 점이 좋은지 쓰시오. [4점]

🐱 여러 사람이 정치에 참여할 때 좋은 점을 생각해서 써 보세요.
꼭 들어가야 할 말 의견 / 반영 / 자발적

_____

_____

2 다음은 민주주의에 대한 자료입니다. [총 10점]

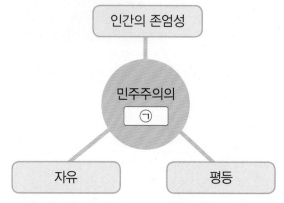

인간의 존엄성

민주주의의 ㉠

자유   평등

(1) 위 ㉠에 들어갈 알맞은 말을 보기 에서 찾아 쓰시오. [2점]

보기
• 역할   • 기본 정신
• 국가 형태   • 의사 결정 방법

(   )

(2) 위 인간의 존엄성, 자유, 평등의 관계를 바르게 말한 어린이를 쓰시오. [2점]

가은: 자유보다 평등이 훨씬 더 중요해요.
진수: 인간의 존엄성을 실현하려면 자유와 평등을 보장해야 해요.
해운: 자유와 평등을 위해 인간의 존엄성을 존중하지 않아도 돼요.

(   )

(3) 위 내용을 바탕으로 인간의 존엄성의 의미를 쓰시오. [6점]

_____

_____

3 다음은 학급에서 자리를 바꾸는 문제를 가지고 의견을 나누는 모습입니다. [총 10점]

(1) 위 어린이들의 대화를 통해 알 수 있는 점에서 다음 ( ) 안의 알맞은 말에 ○표를 하시오. [2점]

> 위 어린이들을 통해 (민주주의 / 자본주의)를 실천하는 바람직한 태도를 알 수 있습니다.

(2) 위 ㉠~㉣ 중 비판적 태도를 찾아 기호를 쓰시오. [2점]

( )

(3) 위와 같은 모습을 참고하여 관용의 의미를 쓰시오. [6점]

_____

_____

4 다음은 일상생활에서 일어나는 민주적 의사 결정을 하는 모습입니다. [총 10점]

△ 선거로 대표 결정   △ 학급 회의로 안건 결정

(1) 위의 모습과 관련 있는 다음에서 설명하는 원칙은 무엇인지 쓰시오. [2점]

> 다수의 의견이 소수의 의견보다 합리적일 것이라고 가정하고 다수의 의견을 채택하는 방법입니다.

( )

(2) 위의 (1)번 답을 사용하는 상황으로 알맞은 것을 보기에서 찾아 기호를 쓰시오. [2점]

> **보기**
> ㉠ 모든 의견을 결정할 때
> ㉡ 대화와 토론을 거쳐 문제를 해결했을 때
> ㉢ 양보와 타협으로 합의에 이를 수 없을 때

( )

(3) 위의 (1)번 답을 사용하여 의사를 결정할 때 주의해야 할 점을 쓰시오. [6점]

_____

_____

1. 우리나라의 정치 발전 | **15**

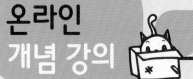
1 단원

❶ 국회

국회가 하는 일

법을 만들거나 고치고 없앰.

국정감사로 나랏일을 잘 했는지 살펴봄.

국회의원

예산안을 심의하고 확정함.

✳ 중요한 내용을 정리해 보세요!

● 국회란?

● 국회가 하는 일은?

개념 확인하기

정답 21쪽

✐ 다음 문제를 읽고 답을 찾아 ☐ 안에 ✔표를 하시오.

1 국회의원들이 일하는 곳은 어디입니까?

ㄱ 법원 ☐   ㄴ 국회 ☐
ㄷ 정부 ☐   ㄹ 학교 ☐

2 국회 의사당 건물에서 국민의 다양한 의견을 하나로 모으겠다는 의미가 담긴 모습은 어느 것입니까?

ㄱ 둥근 모양의 지붕 ☐
ㄴ 건물을 둘러싼 24개의 기둥 ☐
ㄷ 건물 앞을 지키고 있는 해태 동상 ☐

3 국회에서 하는 일은 무엇입니까?

ㄱ 법을 만든다. ☐
ㄴ 법에 따라 판결한다. ☐
ㄷ 법을 지키지 않는 사람을 처벌한다. ☐

4 정부가 나랏일을 잘하고 있는지 국회에서 확인하는 일은 무엇입니까?

ㄱ 국정감사 ☐   ㄴ 예산안 확정 ☐

5 나라의 살림에 필요한 예산이 적절한지 판단하는 일은 어느 것입니까?

ㄱ 법률안 심의 ☐   ㄴ 예산안 심의 ☐

❷ 정부

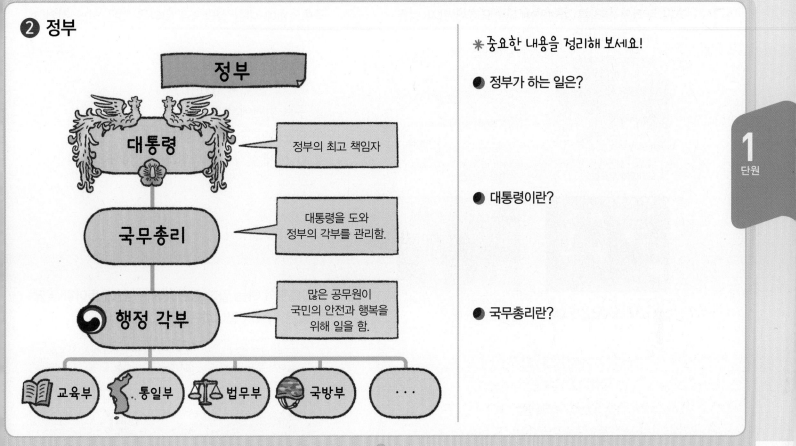

정부

대통령 ─ 정부의 최고 책임자

국무총리 ─ 대통령을 도와 정부의 각부를 관리함.

행정 각부 ─ 많은 공무원이 국민의 안전과 행복을 위해 일을 함.

교육부 · 통일부 · 법무부 · 국방부 · · ·

✱ 중요한 내용을 정리해 보세요!

● 정부가 하는 일은?

● 대통령이란?

● 국무총리란?

개념 확인하기

정답 21쪽

🖐 다음 문제를 읽고 답을 찾아 ☐ 안에 ✔표를 하시오.

1 나라의 살림살이를 맡아 하는 국가기관은 어디입니까?

㉠ 국회 ☐　　ㄴ 정부 ☐

ㄷ 법원 ☐　　ㄹ 헌법 재판소 ☐

2 정부에서 하는 일은 무엇입니까?

㉠ 국민을 보호한다. ☐

ㄴ 국정감사를 한다. ☐

ㄷ 법에 따라 판결을 한다. ☐

3 정부의 최고 책임자는 누구입니까?

㉠ 판사 ☐　　ㄴ 변호사 ☐

ㄷ 대통령 ☐　　ㄹ 국무총리 ☐

4 대통령을 도와 행정 각부를 관리하는 사람은 누구입니까?

㉠ 국무총리 ☐　　ㄴ 국회의원 ☐

5 행정 각부 중 나라를 지키는 것과 관련 있는 일을 하는 곳은 어디입니까?

㉠ 교육부 ☐　　ㄴ 국방부 ☐

ㄷ 환경부 ☐　　ㄹ 법무부 ☐

1 국민 주권의 원리를 실현하는 모습으로 알맞지 <u>않은</u> 것은 어느 것입니까? (　　　)

천재교육

① 국민은 선거에서 원하는 후보자에게 투표함.

② 국민은 인터넷 게시판에 정책을 제안함.

③ 국민은 사회 문제가 있을 때 직접 모여서 해결을 요구함.

④ 법원은 법에 따라 재판하는 사법권이 있음.

[출처: 뉴스뱅크]

2 다음 할머니가 말하고 있는 선거의 원칙은 어느 것입니까? (　　　)

천재교과서, 금성출판사, 김영사, 미래엔, 비상교과서, 비상교육, 지학사

누가 나 대신 투표할 수 없으니 다리가 아파도 내가 가서 투표를 해야지.

① 보통 선거　　② 직접 선거
③ 간접 선거　　④ 평등 선거
⑤ 비밀 선거

3 국회의원에 대한 설명으로 알맞은 것은 어느 것입니까? (　　　)

① 한 번만 할 수 있다.
② 4년에 한 번씩 뽑는다.
③ 주로 법원에서 일을 한다.
④ 대통령이 뽑아서 임명한다.
⑤ 만 40세 이상의 대한민국 국민이어야 한다.

4 국회의원이 하는 일과 관련하여 ☐ 안에 들어갈 알맞은 말은 어느 것입니까? (　　　)

차들이 너무 빨리 달려서 무서워.

초등학교 주변에 과속 방지 시설을 설치하는 ☐을/를 제안합니다.

① 법　　② 선거　　③ 투표
④ 집회　　⑤ 캠페인

5 다음 그림과 같이 국회에서 정부가 일을 잘하고 있는지 살펴보는 것은 무엇입니까? (　　　)

정부는 어린이 제품의 안전성을 위해 어떤 노력을 하고 있습니까?

① 재판　　② 공청회
③ 국정감사　　④ 국무 회의
⑤ 인사 청문회

6 다음에서 설명하는 사람은 누구입니까? (　　　)

- 정부에서 일하고 있습니다.
- 각 행정 부서의 최고 책임자입니다.

① 교사　　　　　② 장관
③ 부통령　　　　④ 재판관
⑤ 국회의원

7 다음 행정 각부가 하는 일을 바르게 줄로 이으시오.

(1) 교육부	•	• ㉠	질병 예방 계획을 세움.
(2) 기획 재정부	•	• ㉡	세금으로 나라 살림을 꾸림.
(3) 보건 복지부	•	• ㉢	국민의 교육에 관한 일을 책임짐.

8 다음과 같은 일을 하는 국가기관은 어디입니까?
(　　　)

- 사람들 사이에 갈등을 해결합니다.
- 법을 지키지 않은 사람을 처벌합니다.
- 개인과 국가, 지방 자치 단체 사이에서 생긴 갈등을 해결합니다.

① 국회　　　　　② 법원
③ 법무부　　　　④ 국방부
⑤ 헌법 재판소

9 다음 그림에 대한 설명으로 알맞지 <u>않은</u> 것은 어느 것입니까? (　　　)

① 재판을 하는 모습이다.
② 방청하는 사람들이 있다.
③ 판사, 검사, 변호인 등이 있다.
④ 법을 지키지 않는 사람을 처벌하려고 한다.
⑤ 이 사건에 대한 최종 판결과 국민의 생활은 관련이 없다.

10 다음 자료가 나타내고 있는, □ 안에 들어갈 알맞은 말을 보기 에서 찾아 기호를 쓰시오.

보기
㉠ 삼권 통합　　　㉡ 삼권 통일
㉢ 국민 주권　　　㉣ 삼권 분립

(　　　　　　　)

연습 🦉 도움말을 참고하여 내 생각을 차근차근 써 보세요.

1 다음은 아픈 몸을 이끌고 투표를 한 어느 아주머니의 이야기입니다. [총 8점]

> **바다 건너 전해진 한 표의 희망**
> 20△△년에 치러진 제△△대 대통령 선거에서 ○○ 씨는 미국 로스앤젤레스에 마련된 투표소에서 소중한 한 표를 투표함에 넣었다.
> 폐암 말기의 힘든 몸을 이끌고 산소통을 매단 휠체어를 탄 채, 남편의 도움을 받아 대한민국 국민의 소중한 권리를 행사했다. …(중략)…

(1) 위의 이야기 속 주인공이 행사한 국민의 주인된 권리는 무엇인지 쓰시오. [2점]

(   )

(2) 위의 (1)번 답과 관련 있는 헌법 조항을 **보기**에서 찾아 기호를 쓰시오. [2점]

> **보기**
> ㉠ 제1조 제2항 대한민국의 주권은 국민에게 있고, 모든 권력은 국민으로부터 나온다.
> ㉡ 제10조 모든 국민은 인간으로서의 존엄과 가치를 가지며, 행복을 추구할 권리를 가진다.

(   )

(3) 위의 (1)번 답을 지키기 위해 우리가 할 수 있는 일을 한 가지만 쓰시오. [4점]

> 🦉 우리가 주권을 지키기 위해 할 수 있는 일은 무엇인지 생각하여 써 보세요.
> **꼭 들어가야 할 말** 주권 / 정치 / 참여

_____

_____

2 다음은 어떤 국가기관에서 하는 일입니다. [총 10점]

하는 일	구체적인 내용
법을 만들고 고치거나 없애기	법은 민주주의 국가에서 일어나는 문제를 해결하는 기준이 됨.
예산안을 살펴보고 결정하며, 이미 쓰인 예산을 검토하기	• 나라의 살림에 필요한 예산을 심의하여 확정하는 일을 함. • 정부에서 계획한 예산안을 살펴보고, 이미 사용한 예산이 잘 쓰였는지를 검토함.
㉠ 하기	• 정부가 법에 따라 일을 잘하고 있는지 확인하기 위해서 함. • 공무원에게 나랏일 가운데 궁금한 점을 질문하고, 잘못한 일이 있으면 바로잡도록 요구함.

(1) 위와 같은 일을 하는 국가기관은 어디인지 쓰시오. [2점]

(   )

(2) 위의 ㉠에 들어갈 알맞은 말을 쓰시오. [2점]

(   )

(3) 위의 (1)번 답이 밑줄 친 활동을 하는 까닭을 쓰시오. [6점]

_____

_____

3 다음은 정부에서 하는 일입니다. [총 10점]

(1) 위 ㉠~㉣ 중 소방청이 하는 일을 찾아 기호를 쓰시오.
[2점]

( )

(2) 위 ㉠~㉣과 같은 일을 하는 정부의 최고 책임자로 나라의 중요한 일을 결정하는 사람은 누구인지 쓰시오.
[2점]

( )

(3) 위와 같은 일을 정부가 함으로써 국민에게 주는 이로움을 쓰시오. [6점]

_____

_____

4 다음은 삼권 분립을 나타낸 것입니다. [총 10점]

(1) 위의 ㉠~㉢에 들어갈 알맞은 국가기관을 쓰시오.
[3점]

㉠ ( )

㉡ ( )

㉢ ( )

(2) 위와 같이 국가기관이 권력을 나누어 가지고 서로 감시하는 민주정치 원리를 무엇이라고 하는지 쓰시오.
[2점]

( )

(3) 위와 같이 우리나라가 삼권 분립을 시행하는 까닭을 쓰시오. [5점]

_____

_____

1 11종 공통

다음 중 4·19 혁명이 일어난 원인으로 알맞은 것은 어느 것입니까? (　　　)

① 지방 자치제가 시행되었다.

② 북한의 남침으로 6·25 전쟁이 일어났다.

③ 경제 발전으로 국민들의 생활 수준이 좋아졌다.

④ 정부통령 선거에서 이기려고 부정 선거가 일어났다.

⑤ 박정희를 중심으로 하는 일부 군인들이 정변을 일으켰다.

2 11종 공통

4·19 혁명 이후의 일로 알맞지 <u>않은</u> 것은 어느 것입니까? (　　　)

① 이승만이 물러났다.

② 군사 정변이 일어났다.

③ 박정희가 정권을 잡았다.

④ 국민들이 민주 사회를 기대했다.

⑤ 우리나라의 첫 대통령이 탄생했다.

3 11종 공통

다음에서 설명하는 것은 무엇입니까? (　　　)

> 박정희는 1972년 10월에 헌법을 또 바꿔 대통령을 할 수 있는 횟수를 제한하지 않았으며, 대통령 직선제를 간선제로 바꾸었습니다.
>
>

① 3선 개헌　　　② 유신 헌법

③ 12·12 사태　　④ 3·15 부정 선거

⑤ 5·18 민주화 운동

4 천재교육, 지학사

다음 사진은 박정희 정부 시기에 있었던 일입니다. 이 사진을 통해 알 수 있는 당시 상황은 어느 것입니까?

(　　　)

△ 머리카락 길이를 단속받던 사람

① 대통령을 직선제로 뽑았다.

② 선거의 원칙이 모두 보장되었다.

③ 지방 자치제를 실시하고 있었다.

④ 국가가 개인의 자유를 억압했다.

⑤ 민주주의 사회로 한걸음 나아갔다.

5 11종 공통

다음은 1980년 5월에 전남도청 앞에 모인 사람들의 모습입니다. 말풍선 안에 들어갈 말로 알맞은 것은 어느 것입니까? (　　　)

① 신분 제도를 도입하라.

② 정부는 계엄을 선포하라.

③ 대통령 간선제를 실시하라.

④ 독재 없는 민주주의를 원한다.

⑤ 정부통령 선거를 다시 실시하라.

천재교육, 천재교과서, 교학사, 금성출판사, 김영사,
동아출판, 미래엔, 비상교과서, 비상교육

6 다음 중 5·18 민주화 운동에 대한 설명으로 알맞은 것은 어느 것입니까? (   )

① 박정희 대통령을 지지하였다.

② 전국적으로 일어난 사건이다.

③ 다치거나 죽은 사람이 없었다.

④ 군인들이 일으킨 민주화 시위였다.

⑤ 전두환은 진압을 위해 계엄군을 보냈다.

11종 공통

7 오늘날 시민들이 사회 공동의 문제 해결에 참여하는 방식으로 알맞지 <u>않은</u> 것은 어느 것입니까? (   )

① 1인 시위하기

② 정당 가입하기

③ 캠페인 활동하기

④ 시민 단체 활동하기

⑤ 폭력적으로 집단 시위하기

천재교육, 금성출판사, 김영사, 동아출판,
미래엔, 비상교육, 아이스크림 미디어

8 옛날에 국가의 정치에 주로 참여할 수 있었던 사람은 누구입니까? (   )

① 노인   ② 노예

③ 농민   ④ 어린이

⑤ 신분이 높은 사람

9 다음에서 설명하는 것은 어느 것입니까? (   )

- 사람들이 함께 살아가면서 생기는 여러 가지 문제를 원만하게 해결해 가는 과정입니다.
- 갈등을 조정하고 많은 사람에게 영향을 끼치는 공동의 문제를 해결해 가는 활동입니다.

① 정치   ② 평등

③ 대화   ④ 자유

⑤ 여론

11종 공통

10 다양한 민주주의의 모습으로 알맞지 <u>않은</u> 것은 어느 것입니까? (   )

①
▲ 학급의 일은 학급 구성원들이 결정함.

②
▲ 모든 일을 다수결의 원칙으로 결정함.

③
▲ 선거에 참여하여 대표자를 뽑음.

④
▲ 공청회에 참여하여 의견을 말함.

11종 공통

11 다음은 가족 여행 장소를 정하고 있는 모습입니다. 비판적인 태도를 지니고 있는 사람은 누구입니까?

(   )

① 나는 산으로 여행을 가고 싶구나.
② 저도 산이 좋아요.
③ 저는 놀이공원에 가고 싶은데요.
④ 놀이공원보다는 가족 모두가 즐겁게 여행할 수 있는 곳은 어떨까요?
⑤ 그럼 바다도 좋을 것 같구나.

11종 공통

12 다수결의 원칙에 대한 설명으로 알맞지 <u>않은</u> 것은 어느 것입니까? (   )

① 항상 옳은 방법이라고 할 수 없다.
② 양보와 타협이 어려울 때 사용한다.
③ 쉽고 빠르게 문제를 해결할 수 있다.
④ 소수의 의견은 고려하지 않아도 된다.
⑤ 다수의 의견이 소수의 의견보다 합리적일 것이라고 가정한다.

천재교육, 천재교과서, 김영사, 동아출판, 비상교과서, 아이스크림 미디어

13 다음 대화에 해당하는 민주적 의사 결정 과정은 어느 것입니까? (   )

> 재우: 점심을 먹고 난 후 고학년 학생들이 항상 운동장을 차지하고 축구를 해서 저학년 학생들이 놀 수 있는 공간이 없어요.
> 현민: 그건 고학년 때문이 아니라 저학년 학생들이 점심을 천천히 먹어서 그런 거예요.

① 문제 발생 원인 파악
② 문제 해결 방안 탐색
③ 문제 해결 방안 결정
④ 문제 해결 방안 실천
⑤ 문제 발생 원인 제거

11종 공통

14 다음 그림과 같이 권력이 나누어져 있는 까닭은 어느 것입니까? (   )

법을 만드는 입법권은 국회에 있어.
법에 따라 나라를 운영하는 행정권은 정부에 있어.
법에 따라 재판하는 사법권은 법원에 있지!

① 권력을 강하게 하기 위해
② 국민의 권리를 지키기 위해
③ 국가기관의 수를 늘리기 위해
④ 대통령에게 많은 권력을 주기 위해
⑤ 국가의 중요한 일을 모두 국회의원이 정하기 위해

천재교과서

15 다음과 같이 학교 앞에 교통 안전시설이 설치되는 과정에 대한 설명으로 알맞은 것은 어느 것입니까?

(   )

학교 앞에 교통 안전시설이 생겨서 마음이 놓이는구나.

① 국민들이 학교 앞에서 일어나는 교통사고에 대해 무관심했다.
② 국민들이 투표를 해서 학교 앞 교통 안전시설 설치에 반대했다.
③ 법원에서 학교 앞에 교통 안전시설 설치를 해야 하는지 판결했다.
④ 국회의원이 학교 앞 교통 안전시설을 설치하는 법률안을 발의했다.
⑤ 학교의 학생들이 예산을 모아서 학교 앞 교통 안전시설을 직접 설치했다.

16 국회에서 다음과 같은 일을 하는 까닭은 무엇입니까? (   ) 11종 공통

> 공무원에게 나랏일 가운데 궁금한 점을 질문하고, 잘못한 일이 있으면 바로잡도록 요구합니다.

① 예산안을 직접 짜기 위해
② 헌법의 내용을 바꾸기 위해
③ 법이 잘 만들어졌는지 살펴보기 위해
④ 법원이 판결을 공정하게 했는지 확인하기 위해
⑤ 정부가 국정에 관한 일을 잘하고 있는지 확인하기 위해

17 다음 중 정부에 대한 설명으로 알맞은 것은 어느 것입니까? (   ) 11종 공통

① 법원의 판결을 감시하는 기관이다.
② 법에 따라 국가 살림을 하는 곳이다.
③ 대통령과 국무총리로만 구성되어 있다.
④ 국회의원, 검사, 판사로 구성되어 있다.
⑤ 헌법과 관련된 다툼을 해결하는 일을 한다.

18 정부에 속해서 일하는 사람이 <u>아닌</u> 사람은 누구입니까? (   ) 천재교과서, 금성출판사, 미래엔, 비상교과서

① 장관
② 차관
③ 대통령
④ 대법관
⑤ 국무총리

19 다음 정의의 여신상에 대한 설명에서 ☐ 안에 들어갈 알맞은 말은 어느 것입니까? (   ) 천재교육, 천재교과서, 교학사, 금성출판사

한 손에는 저울을, 한 손에는 법전을 들고 있는 정의의 여신상은 법에 따라 ☐하게 재판을 한다는 의미를 담고 있습니다.

① 차분
② 공정
③ 신속
④ 단호
⑤ 친절

1 단원

진도 완료 체크

20 다음 그림과 관련 있는 법원에서 하는 일은 어느 것입니까? (   ) 11종 공통

절도죄가 인정되어 징역 ○년을 선고합니다.

① 필요하지 않은 법을 없앤다.
② 사람들에게 필요한 법을 만든다.
③ 법을 지키지 않은 사람을 처벌한다.
④ 법률이 헌법에 어긋나는지 판단한다.
⑤ 개인과 국가 사이에서 생긴 갈등을 해결한다.

· 답안 입력하기   · 온라인 피드백 받기

1 다음에서 설명하는 사람은 누구입니까? (   )

11종 공통

> • 우리나라의 첫 번째 대통령입니다.
> • 부정부패로 국민의 생활을 어렵게 하였습니다.

① 노태우　　　　② 전두환
③ 박정희　　　　④ 김영삼
⑤ 이승만

2 3·15 부정 선거 때 있었던 일로 알맞지 <u>않은</u> 것은 어느 것입니까? (   )

11종 공통

① 투표지를 불에 태웠다.
② 조를 짜서 투표를 했다.
③ 국회의원들만 투표에 참여했다.
④ 투표 결과를 조장에게 알려 줘야 했다.
⑤ 유권자에게 돈이나 물건을 주며 이승만을 뽑으라고 했다.

3 4·19 혁명에 대한 설명으로 알맞지 <u>않은</u> 것은 어느 것입니까? (   )

11종 공통

① 대학교수들이 시위를 지지했다.
② 민주주의를 바로 세우고자 하였다.
③ 정부는 평화적으로 시위를 진압했다.
④ 김주열의 죽음으로 시위가 더욱 확대되었다.
⑤ 각계각층의 시민이 참여하는 전국 시위로 확대되었다.

4 5·16 군사 정변과 관련 있는 사진은 어느 것입니까?

11종 공통

(   )

①
⬆ 선거 무효를 외치는 마산 지역의 학생들 [출처: 뉴스뱅크]

② ⬆ 시민군이 된 시민들

③
⬆ 정권을 잡고 서울 시내를 지나는 군인들

④ ⬆ 고문을 받다 죽은 박종철을 추모하는 학생들 [출처: 뉴스뱅크]

5 전두환이 정권을 잡자 시민들이 대규모 시위에 참여한 까닭으로 알맞은 것은 어느 것입니까? (   )

11종 공통

① 정당에 가입하기 위해서
② 군사 정권을 세우기 위해서
③ 유신 헌법을 반대하기 위해서
④ 부정 선거를 무효화하기 위해서
⑤ 민주적인 정부 수립을 요구하기 위해서

15 다음 중 국회의원을 선출하는 방법으로 알맞은 것은 어느 것입니까? (   )

① 자격증을 따야 한다.

② 시험에 합격해야 한다.

③ 대통령의 추천으로 선출된다.

④ 국민의 선거를 통해 선출된다.

⑤ 나이가 많은 사람이 국회의원이 된다.

11종 공통

16 국회에서 하는 일로 알맞지 **않은** 것은 어느 것입니까? (   )

① 법을 만드는 일을 한다.

② 법을 고치는 일을 한다.

③ 예산을 심의하여 확정한다.

④ 공정한 재판을 하는 곳이다.

⑤ 정부가 법에 따라 국가의 일을 잘하고 있는지 살펴본다.

11종 공통

17 국무 회의에 대한 설명으로 알맞은 것은 어느 것입니까? (   )

① 국회에서 열린다.

② 국민들이 직접 참석한다.

③ 대통령은 참석하지 않는다.

④ 정부의 중요한 정책을 심의한다.

⑤ 법원이 정부를 견제하기 위한 수단이다.

11종 공통

18 국무총리가 하는 일로 알맞은 것은 어느 것입니까? (   )

① 민사 재판   ② 예산 심의

③ 대통령 보좌   ④ 법을 만드는 일

⑤ 헌법에 관한 분쟁 해결

11종 공통

19 법원 안에서 재판 과정에 참여하는 사람으로 옳지 **않은** 사람은 누구입니까? (   )

① 판사   ② 검사

③ 변호인   ④ 피고인

⑤ 법무부 장관

1 단원

진도 완료 체크

천재교육, 교학사, 금성출판사, 김영사, 동아출판,
미래엔, 비상교과서, 아이스크림 미디어, 지학사

20 다음 ㉠, ㉡에 각각 들어갈 국가기관이 바르게 짝 지어진 것은 어느 것입니까? (   )

국회의원들은 대법원장 임명에 동의할지를 결정하는 투표에 참여했습니다. 이는 ㉠ 이/가 ㉡ 을/를 견제하는 모습입니다.

	㉠	㉡		㉠	㉡
①	국회	법원	②	국회	정부
③	정부	법원	④	법원	국회
⑤	법원	정부			

・답안 입력하기   ・온라인 피드백 받기

❶ 가계와 기업의 경제활동

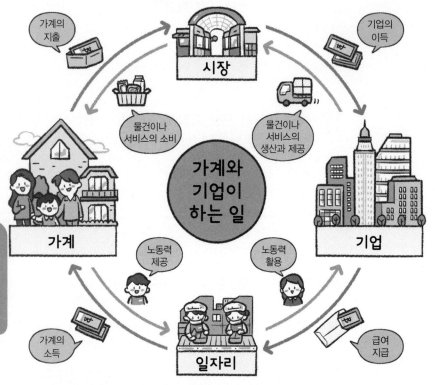

✳ 중요한 내용을 정리해 보세요!

● 가계가 하는 일은?

● 기업이 하는 일은?

● 가계와 기업의 경제적 역할은?

개념 확인하기

정답 25쪽

🍃 다음 문제를 읽고 답을 찾아 ☐ 안에 ✔표를 하시오.

1 기업에 대한 설명으로 알맞은 것은 무엇입니까?

　㉠ 가정 살림을 같이하는 생활 공동체 ☐

　㉡ 이윤을 위해 생산 활동을 하는 경제주체 ☐

2 가계의 경제 활동에 해당하는 것은 무엇입니까?

　㉠ 생산 활동에 참여해 소득을 얻는다. ☐

　㉡ 노동력을 활용하고 급여를 지급한다. ☐

3 기업이 물건이나 서비스를 생산하기 위해 가계의 노동력을 활용하는 곳은 어디입니까?

　㉠ 학교 ☐　　㉡ 일자리 ☐　　㉢ 시·군·구청 ☐

4 가계와 기업의 관계에 대한 설명으로 알맞은 것은 무엇입니까?

　㉠ 전혀 관계가 없다. ☐

　㉡ 서로에게 도움이 된다. ☐

5 시장에 해당하는 것은 무엇입니까?

　㉠ 소방서 ☐　　　㉡ 인터넷 쇼핑몰 ☐

❷ 경제활동의 자유와 경쟁

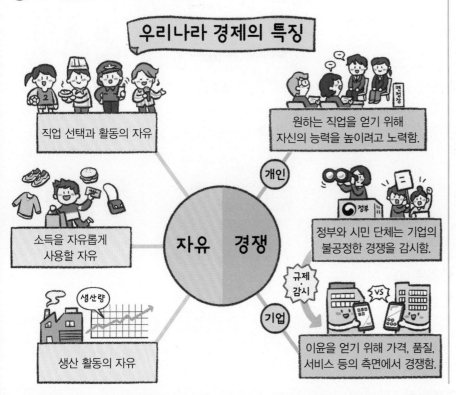

우리나라 경제의 특징

직업 선택과 활동의 자유

소득을 자유롭게 사용할 자유

생산 활동의 자유

원하는 직업을 얻기 위해 자신의 능력을 높이려고 노력함.

개인

자유 경쟁

정부와 시민 단체는 기업의 불공정한 경쟁을 감시함.

규제·감시

기업

이윤을 얻기 위해 가격, 품질, 서비스 등의 측면에서 경쟁함.

✳ 중요한 내용을 정리해 보세요!

● 우리나라 경제의 특징은?

● 경제활동의 자유로운 경쟁이 우리 생활에 주는 도움은?

● 공정한 경제활동을 위한 노력은?

2
단원

개념 확인하기

정답 25쪽

🍃 다음 문제를 읽고 답을 찾아 ☐ 안에 ✔표를 하시오.

1 개인이 자신의 능력과 적성에 따라 자유롭게 직업을 선택할 수 있는 자유는 무엇입니까?

    ㉠ 직업 선택과 활동의 자유 ☐

    ㉡ 소득을 자유롭게 사용할 자유 ☐

2 경제활동에서 기업이 경쟁하는 모습은 무엇입니까?

    ㉠ 취직을 위해 면접을 준비한다. ☐

    ㉡ 싸고 질 좋은 상품을 만들어 판매한다. ☐

3 개인과 기업의 자유로운 경쟁이 우리 생활에 주는 도움은 무엇입니까?

    ㉠ 자신의 능력을 발전시킬 수 없다. ☐

    ㉡ 더 좋은 물건이나 서비스를 개발한다. ☐

4 불공정한 경제활동으로 생기는 문제는 무엇입니까?

    ㉠ 물건 가격이 내려간다. ☐

    ㉡ 소비자에게 상품의 잘못된 정보를 전달한다. ☐

5 기업이 공정한 경제활동을 할 수 있도록 법과 제도를 마련해 규제하는 곳은 어디입니까?

    ㉠ 가계 ☐   ㉡ 정부 ☐   ㉢ 시민 단체 ☐

1 가계와 기업이 하는 일을 찾아 바르게 줄로 이으시오.

(1) 가계 •

(2) 기업 •

• ㉠ 생산 활동에 참여해 소득을 얻음.

• ㉡ 생산을 위해 일자리를 제공함.

2 가계가 합리적 선택을 하는 까닭으로 알맞은 것은 어느 것입니까? (　　　)

① 가계의 소득이 한정되어 있어서
② 사람마다 중요하게 생각하는 기준이 같아서
③ 가계 구성원마다 필요한 물건이 모두 같아서
④ 구매하고 싶은 물건을 모두 구매할 수 있어서
⑤ 가장 많은 비용으로 가장 작은 만족을 얻기 위해

천재교육, 금성출판사, 김영사, 동아출판, 미래엔, 비상교과서, 비상교육

3 다음 자료에 나타난 사람의 선택 기준을 보기 에서 찾아 쓰시오.

넓고 쾌적한 환경에서 자란 닭이 낳은 달걀을 사요.

[출처: 연합뉴스]

보기
• 가치 소비　　　• 불공정 소비

(　　　　　　　　　)

4 다음 중 기업의 합리적 선택과 관련 <u>없는</u> 것은 어느 것입니까? (　　　)

①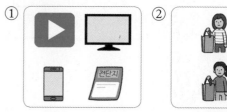
🔺 홍보 계획 세우기

②
🔺 소비자 분석하기

③
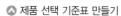
🔺 제품 선택 기준표 만들기

④
🔺 생산 방법 정하기

천재교육

5 기업이 다음 자료를 보고 선택할 합리적 의사 결정으로 가장 알맞은 것은 어느 것입니까? (　　　)

생산 방법	생산 비용
국내 생산	봉지당 5,000원
해외 생산	봉지당 3,000원

🔺 생산 방법에 따른 생산 비용

① 소비자를 분석한다.
② 홍보 비용을 줄인다.
③ 상품 개발을 중단한다.
④ 해외에서 물건을 생산한다.
⑤ 우리나라에 공장을 더 짓는다.

6 다음 자료를 통해 알 수 있는 우리나라 경제의 특징은 어느 것입니까? (   )

가격을 내렸으니 옆 가게보다 더 많이 팔 수 있을 거야.

가격 할인

① 개인은 직업 선택과 활동의 자유가 있다.
② 개인은 소득을 자유롭게 사용할 수 있다.
③ 기업은 수입을 자유롭게 사용할 수 있다.
④ 개인은 자신의 능력을 키우기 위해 노력한다.
⑤ 기업은 경쟁에서 앞서기 위해 상품의 가격을 조정한다.

7 다음 밑줄 친 곳에 들어갈 내용으로 알맞은 것은 어느 것입니까? (   )

자유로운 경쟁이 우리 생활에 주는 도움

기업은 더 좋은 물건이나 서비스를 개발할 수 있다.

개인은 _____

① 노력하지 않아도 된다.
② 더 나쁜 서비스를 받을 수 있다.
③ 원하는 조건의 물건을 살 수 없다.
④ 재능과 능력을 더 잘 발휘할 수 있다.
⑤ 기업이 원하는 물건과 서비스를 제공할 수 있다.

[8~9] 다음 신문 기사를 읽고, 물음에 답하시오.

○○신문   20○○년 ○○월 ○○일

탄산음료의 재료 가격은 내렸는데 제품의 가격은 올라

인기 있는 탄산음료를 만드는 데 필요한 재료의 가격은 해마다 내리는데 탄산음료의 소비자 가격은 올라가고 있다. 그 까닭은 탄산음료를 만드는 세 회사가 남몰래 가격을 올리기로 약속했기 때문이다.

탄산음료 가격 및 원재료 가격 변화
(원)
— 탄산음료 가 가격
— 탄산음료 나 가격
— 탄산음료 다 가격
2,000
1,000
287.7 281.1 272.1 252.5 — 원재료 가격
2017 2018 2019 2020(년)

천재교육, 교학사, 비상교과서

8 위 신문 기사와 관련하여 다음 ☐ 안에 들어갈 알맞은 말을 쓰시오.

하나 또는 몇몇 기업이 시장의 대부분을 차지하는 상태를 ☐☐☐이라고 합니다.

(   )

9 위와 같은 불공정한 경제활동을 해결하기 위해 소비자가 찾는 정부 기관은 어느 것입니까? (   )
① 한국은행   ② 문화재청
③ 국가 인권 위원회   ④ 공정 거래 위원회
⑤ 식품 의약품 안전처

10 기업의 불공정한 경제활동을 막기 위해 정부에서 하는 일을 보기 에서 모두 찾아 기호를 쓰시오.

보기
㉠ 기업끼리 상의하여 가격을 올리는 것을 금지합니다.
㉡ 소비자를 속이는 거짓·과장 광고를 못하게 규제합니다.
㉢ 기업의 불공정한 경제활동을 반대하는 서명운동을 합니다.

(,   )

2
단원

1 다음은 가계와 기업이 하는 일입니다. [총 8점]

🔺 기업의 생산 활동에 참여함. 🔺 물건을 생산하여 판매하거나 서비스를 제공해 이윤을 얻음.

(1) 가계가 하는 일을 위에서 찾아 기호를 쓰시오. [2점]

( )

(2) 위와 같은 가계와 기업의 경제활동이 주로 이루어지는 다음 ㈎에 들어갈 장소를 쓰시오. [2점]

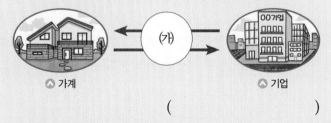

🔺 가계 🔺 기업

( )

(3) 위와 같은 활동을 통해 알 수 있는 가계와 기업의 경제활동의 관계를 쓰시오. [4점]

> 🦉 가계와 기업의 경제활동으로 알 수 있는 점을 생각하며 써 보세요.
>
> **꼭 들어가야 할 말** 생산 / 소비 / 이윤

_____

_____

2 다음은 소영이네 가족이 텔레비전을 고르는 모습입니다. [총 10점]

(1) 소영이네 가족이 텔레비전을 고를 때의 선택 기준은 무엇인지 **보기**에서 찾아 쓰시오. [2점]

> **보기**
> • 가격 • 품질 • 디자인

( )

(2) 소영이네 가족이 위 (1)번 답의 선택 기준을 고려하여 선택할 텔레비전은 무엇인지 기호를 쓰시오. [2점]

( )

(3) 소영이네 가족이 합리적인 소비를 할 수 있는 방법을 쓰시오. [6점]

_____

_____

3 다음은 필통 회사에서 분석한 자료입니다. [총 10점]

ㄱ (십만 개) 연도별 판매량

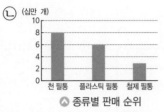
ㄴ (십만 개) 종류별 판매 순위

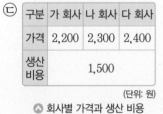

구분	가 회사	나 회사	다 회사
가격	2,200	2,300	2,400
생산비용		1,500	

(단위: 원)
ㄷ 회사별 가격과 생산 비용

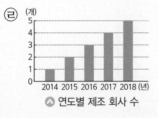
ㄹ (개) 연도별 제조 회사 수

(1) 위에서 다음과 같은 사실을 알 수 있는 자료는 무엇인지 기호를 찾아 쓰시오. [2점]

해마다 필통 판매량이 감소하고 있습니다.

( )

(2) 위 ㄷ을 통해 고려할 수 있는 선택 기준은 무엇인지 보기 에서 찾아 쓰시오. [2점]

보기
• 생산량   • 생산 품목
• 생산 비용   • 홍보 방법

( )

(3) 위와 같은 자료 분석을 통해 기업이 합리적 선택을 해야 하는 까닭을 쓰시오. [6점]

_____

_____

4 다음은 다양한 식당을 홍보하는 모습입니다. [총 12점]

(1) 다음 송이의 말을 읽고 송이가 선택할 식당을 위에서 찾아 기호를 쓰시오. [2점]

나는 조금 비싸도 친절한 서비스를 받고 싶어.
송이

( )

(2) 위 자료를 보고 다음 ( ) 안의 알맞은 말에 각각 ○표를 하시오. [4점]

기업은 더 많은 ㈎ (이윤 / 손해)을/를 얻기 위해 서로 ㈏ (양보 / 경쟁)합니다.

(3) 위 ㄱ~ㄹ 식당 중 하나의 식당만 남고 나머지가 모두 사라진다면 발생할 수 있는 문제를 쓰시오. [6점]

_____

_____

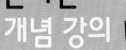

❶ 우리나라의 경제 성장 과정

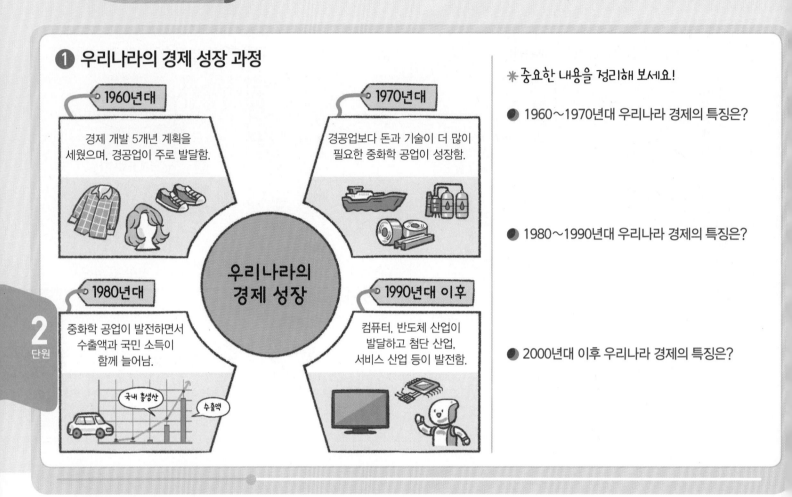

1960년대

경제 개발 5개년 계획을 세웠으며, 경공업이 주로 발달함.

1970년대

경공업보다 돈과 기술이 더 많이 필요한 중화학 공업이 성장함.

우리나라의 경제 성장

1980년대

중화학 공업이 발전하면서 수출액과 국민 소득이 함께 늘어남.

국내 총생산   수출액

1990년대 이후

컴퓨터, 반도체 산업이 발달하고 첨단 산업, 서비스 산업 등이 발전함.

✱ 중요한 내용을 정리해 보세요!

● 1960~1970년대 우리나라 경제의 특징은?

● 1980~1990년대 우리나라 경제의 특징은?

● 2000년대 이후 우리나라 경제의 특징은?

개념 확인하기

정답 27쪽

🖋 다음 문제를 읽고 답을 찾아 ☐ 안에 ✔표를 하시오.

1 1950년대에 우리나라에서 발달한 산업은 무엇입니까?

ㄱ 철강 산업 ☐   ㄴ 소비재 산업 ☐

2 1960년대에 우리나라에서 경공업이 발달한 까닭은 무엇입니까?

ㄱ 노동력이 풍부해서 ☐

ㄴ 자원과 기술이 풍부해서 ☐

ㄷ 수입을 늘리고 수출을 적게 해서 ☐

3 1970년대에 우리나라가 교육 시설과 연구소 등을 설립한 까닭은 무엇입니까?

ㄱ 천연자원을 얻기 위해 ☐

ㄴ 중화학 공업에 필요한 기술력을 갖추려고 ☐

4 1980년대 우리나라의 경제 성장 모습으로 알맞은 것은 무엇입니까?

ㄱ 첨단 산업과 서비스 산업의 발달 ☐

ㄴ 중화학 공업의 발전과 수출액 증가 ☐

5 1990년대 이후 우리나라의 주요 수출품은 무엇입니까?

ㄱ 설탕 ☐   ㄴ 가발 ☐   ㄷ 반도체 ☐

❷ 경제 성장으로 변화한 사회 모습

옛날의 사회 모습

학급당 많은 학생 수

공중전화 이용

고속 국도의 개통

오늘날의 사회 모습

다양한 매체를 활용한 학교 생활

스마트폰 활용

해외여행 증가

경제가 성장하면서
사회에도 많은 변화가 나타남.

✱ 중요한 내용을 정리해 보세요!

● 옛날의 사회 모습은?

● 경제 성장으로 변화한 오늘날의 사회 모습은?

2
단원

개념 확인하기

정답 27쪽

✍ 다음 문제를 읽고 답을 찾아 ☐ 안에 ✔표를 하시오.

1 1960년대의 생활 모습은 어느 것입니까?

㉠ 개인용 컴퓨터가 보급되었다. ☐

㉡ 흑백텔레비전을 보며 여가 생활을 즐겼다. ☐

2 1970년에 개통된 서울과 부산을 잇는 도로는 무엇입니까?

㉠ 경부 고속 국도 ☐　　㉡ 서해안 고속 국도 ☐

3 오늘날 주로 사용하는 통신수단은 무엇입니까?

㉠ 공중전화 ☐　　㉡ 스마트폰 ☐

4 오늘날 교실의 특징으로 알맞은 것은 무엇입니까?

㉠ 다양한 매체를 활용해 수업을 듣는다. ☐

㉡ 한 교실에서 수업을 받는 학생 수가 늘었다. ☐

5 고속 철도의 개통으로 변한 우리 사회의 모습은 무엇입니까?

㉠ 해외여행객이 증가했다. ☐

㉡ 지역과 지역을 빠르게 이동할 수 있다. ☐

[1~2] 다음 설명을 보고, 물음에 답하시오.

6·25 전쟁으로 우리나라는 여러 시설이 파괴되었습니다.

[출처: 전쟁기념관]

1 위와 같은 상황을 해결하기 위해 우리나라 사람들이 한 일을 두 가지 고르시오. (,   )

① 초고속 정보 통신망을 설치했다.

② 외국의 도움을 전혀 받지 않았다.

③ 파괴된 여러 시설을 다시 지었다.

④ 최첨단 의료 기기를 만들어 수출했다.

⑤ 농업 중심의 산업을 공업 중심으로 변화시키려고 노력했다.

2 위 시기에 발전한 산업과 관련 있는 물건을 **보기**에서 모두 찾아 기호를 쓰시오.

보기
ㄱ 설탕   ㄴ 반도체
ㄷ 밀가루   ㄹ 스마트폰

(,   )

3 다음 퀴즈의 정답으로 알맞은 시기는 어느 것입니까?

(   )

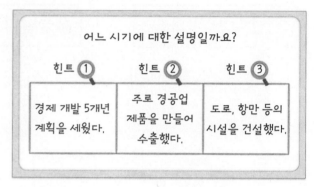

어느 시기에 대한 설명일까요?

힌트 ①   힌트 ②   힌트 ③

경제 개발 5개년 계획을 세웠다.   주로 경공업 제품을 만들어 수출했다.   도로, 항만 등의 시설을 건설했다.

① 1950년대   ② 1960년대

③ 1970년대   ④ 1980년대

⑤ 1990년대 이후

4 다음 ㉠, ㉡에 대해 바르게 말한 어린이를 쓰시오.

㉠ 조선 산업   ㉡ 철강 산업

재원: ㉠은 소비재 산업이야.

인희: ㉡은 우리나라의 천연자원이 풍부해서 발전한 산업이야.

주연: 1970년대에 정부는 경제를 발전시키기 위해 ㉠, ㉡과 같은 공업의 발전에 힘을 쏟았어.

(   )

5 2000년대 이후 우리나라의 경제 성장에 대한 설명으로 알맞지 않은 것은 어느 것입니까? (   )

① 서비스 산업이 발달하고 있다.

② 문화 콘텐츠 산업이 발달하고 있다.

③ 중화학 공업에서 경공업 중심으로 변화하고 있다.

④ 높은 기술력이 필요한 첨단 산업이 발달하고 있다.

⑤ 경제 규모가 커지고 국민들의 생활 수준도 높아지고 있다.

[6~7] 다음 사진을 보고, 물음에 답하시오.

ⓐ

△ 우리나라 가수의 해외 공연 모습

ⓑ

△ 스마트폰의 보급

천재교육, 천재교과서, 교학사, 금성출판사, 김영사,
비상교과서, 비상교육, 아이스크림 미디어, 지학사

6 위 ㉠, ㉡ 중 경제 성장에 따른 우리 문화의 확산과 관련 있는 것의 기호를 쓰시오.

(   )

7 위 ㉡에 대한 설명으로 알맞지 <u>않은</u> 것은 어느 것입니까? (   )

① 2010년대에 주로 보급되었다.

② 인터넷으로 쇼핑을 즐기기도 한다.

③ 예전보다 필요한 정보를 찾기 어려워졌다.

④ 1990년대에는 스마트폰 대신 공중전화를 주로 사용했다.

⑤ 사물 인터넷을 이용해 집 안의 전자 기기를 마음대로 다룰 수도 있다.

천재교육, 교학사, 금성출판사, 비상교과서, 비상교육

8 다음 (   ) 안의 알맞은 말에 각각 ○표를 하시오.

경제가 성장하면서 ❶(농촌 / 도시)의 인구가 증가했고, 농촌에 ❷(부실 공사 / 노동력 부족) 문제가 심각해졌습니다.

9 다음 문제를 해결하기 위한 노력에 대해 바르게 말한 어린이를 쓰시오.

산업 현장에서 지켜야 할 안전 규칙이 잘 지켜지지 않았습니다.

범영: 기업은 산업 재해와 관련된 법을 만들어.

동원: 노동자들은 정해진 안전 규칙을 지키기 위해 노력해.

주영: 정부는 수출을 하는 기업을 돕기 위해 여러 지원을 하고 있어.

(   )

10 환경오염 문제를 해결하기 위한 시민들의 노력으로 알맞은 것은 어느 것입니까? (   )

①

△ 풍력 발전소 설치

②

[출처: 연합뉴스]

△ 친환경 제품 생산

③

△ 전기 차 충전소 확대

④

[출처: 연합뉴스]

△ 쓰레기 줍기 자원봉사 활동

2 단원

연습 🐱 도움말을 참고하여 내 생각을 차근차근 써 보세요.

1 다음 사진을 보고, 물음에 답하시오. [총 8점]

㉠
🔺 울산 정유 공장 건설

㉡
🔺 춘천 수력 발전소 공사

㉢
🔺 경부 고속 국도 개통

㉣
🔺 인천 항만 개발

(1) 1962년에 정부가 경제 성장을 위해 5년 단위로 추진한 경제 계획은 무엇인지 쓰시오. [2점]

( )

(2) 위 (1)번 답의 계획을 추진하면서 다음 이유로 정부가 만든 시설을 위에서 모두 찾아 기호를 쓰시오. [2점]

> 기업의 제품 생산에 필요한 에너지를 공급해 주었습니다.

(,)

(3) 위와 같은 시설이 우리나라의 경제 발전에 미친 영향을 쓰시오. [4점]

> 🐱 우리나라의 경제를 발전시키기 위해 1960년대에 정부가 한 노력을 생각하며 써 보세요.
> **꼭 들어가야 할 말** 해외 / 수출 / 성장

_____

_____

2 다음은 1970년대 이후 경제 성장 모습입니다. [총 10점]

🔺 한국 과학 기술 연구소 준공식

🔺 울산 석유 화학 단지 건설

(1) 정부가 위와 같은 노력을 통해 발전시키려고 한 다음 산업은 무엇인지 쓰시오. [2점]

> 철, 배, 자동차 등 무거운 제품이나 플라스틱, 고무 제품, 화학 섬유 제품을 생산하는 산업입니다.

( )

(2) 다음은 위 (1)번 답의 산업이 경공업과 비교하여 더 필요한 조건입니다. ☐ 안에 들어갈 알맞은 말을 쓰시오. [2점]

> 경공업보다 더 많은 돈과 높은 ☐ 이 필요한 산업입니다.

( )

(3) 정부가 위 (2)번 답과 같은 조건을 갖추고자 노력한 일을 쓰시오. [6점]

_____

_____

3 다음은 우리나라의 가구당 가전제품과 자동차 보유 대수를 표현한 자료입니다. [총 10점]

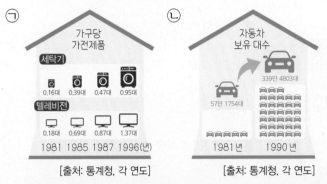

ㄱ

가구당 가전제품

세탁기
0.16대 0.39대 0.47대 0.95대
텔레비전
0.18대 0.69대 0.87대 1.37대
1981 1985 1987 1996(년)

[출처: 통계청, 각 연도]

ㄴ

자동차 보유 대수

57만 1754대   339만 4803대
1981년   1990년

[출처: 통계청, 각 연도]

(1) 위 ㉠과 관련하여, 다음 ☐ 안에 들어갈 알맞은 말을 보기에서 찾아 쓰시오. [2점]

> 1980년대에는 ☐☐☐☐이 보급되면서 모든 방송 프로그램이 천연색으로 바뀌었습니다.

보기
• 스마트폰   • 흑백텔레비전   • 컬러텔레비전

( )

(2) 위 ㉡과 관련하여, 다음 ( ) 안의 알맞은 말에 ○ 표를 하시오. [2점]

> 1990년대에는 자가용 자동차가 늘어나면서 사람들이 지역과 지역을 (느리게 / 빠르게) 이동할 수 있게 되었습니다.

(3) 위 자료를 보고 알 수 있는 우리나라 국민의 생활 수준 변화에 관해 쓰시오. [6점]

_____

_____

4 다음은 경제 성장 과정에서 나타난 문제를 해결하기 위해 노력하는 모습입니다. [총 10점]

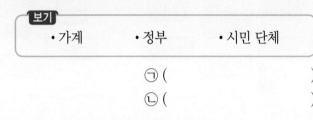

ㄱ 안정적인 자립을 돕습니다.

△ 가난한 사람들에게 생계비, 양육비, 학비 지원

ㄴ 무료 급식소

△ 무료 급식 봉사 활동

(1) 위와 같은 노력을 주로 하는 주체는 누구인지 보기에서 찾아 쓰시오. [2점]

보기
• 가계   • 정부   • 시민 단체

㉠ ( )
㉡ ( )

2 단원

진도 완료 체크

(2) 위와 같은 노력들로 해결할 수 있는 사회 문제는 무엇인지 다음 설명을 참고하여 쓰시오. [2점]

> 경제적인 사정이 좋은 사람은 돈을 더욱 많이 벌게 되고, 경제적인 사정이 나쁜 사람은 사정이 더욱 나빠지는 경제적 현상입니다.

( )

(3) 위 (2)번 답의 문제점을 해결해야 하는 까닭을 쓰시오. [6점]

_____

_____

❶ 우리나라의 경제 교류

우리나라의 경제 교류

수출
반도체
자동차
석유 제품

수입
원유
반도체
반도체 제조 장비

우리나라는 다른 나라와 서로 의존·경쟁하며 교류함.

✳ 중요한 내용을 정리해 보세요!

● 무역의 의미는?

● 우리나라의 주요 수출품과 수입품은?

● 우리나라와 다른 나라의 경제 관계는?

개념 확인하기

정답 29쪽

🖊 다음 문제를 읽고 답을 찾아 ☐ 안에 ✔표를 하시오.

1 다른 나라에서 물건이나 서비스를 사 오는 것을 무엇이라고 합니까?

ㄱ 수입 ☐　　　　ㄴ 수출 ☐

2 무역을 하는 까닭은 무엇입니까?

ㄱ 나라마다 잘 만드는 물건이 모두 같아서 ☐

ㄴ 무역을 통해 경제적 이익을 얻을 수 있어서 ☐

3 우리나라의 주요 수출품은 무엇입니까?

ㄱ 목재 ☐　　ㄴ 철광석 ☐　　ㄷ 석유 제품 ☐

4 하나의 상품을 만들기 위해 여러 나라들이 협력하는 까닭은 무엇입니까?

ㄱ 상품의 원산지를 속이기 위해 ☐

ㄴ 더 좋은 상품을 생산하기 위해 ☐

5 여러 나라의 기업들이 상호 경쟁하는 것이 우리 생활에 미치는 영향은 무엇입니까?

ㄱ 수출품의 품질이 더 좋아진다. ☐

ㄴ 소비자들의 선택지가 줄어든다. ☐

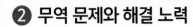

❷ 무역 문제와 해결 노력

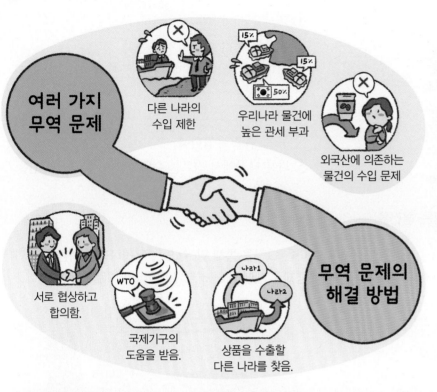

여러 가지
무역 문제

다른 나라의
수입 제한

우리나라 물건에
높은 관세 부과

외국산에 의존하는
물건의 수입 문제

서로 협상하고
합의함.

국제기구의
도움을 받음.

상품을 수출할
다른 나라를 찾음.

무역 문제의
해결 방법

✳ 중요한 내용을 정리해 보세요!

● 여러 가지 무역 문제는?

● 무역 문제를 해결하기 위한 노력은?

2
단원

개념 확인하기

정답 29쪽

✍ 다음 문제를 읽고 답을 찾아 ☐ 안에 ✔표를 하시오.

1 수입품에 매기는 세금을 무엇이라고 합니까?

㉠ 관세 ☐   ㉡ 부가 가치세 ☐

2 무역 문제가 발생할 수 있는 상황은 무엇입니까?

㉠ 두 나라 사이의 관계가 좋아진다. ☐

㉡ 다른 나라 물건의 수입을 거부한다. ☐

3 자기 나라의 경제를 보호하려는 까닭은 무엇입니까?

㉠ 외국 기업과 자유롭게 경쟁하기 위해 ☐

㉡ 나라의 기본이 되는 산업을 보호하기 위해 ☐

4 무역 문제를 해결하기 위한 노력으로 알맞은 것은 무엇입니까?

㉠ 서로 협상하고 합의한다. ☐

㉡ 한 나라에만 우리나라 상품을 수출한다. ☐

5 나라 간 무역 갈등을 해결하기 위해 만든 국제기구는 무엇입니까?

㉠ 세계 보건 기구 ☐   ㉡ 세계 무역 기구 ☐

아이스크림 미디어

[1~2] 다음 그림을 보고, 물음에 답하시오.

1 다음 글을 읽고, 위 ☐ 안에 들어갈 알맞은 물건을 보기 에서 찾아 쓰시오.

> △△ 나라는 전자 제품을 만드는 기술력이 뛰어나지만, 천연자원이 부족합니다.

보기
• 목재   • 철광석   • 스마트폰

(   )

2 다음 밑줄 친 부분에 들어갈 말로 가장 알맞은 것은 어느 것입니까? (   )

> △△ 나라와 무역을 하면서 _____ 되었어요.

⬆ ○○ 나라 어린이

① 물건의 질이 낮아지게
② 경제적으로 손해를 보게
③ 더 잘 만들 수 있는 물건을 만들지 못하게
④ 나라마다 자연환경과 자원의 차이가 없어지게
⑤ 경제 교류 이전에는 사용할 수 없었던 물건을 사용할 수 있게

3 우리나라 무역의 특징으로 알맞은 것은 어느 것입니까?

(   )

① 주로 천연자원을 수출한다.
② 원유는 전혀 수입하지 않는다.
③ 열대 과일이나 목재 등이 풍부해 여러 나라에 수출한다.
④ 기술력이 부족해 자동차, 석유 제품, 스마트폰 등을 주로 수입한다.
⑤ 다른 나라에서 원료를 수입하고 이를 가공해 만든 제품을 주로 수출한다.

4 다음 그림을 통해 알 수 있는 우리나라와 다른 나라의 경제 관계에 대해 바르게 말한 어린이를 쓰시오.

> 선호: 서로 전혀 교류하지 않아.
> 정은: 다른 나라의 재료나 기술을 활용하지는 않아.
> 아영: 비슷한 물건을 생산하는 다른 나라의 기업과 경쟁하기도 해.

(   )

5 다음 검색 결과와 관련 없는 것을 찾아 기호를 쓰시오.

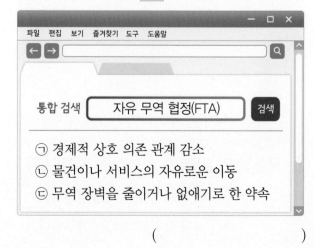

통합 검색 자유 무역 협정(FTA) 검색

㉠ 경제적 상호 의존 관계 감소
㉡ 물건이나 서비스의 자유로운 이동
㉢ 무역 장벽을 줄이거나 없애기로 한 약속

(   )

6 다음은 경제 교류가 개인의 어떤 생활에 미친 영향입니까? (   )

① 의생활   ② 식생활   ③ 주생활
④ 취업 활동   ⑤ 여가 생활

7 다음 자료와 관련 있는 설명에 ○표를 하시오.

최근 신재생 에너지 기술 교류를 위해 다양한 나라의 기업들이 모였습니다.

(1) 다른 나라에 공장을 세워 생산 비용을 늘립니다.
(   )

(2) 다른 나라의 새로운 기술과 아이디어를 주고받습니다.
(   )

8 세계 여러 나라가 자기 나라 경제를 보호하려고 하는 까닭을 두 가지 고르시오. (,   )
① 다른 나라와 사이좋게 지내기 위해
② 다른 나라의 물건을 많이 수입하기 위해
③ 경쟁력이 부족한 자기 나라의 산업을 보호하기 위해
④ 다른 나라의 경제를 보호하고 다른 나라의 산업을 더 키우기 위해
⑤ 자기 나라의 상품이 팔리지 않아 생기는 국내 근로자의 실업을 방지하기 위해

[9~10] 다음 뉴스를 보고, 물음에 답하시오.

9 위 ○○ 나라와 우리나라 사이에 무역 문제가 발생한 까닭으로 가장 알맞은 것은 어느 것입니까? (   )
① ○○ 나라의 수출이 늘어서
② 우리나라가 수입품에 관세를 높여서
③ ○○ 나라가 우리나라 물건의 수입을 제한해서
④ ○○ 나라가 우리나라의 물건에 크게 의존해서
⑤ 우리나라의 수출품이 ○○ 나라에서 인기가 없어서

10 위와 같은 무역 문제를 해결하는 방법으로 알맞지 <u>않은</u> 것은 어느 것입니까? (   )
① 세계 무역 기구에 도움을 요청한다.
② 우리나라도 ○○ 나라의 물건 수입을 제한한다.
③ ○○ 나라와 우리나라 사이에 무역 협상을 한다.
④ 우리나라의 피해를 줄일 수 있는 대책을 마련한다.
⑤ ○○ 나라 대신 물건을 수출할 다른 나라를 찾는다.

2 단원

연습 🦉 도움말을 참고하여 내 생각을 차근차근 써 보세요.

1 다음은 ㉠ 나라와 ㉡ 나라의 경제 상황을 정리한 표입니다. [총 8점]

구분	㉠ 나라	㉡ 나라
자연환경	사계절이 뚜렷하고 기후가 온난함.	일교차가 크고 기후가 서늘함.
자원	천연자원이 부족함.	농작물이 잘 자라고 원유, 천연가스 등 천연자원이 풍부함.
발달한 산업	반도체, 자동차, 조선 산업 등이 발달함.	영화, 음악 등 문화 콘텐츠 산업이 발달함.

(1) 위 ㉠ 나라가 ㉡ 나라에서 수입할 상품을 보기 에서 찾아 쓰시오. [2점]

> 보기
> • 천연가스　　　　• 대형 선박

(　　　　　　)

(2) 다음에서 밑줄 친 '이 나라'를 위 표를 참고하여 쓰시오. [2점]

> 최근 이 나라에서 만든 영화는 세계적으로 큰 인기를 얻고 있습니다.

(　　　　　) 나라

(3) 위 표를 참고하여 나라마다 잘 생산할 수 있는 물건이나 서비스가 다른 까닭을 쓰시오. [4점]

> 🦉 나라마다 풍족하거나 부족한 것이 왜 생기는지 생각하며 써 보세요.
> 꼭 들어가야 할 말 **자연환경 / 자원 / 기술**

_____

_____

2 다음은 우리나라의 주요 수출품과 수입품을 나타낸 그래프입니다. [총 10점]

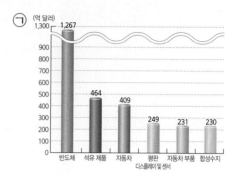

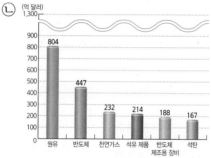

(1) 위 그래프 중 우리나라의 주요 수출품을 나타낸 자료는 무엇인지 기호를 쓰시오. [2점]

(　　　　　　)

(2) 우리나라의 주요 수입품 중 수입액이 가장 많은 물품을 위에서 찾아 쓰시오. [2점]

(　　　　　　)

(3) 위의 두 자료를 보고, 위 (2)번 답과 다음 용어들을 이용하여 우리나라 무역의 특징을 쓰시오. [6점]

> • 가공　　　• 기술　　　• 석유 제품

_____

_____

3 다음은 다른 나라와의 경제 교류가 우리 생활에 미친 영향을 이야기한 것입니다. [총 10점]

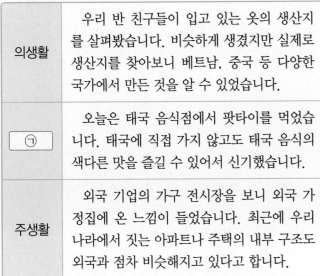

의생활	우리 반 친구들이 입고 있는 옷의 생산지를 살펴봤습니다. 비슷하게 생겼지만 실제로 생산지를 찾아보니 베트남, 중국 등 다양한 국가에서 만든 것을 알 수 있었습니다.
㉠	오늘은 태국 음식점에서 팟타이를 먹었습니다. 태국에 직접 가지 않고도 태국 음식의 색다른 맛을 즐길 수 있어서 신기했습니다.
주생활	외국 기업의 가구 전시장을 보니 외국 가정집에 온 느낌이 들었습니다. 최근에 우리나라에서 짓는 아파트나 주택의 내부 구조도 외국과 점차 비슷해지고 있다고 합니다.

(1) 위의 ㉠에 들어갈 생활 분야는 무엇인지 쓰시오. [2점]

(   )

(2) 위와 같이 다른 나라에서 생산된 것을 우리나라에서 사용할 수 있는 것은 무엇 때문인지 다음을 참고하여 쓰시오. [2점]

> 나라와 나라 사이에 물건과 서비스를 사고파는 것을 말합니다.

(   )

(3) 위 (2)번 답과 같은 활동이 개인의 경제생활에 미친 영향을 쓰시오. [6점]

_____

_____

4 다음은 우리나라와 다른 나라의 경제 관계를 나타낸 지도입니다. [총 10점]

(1) 다음은 위 지도를 통해 알 수 있는 내용입니다. □ 안에 들어갈 알맞은 말을 쓰시오. [2점]

> 우리나라는 다른 나라와 서로 □□□하며 경제적으로 교류합니다.

(   )

2
단원

진도 완료 체크

(2) 위와 같이 나라 간 물건이나 서비스 등의 자유로운 이동을 위해 한 약속을 보기에서 찾아 쓰시오. [2점]

> **보기**
> • 기후 변화 협약   • 자유 무역 협정

(   )

(3) 위와 같이 나라와 나라 사이에 경제적 교류가 이루어지는 까닭을 쓰시오. [6점]

_____

_____

2단원

1 다음과 같은 경제활동을 하는 경제주체는 어느 것입니까? (   )

11종 공통

△ 생산 활동에 참여한 대가로 소득을 얻음.

△ 소득으로 필요한 물건을 구입함.

① 가계   ② 기업   ③ 정부
④ 시장   ⑤ 시민 단체

11종 공통

2 다음 설명과 관련 있는 것은 어느 것입니까? (   )

- 물건이나 서비스를 사거나 팔려는 사람이 모여 거래하는 곳
- 기업이 물건이나 서비스를 공급해 수입을 얻는 곳

① 정부   ② 국회   ③ 시장
④ 학교   ⑤ 시·군·구청

천재교육, 금성출판사, 김영사, 동아출판, 미래엔, 비상교과서, 비상교육

3 준희가 고려한 선택 기준으로 알맞은 것은 어느 것입니까? (   )

나는 조금 비싸도 공정 무역 제품을 고를래.

△ 준희

① 가격   ② 기능   ③ 서비스
④ 디자인   ⑤ 가치 소비

[4~5] 다음 제품 분석표를 보고, 물음에 답하시오.

필통의 종류 / 평가 기준	천 필통	플라스틱 필통
생산 비용	2,000원	1,300원
판매 가격	2,500원	2,000원
판매량	2,000개	3,000개
내구성	보통	약함

11종 공통

4 위 분석표를 통해 알 수 있는 내용은 어느 것입니까? (   )

① 천 필통은 내구성이 약하다.
② 필통을 만드는 회사의 수가 줄어들고 있다.
③ 천 필통의 판매 가격은 플라스틱 필통보다 싸다.
④ 사람들은 천 필통보다 플라스틱 필통을 좋아한다.
⑤ 플라스틱 필통의 생산 비용은 천 필통보다 비싸다.

11종 공통

5 위 자료를 보고 회사가 더 많은 이윤을 얻기 위해 할 수 있는 일이 **아닌** 것은 어느 것입니까? (   )

① 새로운 필통을 개발한다.
② 천 필통과 플라스틱 필통의 생산 비용을 늘린다.
③ 판매량이 많은 플라스틱 필통의 생산량을 늘린다.
④ 천 필통의 생산 비용을 줄이기 위한 방법을 찾는다.
⑤ 사람들이 많이 이용하는 영상 공유 누리집에 두 필통을 광고한다.

6 다음 우리나라 경제의 특징에 대한 설명에서 ☐ 안에 공통으로 들어갈 말은 어느 것입니까? (   )

> 사람들은 자신이 원하는 직업을 갖기 위하여 ☐ 하고, 기업들은 물건을 많이 팔아 더 많은 이윤을 얻기 위하여 여러 가지 방법으로 ☐ 합니다.

① 자유   ② 경쟁   ③ 저축
④ 생산   ⑤ 소비

7 다음과 같은 노력을 시민 단체가 하는 까닭으로 알맞은 것은 어느 것입니까? (   )

① 환경오염을 막기 위해서
② 정부의 법 개정을 위해서
③ 소비자의 과소비를 막기 위해서
④ 정부의 불매 운동을 막기 위해서
⑤ 기업의 바람직한 경제활동을 위해서

8 1960년대 경제 성장을 위한 정부의 노력으로 알맞지 <u>않은</u> 것은 어느 것입니까? (   )

① 정유 시설을 건설하였다.
② 도로와 항만을 건설하였다.
③ 춘천 수력 발전소를 만들었다.
④ 농업 중심의 산업 구조로 변화시켰다.
⑤ 수출하는 기업의 세금을 내려 주었다.

9 다음 ㉠ 시기에 발달한 산업과 그 까닭이 알맞게 짝지어진 것은 어느 것입니까? (   )

㉠
1960년   1970년   1980년   1990년   2000년

① 어업 – 노동력이 풍부했기 때문이다.
② 경공업 – 기술력이 뛰어났기 때문이다.
③ 철강 산업 – 국민 소득이 줄었기 때문이다.
④ 자동차 산업 – 세계 시장에 제품을 수출하였기 때문이다.
⑤ 정보 통신 산업 – 컴퓨터를 사용하는 가정이 늘었기 때문이다.

10 우리나라 경제가 빠르게 성장하기 위해 한 노력을 알맞게 적지 <u>않은</u> 어린이는 누구입니까? (   )

11 1990년대 후반부터 정부와 기업이 정보화 사회의 경제 발전을 위해 만든 것은 어느 것입니까? (   )

① 대형 선박

② 고속 국도

③ 항만 시설

④ 컬러텔레비전

⑤ 초고속 정보 통신망

천재교과서

12 다음 그래프를 통해 알 수 있는 경제 성장에 따른 사회 모습의 변화는 어느 것입니까? (   )

① 스마트폰이 보급되었다.

② 다른 나라와의 교류가 활발해졌다.

③ 서울과 부산을 잇는 고속 국도가 개통되었다.

④ 자가용 자동차를 이용하는 사람들이 많아졌다.

⑤ 개인용 컴퓨터를 사용하는 사람들이 많아졌다.

미래엔

13 다음 인터넷 검색 결과와 관련 <u>없는</u> 것은 어느 것입니까? (   )

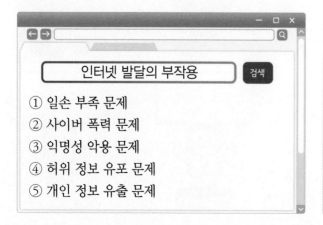

① 일손 부족 문제

② 사이버 폭력 문제

③ 익명성 악용 문제

④ 허위 정보 유포 문제

⑤ 개인 정보 유출 문제

14 다음 감사장의 밑줄 친 곳에 들어갈 내용으로 알맞은 것은 어느 것입니까? (   )

감사장

○○ 기업

위 기업은 우리나라의 경제 성장 과정에서 심각해진 환경오염 문제를 해결하기 위해 _____ 때문에 위 상장을 수여함.

20○○년 ○○월 ○○일

① 친환경 제품을 생산했기

② 생계비와 양육비 등을 지원했기

③ 농촌 일손 돕기 활동을 진행했기

④ 「산업 안전 보건법」을 만들어 시행했기

⑤ 일자리를 만들고 청년들의 취업을 도왔기

11종 공통

15 무역에 관해 알맞게 말한 어린이는 누구입니까?

(   )

① 석현: 서비스를 사고파는 것은 무역이 아니야.

② 혜영: 다른 나라에 물건을 파는 것을 수입이라고 해.

③ 윤환: 무역을 통해 이전에는 사용할 수 없었던 물건을 사용할 수 있어.

④ 소윤: 나라마다 자연환경은 다르지만 가진 자원은 같기 때문에 무역을 해.

⑤ 성대: 무역을 하면 기업의 생산 비용은 증가하고 경제적 이익은 줄어들어.

11종 공통

16 다음 기사 내용의 □ 안에 들어갈 말로, 우리나라가 다른 나라와 교류하는 것은 어느 것입니까? (   )

○○ 신문	20△△년 △△월 △△일

정부가 몽골과 협약을 체결해 정보 통신 기술을 활용한 □ 수출의 길을 열었다. 한국에서 치료를 받고 귀국한 몽골인 환자들은 원격으로 지속적인 치료를 받을 수 있게 된다. (중략)

① 게임 ② 영화
③ 음악 ④ 의료
⑤ 스포츠

11종 공통

17 우리나라가 다른 나라와 경제적으로 도움을 주고받는 까닭은 어느 것입니까? (   )

① 경제 교류로 이익을 얻기 위해서이다.
② 다른 나라에 의존해야 하기 때문이다.
③ 자원이 풍부한 나라는 없기 때문이다.
④ 우리나라는 좋은 물건이 없기 때문이다.
⑤ 우리나라는 기술력이 부족하기 때문이다.

11종 공통

18 우리나라가 다른 나라와 경쟁하는 모습으로 알맞은 것은 어느 것입니까? (   )

① 우리나라가 외국에서 원유를 수입한다.
② 우리나라 기업이 외국에 빌딩을 짓는다.
③ 우리나라와 칠레가 자유 무역 협정을 맺는다.
④ 외국에서 우리나라 반도체를 사용한 노트북을 만든다.
⑤ 우리나라와 외국에서 만든 휴대 전화가 시장에서 만난다.

11종 공통

19 다음 그림과 같이 한국산 물건에 높은 관세를 매길 때 우리나라가 겪는 어려움은 어느 것입니까? (   )

① 자연환경이 오염된다.
② 가격이 올라 경쟁에서 불리하다.
③ 천연자원 수출에 의존해야 한다.
④ 우리나라의 농산물을 수출할 수 없다.
⑤ 다른 나라의 물건을 더 이상 수입할 수 없다.

11종 공통

2 단원

진도 완료 체크

20 다음 뉴스에 나타난 국제기구가 하는 일로 알맞지 않은 것은 어느 것입니까? (   )

우리나라는 최근 세계 무역 기구에 도움을 요청했습니다.

[출처: 셔터스톡]

① 무역 문제를 공정하게 심판한다.
② 나라 간의 무역 문제를 해결해 준다.
③ 각 나라가 무역 장벽을 높일 수 있도록 돕는다.
④ 다른 나라와 차별을 두는 관세 등을 없애기 위해 노력한다.
⑤ 무역이 쉽게 이루어지지 않았던 분야도 개방할 수 있도록 돕는다.

· 답안 입력하기   · 평가 분석표 받기

2
단원

1 기업이 하는 일로 알맞지 <u>않은</u> 것은 어느 것입니까?
(   )

11종 공통

① 상품을 만들어 판다.
② 물건을 팔아 이윤을 얻는다.
③ 사람들에게 일자리를 제공한다.
④ 생활에 필요한 물건을 구입한다.
⑤ 상품을 많이 팔려고 광고를 한다.

11종 공통

2 가계가 합리적 선택을 해야 하는 까닭으로 가장 알맞은 것은 어느 것입니까? (   )

① 판매량을 늘리기 위해서
② 이윤을 극대화하기 위해서
③ 물건을 비싸게 만들기 위해서
④ 물건의 운반 비용을 줄이기 위해서
⑤ 적은 비용으로 큰 만족감을 얻기 위해서

11종 공통

3 기업이 합리적 선택을 하지 않았을 때 생기는 일은 어느 것입니까? (   )

① 환경을 보호할 수 있다.
② 기업의 이윤이 극대화된다.
③ 다른 기업과의 경쟁에서 밀려 손해를 본다.
④ 물건을 생산하는 데 드는 비용이 줄어든다.
⑤ 소비자들이 좋아하는 물건을 생산할 수 있다.

11종 공통

4 우리나라 경제활동의 자유에 대해 알맞게 말한 어린이는 누구입니까? (   )

① 정빈: 개인의 직업은 나라에서 정해.
② 재영: 개인이 한 번 선택한 직업은 다시 바꿀 수 없어.
③ 다인: 기업이 자유롭게 생산량을 늘리거나 줄이는 것은 불가능해.
④ 연수: 개인은 경제활동으로 얻은 소득을 자유롭게 사용할 수 있어.
⑤ 태형: 기업은 얻은 수입을 어떻게 사용할지 다른 기업들과 의논해.

11종 공통

5 다음 그림과 관련하여 자유롭게 경쟁하는 경제활동이 소비자에게 주는 도움으로 알맞은 것은 어느 것입니까? (   )

① 신기술을 개발할 수 있다.
② 원하는 직업을 얻을 수 있다.
③ 좋은 서비스를 받을 수 있다.
④ 원하는 조건의 물건을 살 수 없다.
⑤ 자신의 능력과 재능을 더 잘 발휘할 수 있다.

[6~7] 다음 인터넷 기사를 보고, 물음에 답하시오.

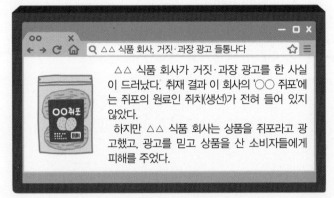

6 위 기사에 나타난 기업의 불공정한 경제활동이 소비자에게 미치는 영향은 어느 것입니까? ( )

① 다른 나라의 물건을 소비할 수 없다.

② 보다 싸고 질 좋은 상품을 구매할 수 있다.

③ 소비자가 자신의 능력을 더욱 발전시킬 수 있다.

④ 상품의 잘못된 정보를 전달하여 피해를 줄 수 있다.

⑤ 소비자가 사고 싶은 물건을 합리적인 가격에 소비할 수 있다.

7 위 기업의 불공정한 경제활동을 해결하기 위한 노력으로 알맞은 것은 어느 것입니까? ( )

① 정부는 기업 앞에서 시위를 벌인다.

② 기업은 공공의 이익보다 기업의 이익을 더 추구한다.

③ 시민 단체는 법을 만들어 불공정한 경제활동을 막는다.

④ 공정 거래 위원회는 기업의 거짓·과장 광고를 규제한다.

⑤ 시민 단체는 공정한 경제활동을 하는 기업을 지원하기 위한 제도를 만든다.

8 6·25 전쟁 이후 우리나라의 상황으로 알맞지 않은 것은 어느 것입니까? ( )

① 설탕 산업이 발전했다.

② 국토 전체가 폐허가 되었다.

③ 다른 나라로부터 원조를 받았다.

④ 다양한 물건을 다른 나라에 활발하게 수출했다.

⑤ 농업 중심의 산업을 공업 중심으로 발전시키기 위해 노력했다.

9 1960년대에 우리나라에서 경공업이 발달한 까닭은 어느 것입니까? ( )

① 자원이 풍부했기 때문에

② 노동력이 풍부했기 때문에

③ 나라에 돈이 많았기 때문에

④ 선진국보다 기술이 뛰어났기 때문에

⑤ 가계의 소득이 증가해 소비가 증가했기 때문에

10 다음 ☐ 안에 공통으로 들어갈 수출품으로 알맞은 것은 어느 것입니까? ( )

> 우리나라는 개인용 컴퓨터와 전자 제품의 핵심 부품인 ☐☐☐을/를 1980년대부터 개발하기 시작하여, 현재는 세계에서 손꼽히는 ☐☐☐ 생산국으로 인정받고 있습니다.

① 가발   ② 밀가루

③ 반도체   ④ 인공지능 로봇

⑤ 첨단 의료 기기

2 단원

11 다음 빈칸에 들어갈 사회 변화의 모습으로 알맞은 것은 어느 것입니까? (   )

사회 모습의 변화

?

옛날의 사회 모습 | 오늘날의 사회 모습

①
흑백텔레비전의 보급

②
스마트폰의 보급

③
공중전화 사용

④
지하철 첫 개통

천재교육, 교학사, 금성출판사, 비상교과서, 비상교육

12 1960년대 이후 공업화로 농촌에 생긴 문제는 어느 것입니까? (   )

① 일손 부족
② 부실 공사
③ 외환 위기
④ 노사 갈등
⑤ 환경 오염

13 빈부 격차 문제를 해결하기 위한 노력으로 알맞은 것은 어느 것입니까? (   )

① 친환경 자동차를 만든다.
② 친환경 에너지를 생산한다.
③ 근로자의 인권을 보호한다.
④ 잘사는 사람에게는 세금을 걷지 않는다.
⑤ 가난한 사람에게 양육비와 학비를 지원한다.

14 나라마다 잘 생산할 수 있는 물건이나 서비스가 다른 까닭이 아닌 것은 어느 것입니까? (   )

① 나라마다 기술이 다르기 때문에
② 나라마다 자원이 다르기 때문에
③ 나라마다 자연환경이 다르기 때문에
④ 나라마다 생산되는 물건이 다르기 때문에
⑤ 나라마다 사용하는 언어가 다르기 때문에

15 다음 그래프에서 우리나라의 무역액 비율이 가장 큰 나라는 어디입니까? (   )

우리나라의 나라별 무역액 비율 (2021년)

기타 34.3 | 중국 34.9 | (단위: %) | 인도 2.4 | 일본 4.7 | 베트남 8.8 | 미국 14.9
수출액 비율

중국 26.3 | 기타 43.6 | (단위: %) | 미국 11.9 | 일본 8.9 | 사우디아라비아 3.9 | 오스트레일리아 5.4
수입액 비율

① 일본
② 중국
③ 인도
④ 베트남
⑤ 오스트레일리아

16 다음 ☐ 안에 들어갈 알맞은 말은 어느 것입니까?
11종 공통
( )

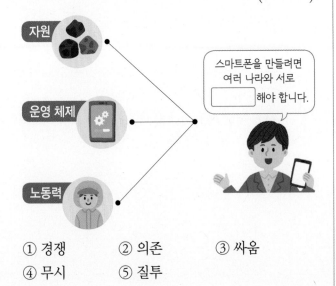

① 경쟁   ② 의존   ③ 싸움
④ 무시   ⑤ 질투

17 다른 나라와의 경제 교류가 우리 생활에 미친 영향으로 볼 수 <u>없는</u> 것은 어느 것입니까? ( )
11종 공통
① 학교에서 수학 공부를 할 수 있다.
② 베트남에서 만든 옷을 입을 수 있다.
③ 태국에 직접 가지 않아도 태국 음식을 먹을 수 있다.
④ 다른 나라에서 만든 만화 영화를 영화관에서 관람할 수 있다.
⑤ 가구점에 외국 기업이 만든 가구와 조명 기구가 전시되어 있다.

18 다음 그림을 통해 알 수 있는 경제 교류로 달라진 개인의 생활은 어느 것입니까? ( )
11종 공통

① 의생활   ② 식생활
③ 주생활   ④ 여가 생활
⑤ 취업 활동

19 다음의 경우에 자기 나라 경제를 보호하기 위해 일어날 수 있는 일은 어느 것입니까? ( )
11종 공통

> 사람들이 값싼 수입 농산물만 먹으면 국가 유지의 기본이 되는 농업이 흔들릴 수 있습니다.

① 우리나라 물건을 사지 않도록 한다.
② 다른 나라 산업을 먼저 보호해 준다.
③ 다른 나라 물건의 수출 가격을 낮춘다.
④ 경쟁력이 낮은 우리나라 물건에 관세를 매긴다.
⑤ 다른 나라 물건의 수입량이나 가격에 제한을 둔다.

20 다음 편지에서 병건이가 방문한 밑줄 친 '이곳'에 해당하는 국제기구는 어디입니까? ( )
11종 공통

소영이에게
안녕? 나는 스위스 제네바에 있는 <u>이곳</u>에 도착했어. 이곳은 가입한 나라들이 자유롭고 공정하게 무역을 할 수 있도록 노력하는 국제기구야.
⋮

① 국제 통화 기금
② 유엔 아동 기금
③ 세계 보건 기구
④ 세계 무역 기구
⑤ 국경 없는 의사회

2 단원
진도 완료 체크

· 답안 입력하기   · 평가 분석표 받기

MEMO

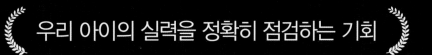
40년의 역사
전국 초·중학생 213만 명의 선택

HME 학력평가
해법수학 · 해법국어

응시 학년	수학 ǀ 초등 1학년 ~ 중학 3학년
	국어 ǀ 초등 1학년 ~ 초등 6학년

응시 횟수	수학 ǀ 연 2회 (6월 / 11월)
	국어 ǀ 연 1회 (11월)

주최 **천재교육** ǀ 주관 **한국학력평가 인증연구소** ǀ 후원 **서울교육대학교**

*응시 날짜는 변동될 수 있으며, 더 자세한 내용은 HME 홈페이지에서 확인 바랍니다.

온라인
학습북

수학 전문 교재

● 연산 학습

빅터연산   예비초~6학년, 총 20권

참의융합 빅터연산   예비초~4학년, 총 16권

● 개념 학습

개념클릭 해법수학   1~6학년, 학기용

● 수준별 수학 전문서

해결의법칙(개념/유형/응용)   1~6학년, 학기용

● 단원평가 대비

수학 단원평가   1~6학년, 학기용

일등전략 초등 수학   1~6학년, 학기용

● 단기완성 학습

초등 수학전략   1~6학년, 학기용

● 상위권 학습

최고수준 S 수학   1~6학년, 학기용

최고수준 수학   1~6학년, 학기용

최강 TOT 수학   1~6학년, 학년용

● 경시대회 대비

해법 수학경시대회 기출문제   1~6학년, 학기용

예비 중등 교재

● 해법 반편성 배치고사 예상문제   6학년

● 해법 신입생 시리즈(수학/명어)   6학년

맞춤형 학교 시험대비 교재

● 열공 전과목 단원평가   1~6학년, 학기용(1학기 2~6년)

한자 교재

● 한자능력검정시험 자격증 한번에 따기   8~3급, 총 9권

● 씽씽 한자 자격시험   8~5급, 총 4권

● 한자 전략   8~5급Ⅱ, 총 12권

배움으로 행복한 내일을 꿈꾸는
천재교육 커뮤니티 안내 . . . .

교재 안내부터 구매까지 한 번에!
천재교육 홈페이지

자사가 발행하는 참고서, 교과서에 대한 소개는 물론
도서 구매도 할 수 있습니다. 회원에게 지급되는 별을 모아
다양한 상품 응모에도 도전해 보세요!

다양한 교육 꿀팁에 깜짝 이벤트는 덤!
천재교육 인스타그램

천재교육의 새롭고 중요한 소식을 가장 먼저 접하고 싶다면?
천재교육 인스타그램 팔로우가 필수!
깜짝 이벤트도 수시로 진행되니 놓치지 마세요!

수업이 편리해지는
천재교육 ACA 사이트

오직 선생님만을 위한, 천재교육 모든 교재에 대한 정보가 담긴
아카 사이트에서는 다양한 수업자료 및 부가 자료는 물론
시험 출제에 필요한 문제도 다운로드하실 수 있습니다.

https://aca.chunjae.co.kr

천재교육을 사랑하는 샘들의 모임
천사샘

학원 강사, 공부방 선생님이시라면 누구나 가입할 수 있는 천사샘!
교재 개발 및 평가를 통해 교재 검토진으로 참여할 수 있는 기회는 물론
다양한 교사용 교재 증정 이벤트가 선생님을 기다립니다.

아이와 함께 성장하는 학부모들의 모임공간
튠맘 학습연구소

튠맘 학습연구소는 초·중등 학부모를 대상으로 다양한 이벤트와 함께
교재 리뷰 및 학습 정보를 제공하는 네이버 카페입니다.
초등학생, 중학생 자녀를 둔 학부모님이라면 튠맘 학습연구소로 오세요!

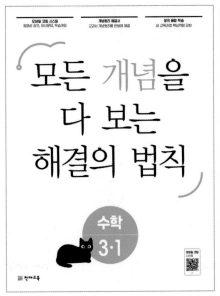

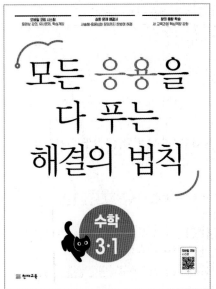

홈스쿨링
우등생

정답은 정확하게
풀이는 자세하게

꼼꼼
풀이집

초등 사회 **6·1**

꼼꼼 풀이집
포인트 3가지

▶ **더 알아보기, 왜 틀렸을까** 등과 함께 친절한 해설 제공

▶ **단계별 배점과 채점 기준**을 제시하여 서술형 문항 완벽 대비

▶ 온라인 학습북 〈단원평가〉에 정답과 함께 **문항 분석표** 제시

꼼꼼 풀이집

정답과 풀이

6-1

1. 우리나라의 정치 발전

① 민주주의의 발전과 시민 참여

개념 다지기 11쪽

1 ③ **2** 4·19 혁명 **3** ③, ④
4 지민 **5** ⑤ **6** ㉠

1 독재 정치를 이어 가려던 이승만 정부는 1960년 3월 15일 정부통령 선거를 앞두고 부정 선거를 계획했고, 결국 선거에서 이겼습니다.

> **왜 틀렸을까?**
> ① 노태우는 1988년부터 1993년까지 재임한 제13대 대통령입니다.
> ② 박정희는 1963년부터 1979년까지 재임한 제5~9대 대통령입니다.
> ④ 전두환은 1980년부터 1988년까지 재임한 제11~12대 대통령입니다.
> ⑤ 김주열은 1960년 마산 앞바다에서 죽은 채로 발견된 고등학생입니다.

2 1960년 4월 19일에 전국의 주요 도시에서 민주주의를 바로 세우고 이승만 독재를 끝내고자 시민들은 대규모 시위를 벌였습니다.

3 4·19 혁명 당시 이승만 정부는 시위를 폭력적으로 진압했고, 이 과정에서 많은 시민과 학생이 희생되었습니다.

> **왜 틀렸을까?**
> ① 경찰의 무리한 진압으로 시위 중에 많은 시민들이 죽거나 다쳤습니다.
> ② 전국에서 시위가 일어났습니다.
> ⑤ 3·15 부정 선거는 무효가 되었습니다.

4 4·19 혁명 이후 새로운 정부가 들어선 지 1년도 되지 않아 박정희는 군인들을 동원해 정권을 잡았습니다.

5 1980년 5월에 광주에서 대규모 시위가 있었고, 계엄군이 이를 진압하는 과정에서 많은 시민이 다치거나 죽었습니다.

6 5·18 민주화 운동은 부당한 정권에 맞서 민주주의를 지키려는 시민들의 의지를 보여 주었습니다.

> **왜 틀렸을까?**
> ㉡ 1987년에 6월 민주 항쟁이 일어났습니다.
> ㉢ 5·18 민주화 운동 이후에 전두환이 간선제로 대통령이 되었습니다.

개념 다지기 15쪽

1 ④ **2** ⑤ **3** 6·29 **4** 재희 **5** ②
6 ㉢

1 전두환 정부는 정부를 비판하는 내용은 내보내지 않고 정부에 유리한 내용만 전하도록 신문과 방송을 통제하여 국민의 알 권리를 침해했습니다.

> **더 알아보기**
> **알 권리**
> 국민 개개인이 정치적·사회적 현실이나 국가가 시행하고 관리하는 정책에 관한 정보 따위를 자유롭게 알 수 있는 권리입니다.

2 1987년 6월, 시민들과 학생들은 전국 각지에서 전두환 정부의 독재에 반대하고 대통령 직선제를 요구하는 대규모 시위를 전개했습니다.

3 6월 민주 항쟁의 결과 노태우는 대통령 직선제 개헌을 주요 내용으로 하는 6·29 민주화 선언을 발표했습니다.

> **더 알아보기**
> **6·29 민주화 선언에 담긴 내용**
>
>
>
> 대통령은 국민의 손으로 직접 뽑습니다.
> 언론의 자유를 보장합니다.
> 지역의 일은 지역 사람들이 결정하고 해결합니다.

4 6월 민주 항쟁 이후 1987년에 치러진 대통령 선거는 국민들이 대통령을 직접 뽑는 대통령 직선제로 시행되었습니다.

[출처: 연합뉴스]
1987년 제13대 대통령 선거 당일 ▶ 투표소 앞에 줄을 서 있는 시민들

5 정치 제도의 민주화가 이루어지면서 시민의 인권 의식이 확산되고 다양한 시민운동이 본격적으로 전개되었습니다.

6 오늘날 시민들은 옛날보다 더욱 다양한 방법으로 사회 문제 해결에 참여하고 있습니다.

> **왜 틀렸을까?**
> ㉠ 주로 대규모 시위를 통해 정치에 참여한 것은 6월 민주 항쟁 이전에 볼 수 있었던 모습입니다.
> ㉡ 옛날보다 오늘날 정치에 참여할 수 있는 방법이 다양해졌습니다.

단원 실력 쌓기

16~19쪽

Step 1

1 이승만 　2 정변 　3 광주 　4 직선제
5 지방 자치제 　6 ⑤ 　7 ①, ④
8 ⑤ 　9 ⑤ 　10 세영 　11 헌법
12 ② 　13 ㉠ 　14 ④

Step 2

15 (1) ㉢ (2) 부정
16 (1) 박정희의 사망 (2) 예 대통령 직선제를 간선제로 바꾼다.
17 (1) 예 정당, 시민 단체
(2) 예 정치 참여의 방법이 다양해졌다.

> 15 (1) 독재
> 　(2) 이겼습니다
> 16 (1) 박정희
> 　(2) 대통령
> 17 (1) 정당
> 　(2) 여러

Step 3

18 ㉠ 　19 ㉡ 　20 예 민주주의를 지키려는 시민들의 의지를 보여 주었다. 시민의 참여로 민주주의가 발전했다.

1 우리나라의 첫 번째 대통령이었던 이승만은 무리하게 헌법을 바꾸며 독재 정치를 이어 나갔습니다.

2 4·19 혁명 이후 사람들은 민주적인 사회를 기대했으나 일부 군인이 정변을 일으켰습니다.

3 1980년 5월, 전라남도 광주에서 민주화를 요구하는 대규모 시위가 일어났습니다.

4 전두환 정부의 독재에 반대하고 대통령 직선제를 요구하며 6월 민주 항쟁이 일어났습니다.

5 6월 민주 항쟁 이후 지방 자치제가 다시 시행되었습니다.

6 1960년 3월 15일에 치른 정부통령 선거에서는 여러 명이 조를 짜서 동시에 투표하거나 투표 내용을 조장에게 알려 달라고 하는 등 비밀 선거의 원칙이 지켜지지 않았습니다.

> **더 알아보기**
> **3·15 부정 선거의 방법**
> • 전체 유권자의 약 40%에 해당하는 표가 선거 전에 미리 투표함에 있었습니다.
> • 투표한 용지를 불에 태워 없애거나 조작된 투표지를 넣어 투표함을 바꾸기도 했습니다.
> • 유권자들에게 돈이나 물건을 주며 이승만 정부에 투표하게 했습니다.

7 마산 시위 도중 실종된 고등학생 김주열이 마산 앞바다에서 죽은 채로 발견되자 시민들과 학생들의 시위는 빠르게 확산됐습니다.

8 박정희 사망 이후 전두환을 중심으로 한 군인들이 다시 정변을 일으켰습니다. 이에 많은 학생과 시민들은 민주화를 요구하며 전국에서 시위를 벌였습니다.

> **더 알아보기**
> **계엄군과 시민군**
>
>
> △ 계엄군 　△ 시민군
>
> 계엄군이 총을 쏘는 등 폭력으로 시위를 진압하자, 시민들은 가족의 안전, 시민들의 자유와 민주주의를 지키기 위해 시민군을 조직해 계엄군에 맞섰습니다.

9 계엄군은 전쟁이나 내란 등 국가의 비상사태가 일어났을 때 전국 또는 일부 지역의 계엄 임무를 맡은 군대이고, 시민군은 시민들이 스스로 조직한 군대입니다.

10 정부는 신문과 방송을 통제하여 국민들이 광주에서 일어나는 일을 알지 못하도록 하였고, 광주에 사람들이 오고 가는 것을 막았습니다.

11 대학생 박종철이 경찰에 강제로 끌려가 고문을 받다가 사망했는데, 정부는 이 사실을 숨기려고 했으나 곧 거짓말이 드러났습니다.

> **더 알아보기**
> **박종철**
>
>
> △ 고문을 받다 죽은 박종철을 추모하는 학생들
>
> 1987년 1월 14일 서울대학교 언어학과 학생 박종철은 치안 본부 남영동 대공분실에 연행되어 고문을 받다가 결국 사망했습니다. 치안 본부장은 "책상을 탁 하고 치니 '억'하고 죽었다."라고 발표했으나 부검했던 의사의 소신 있는 의견 표명으로 고문 끝에 숨진 것이 확인되었습니다.

12 1987년 6월, 시민들은 전두환 정부의 독재에 반대하고 민주주의를 바로 세우기 위해 전국에서 시위를 벌였습니다.

13 시민운동이 성장하여 장애인의 이동할 권리를 요구하는 시위가 일어나는 등 사회적 약자의 권리를 보장하려는 노력이 이어지고 있습니다.

> **왜 틀렸을까?**
> ㉡ 정치 분야의 시민 단체 활동입니다.
> ㉢ 환경 분야의 시민 단체 활동입니다.

14 1인 시위는 현수막, 어깨띠 등을 두르고 혼자 하는 시위를 말합니다.

15 학생과 시민들은 3·15 부정 선거에 항의해 거리로 나와 시위를 벌였습니다.

> **왜 틀렸을까?**
> 4·19 혁명은 ㉡, ㉠, ㉣, ㉢의 순으로 일어났습니다.

16 유신 헌법에 따라 대통령을 간선제로 뽑았으며, 대통령을 여러 번 할 수 있었습니다.

채점 기준		
(1)	'박정희의 사망'에 ○표를 함.	
(2)	**정답 키워드** 간선제 | 여러 번 '대통령 직선제를 간선제로 바꾼다.', '대통령을 여러 번 할 수 있다.' 등의 내용을 정확히 씀.	상
	유신 헌법의 내용을 썼지만 표현이 부족함.	중

> **왜 틀렸을까?**
> 4·19 혁명은 1960년에 일어난 일이고, 이승만은 1948년부터 1960년까지 대통령을 지냈습니다.

17 오늘날 시민들은 다양한 방법으로 사회 공동의 문제 해결에 참여하고 있습니다.

채점 기준		
(1)	'정당', '시민 단체' 등을 정확히 씀.	
(2)	**정답 키워드** 다양 | 민주적 '정치 참여의 방법이 다양해졌다.', '옛날보다 평화적이고 민주적인 방법으로 참여하고 있다.' 등의 내용을 정확히 씀.	상
	옛날과 달라진 오늘날 정치 참여 방법의 특징을 썼지만 표현이 부족함.	중

18 독재 정치를 이어 가려던 이승만 정부는 1960년 3월 15일 정부통령 선거를 앞두고 부정 선거를 계획했고, 결국 선거에서 이겼습니다.

> **왜 틀렸을까?**
> ㉠은 1960년에 일어난 3·15 부정 선거입니다.
> ㉡은 1987년에 일어난 6월 민주 항쟁입니다.
> ㉢은 1960년에 일어난 4·19 혁명입니다.
> ㉣은 1980년에 일어난 5·18 민주화 운동입니다.

19 6월 민주 항쟁의 결과 6·29 민주화 선언이 발표되었고, 그에 따라 시민들은 그동안 제한되었던 자유와 정치 참여의 권리를 되찾았습니다.

20 민주주의의 발전 과정을 살펴보면 시민의 정치 참여로 민주주의가 발전한다는 것을 알 수 있습니다.

❷ 일상생활과 민주주의

> **개념 다지기**   23쪽
> **1** 정치   **2** 지성   **3** ⑤   **4** ㉠, ㉣, ㉺
> **5** 평등   **6** ②

1 학교나 지역에서 발생한 공동의 문제를 해결하는 것, 구성원 간의 다툼을 해결하는 것 등이 정치에 해당합니다.

2 다른 사람들과 함께 살다 보면 서로의 생각이나 입장이 달라서 갈등이나 문제가 나타날 수 있는데, 이를 해결하는 과정을 정치라고 합니다.

> **왜 틀렸을까?**
> 옛날에는 신분이 높은 사람들만 정치에 참여할 수 있었으나, 오늘날 우리나라에서는 누구나 정치에 참여할 수 있습니다.

3 일상생활에서 발생하는 여러 문제를 민주적으로 해결하는 것도 민주주의입니다.

4 민주주의는 모두가 공동체의 구성원으로서 인간의 존엄성, 자유, 평등을 누릴 수 있는 바탕이라는 점에서 매우 중요합니다.

5 평등은 모든 사람이 성별, 재산, 종교 등을 이유로 차별받지 않고 동등하게 대우받는 것입니다.

> **더 알아보기**
> **선거의 원칙**
> 민주주의 국가에서는 공정한 선거를 위해 보통 선거, 평등 선거, 직접 선거, 비밀 선거의 원칙에 따라 투표가 이루어지고 있습니다. 제시된 그림은 평등 선거의 원칙을 나타내고 있습니다.

6 제시된 어린이는 관용, 양보와 타협 등의 자세를 지니지 않고 자기 의견만 일방적으로 고집하고 있습니다.

> **개념 다지기**   27쪽
> **1** ①   **2** ㉠   **3** ②   **4** 단율   **5** ①

1 △△시에 쓰레기 매립장을 건설하려고 하여 주민들의 반대가 심했으나 주민 회의를 통해 해결 방안을 찾았습니다.

2 쓰레기 매립장 건설 문제와 관련하여 시장과 시 의원이 제시한 해결 방안에 주민들도 동의했습니다.

3 다수결의 원칙은 많은 사람이 원하는 방향으로 결정하는 것이 합리적이라고 가정하는 방식입니다.

4 다수결의 원칙을 따르면 많은 사람의 의견을 수렴하여 쉽고 빠르게 문제를 해결할 수 있지만, 많은 사람이 찬성한 의견에 따르다가 잘못된 결과가 나타날 수 있습니다.

> **왜 틀렸을까?**
> 다수결의 원칙을 따르는 것이 항상 최선의 선택은 아니며, 다수결의 원칙의 장점은 쉽고 빠르게 결정할 수 있다는 것입니다.

5 우리는 공동의 문제에 관심을 가지고, 민주적인 방법에 따라 문제 해결에 참여해야 합니다.

> **왜 틀렸을까?**
> ① 문제 확인하기, ⑤ 문제 발생 원인 파악하기, ③ 문제 해결 방안 탐색하기, ④ 문제 해결 방안 결정하기, ② 문제 해결 방안 실천하기의 순으로 문제를 해결합니다.

단원 실력 쌓기 　　　　　**28~31**쪽

Step ①
1 정치　　**2** 민주주의　**3** 평등　　**4** 주민회의
5 다수결의 원칙　　　**6** ①, ④　**7** ㉡　　**8** ④
9 (1) ㉡ (2) ㉠　　　**10** ④　　**11** ③　　**12** ④
13 ②　　**14** ㉡

Step ②
15 (1) 정치 (2) 해결
16 (1) 자유, 평등 (2) 예 모든 국민이 나라의 주인으로서, 자유롭고 평등하게 정치에 참여하는 제도이다.
17 (1) 서진 (2) 예 다수결의 원칙에 따라 결정된 것도 틀릴 수 있어.

> **15** (1) 예 나라
> 　　(2) 예 갈등
> **16** (1) 한
> 　　(2) 국민
> **17** (1) 다수결
> 　　(2) 은 아닙니다

Step ③
18 예 현준, 민우, 소현, 민아, 도현, 현지　　**19** 재은, 선우
20 예 나와 다른 의견을 존중한다. 다른 사람의 의견에서 잘못된 점은 없는지 살펴본다.

1 정치에는 사람들이 선거에 참여하는 것, 대통령이 나라를 운영하는 것도 포함됩니다.

2 민주주의는 국민이 나라의 주인으로서 권리를 지니고, 그 권리를 자유롭고 평등하게 행사하는 정치 형태입니다.

3 민주주의의 목적은 국민의 자유와 평등을 보장해서 인간의 존엄성을 실현하는 것입니다.

4 주민 회의는 지역의 주민들이 직접 지역의 일에 대해 상의하고 결정하는 회의를 말합니다.

5 대화와 토론을 충분히 했지만 의견을 모으기 어려울 때 다수결의 원칙을 따르기도 합니다.

6 학교나 지역에서 발생한 공동의 문제를 해결하는 것, 구성원 간의 다툼을 해결하는 것 등이 모두 정치입니다.

> **왜 틀렸을까?**
> ② 어린이들도 일상생활에서 정치에 참여할 수 있습니다.
> ③ 학교나 학급에서도 공동의 문제를 정치를 통해 해결합니다.
> ⑤ 오늘날에는 직업이나 재산, 성별 등에 관계없이 누구나 정치에 참여할 수 있습니다.

7 가정, 학교, 지역 사회에서 중요한 일을 결정할 때 직접 참여하는 것도 민주주의의 모습입니다.

> **왜 틀렸을까?**
> 학교의 문제를 교사, 학생, 학부모가 함께 대화와 토론을 통해 해결하려는 모습입니다.

8 민주주의 사회에서 구성원 모두가 공동체의 중요한 일을 의논하고 결정하는 데 참여하는 과정을 통해 구성원들이 지닌 인간으로서의 존엄성과 자유, 평등을 보장할 수 있습니다.

9 민주주의의 기본 정신인 자유와 평등은 조화와 균형을 이루어야 합니다.

> **더 알아보기**
> **민주주의의 기본 정신 중 자유와 평등**
> • 자유는 자신의 바람과 의지에 따라 결정하고 행동하는 것입니다.
> • 평등은 모든 사람이 성별, 재산, 종교 등을 이유로 차별받지 않고 동등하게 대우받는 것입니다.

10 공동체 문제를 해결할 때 나와 다른 의견을 인정하고 포용하는 관용의 자세, 상대방을 배려하는 마음으로 서로 양보하고 타협하는 자세 등을 지녀야 합니다.

11 일상생활에서 부딪히는 다양한 문제와 갈등을 해결하려면 대화와 토론을 바탕으로 하여 의견이 옳으냐 그르냐를 따져 보는 비판적 태도가 필요합니다.

> **왜 틀렸을까?**
> ① 아영이는 관용의 자세를 지녔습니다.

12 시민들은 공청회를 통해 정치 참여를 할 수 있습니다.

13 다수결의 원칙은 선거를 통해 대표를 뽑을 때, 학급이나 학교 같은 공동체에서 중요한 의사 결정을 해야 할 때 사용할 수 있습니다.

14 문제 해결 방안을 탐색할 때에는 장점과 단점을 모두 생각해 보고, 결정된 해결 방안을 잘 실천합니다.

15 학교나 지역에서 발생한 공동의 문제를 해결하는 과정은 정치입니다.

16 민주주의는 누구나 참여할 수 있는 정치 제도이기 때문에 자유와 평등이 어울리는 낱말입니다.

채점 기준		
(1)	'자유', '평등'이라고 정확히 씀.	
(2)	**정답 키워드** 주인 | 자유 | 평등 '모든 국민이 나라의 주인으로서, 자유롭고 평등하게 정치에 참여하는 제도이다.' 등의 내용을 정확히 씀.	상
	민주주의의 의미를 썼지만 표현이 부족함.	중

17 다수결의 원칙에서 많은 사람이 찬성한 의견에 따르다가 잘못된 결과가 나타날 수도 있습니다.

채점 기준		
(1)	'서진'이라고 정확히 씀.	
(2)	**정답 키워드** 다수결 | 틀릴 수 있다. '다수결의 원칙에 따라 결정된 것도 틀릴 수 있어.' 등의 내용을 정확히 씀.	상
	서진이의 말을 고쳐 썼지만 표현이 부족함.	중

18 학급 회의를 할 때 다른 의견을 존중하고, 비판적으로 보는 태도를 가지고 참여해야 합니다.

19 재은이는 자기 의견만을 고집하고 있고, 선우는 공동체의 일에 관심이 없어서 고민하지 않고 다른 친구의 의견만 따르려고 합니다.

20 생활 속에서 민주주의를 실천하기 위해서는 양보와 타협, 관용, 비판적 태도 등을 지녀야 합니다.

❸ 민주정치의 원리와 국가기관의 역할

> **개념 다지기** 35쪽
>
> **1** 민서 **2** ⑤ **3** ⓒ **4** ⑤ **5** ⑤
> **6** (1) ○

1 국민 주권의 원리는 국민이 한 나라의 주인으로서 나라의 중요한 일을 스스로 결정할 수 있다는 것입니다.

> **왜 틀렸을까?**
> 지후: 우리나라 헌법에는 국민 주권의 원리에 대해 나와 있습니다.
> 대영: 국민의 자유와 권리를 보장해야 국민 주권의 원리가 실현될 수 있습니다.

2 우리는 국민 주권의 원리를 실현하기 위해 선거에 적극적으로 참여해야 합니다.

3 권력 분립의 원리는 국가 권력을 여러 국가기관이 나누어 맡아 서로 견제하고 균형을 이루게 하는 원리입니다.

4 국회의원은 국민의 대표이자 국회를 이루는 구성원으로, 국민의 선거에 의하여 선출됩니다. 국회의원은 만 18세 이상의 대한민국 국민이어야 하고, 4년마다 선거를 통해 선출됩니다.

5 국회의원들은 국회 의사당에서 일하며 여러 가지 중요한 일을 의논하고 결정합니다.

> **더 알아보기**
> **국회 의사당**
> • 국회 의사당의 둥근 돔 지붕은 대화를 거쳐 국민의 다양한 의견을 하나로 모아 가는 민주정치의 모습을 상징적으로 담고 있습니다.
> • 국회 정문에 들어서면 해태 조각상이 국회 의사당을 호위하듯 좌우에 하나씩 있는데, 해태는 악한 것을 물리치고 바른 것을 세운다는 상상 속 동물로, 국회에서 이루어져야 할 바른 정치를 나타냅니다.
> • 국회 의사당에는 모두 24개의 화강암 기둥이 세워져 있고, 본회의장 천장에는 365개의 전등이 달려 있습니다. 이것은 국회가 24절기, 365일, 24시간 내내 국민과 나라를 위해 열심히 일하라는 뜻을 나타냅니다.  국회 의사당 본회의장 ▶

6 국회는 나랏일을 하는 공무원에게 궁금한 점을 질문하고 잘못한 일이 있다면 바로잡도록 요구하는 국정감사를 합니다.

> **왜 틀렸을까?**
> (2) 법에 따라 나라의 살림을 맡아 하는 것은 정부입니다.
> (3) 법을 지키지 않는 사람을 법에 따라 처벌하는 것은 법원입니다.

개념 다지기 — 39쪽

1 ③　　2 ③　　3 ③　　4 공정한

5 ㉠, ㉢, ㉣　　6 원희

1 정부는 국회에서 만든 법에 따라 나라의 살림살이를
맡아 하는 곳입니다.

> **왜 틀렸을까?**
> ③ 국회는 정부를 견제하기 위해 국정감사를 합니다.

2 대통령은 외국에 대하여 국가를 대표하는 국가의 원수
로, 행정부의 실질적인 권한을 갖고 있습니다.

> **왜 틀렸을까?**
> ④ 국회의원은 국회에서 일합니다.

3 법원은 재판을 통해 법을 어긴 사람을 처벌하여 사회질
서를 유지하는 역할을 합니다.

> **더 알아보기**
> 재판에 참여한 사람들
>
>
>
> **판사**
> 재판을 진행하고 법에 따라 판결을 하는 사람
>
> **검사**
> 사건을 조사하고, 피고인이 범죄를 저질렀는지 판단하고자 법원에 심판을 요구하는 사람
>
> **피고인**
> 범죄를 저지른 것으로 의심되어 재판을 받는 사람

4 재판은 국민의 자유와 권리를 보장하기 위해 공정하게
이루어져야 합니다.

> **더 알아보기**
> 3심 제도
> • 공정한 재판을 통해 억울한 사람이 생기지 않도록 하기 위해
> 있는 제도입니다.
> • 제1심 법원의 판결에 불만이 있다면 제2심 법원에 항소를 할
> 수 있고, 제2심 법원의 판결에 중요한 법률적 다툼이 있는 경
> 우에는 제3심 법원에 상고하여 판단을 받아 볼 수 있습니다.

5 우리나라는 권력 분립의 원리에 따라 국가 권력을 국
회, 정부, 법원이 나누어 맡도록 하고 있습니다.

6 삼권 분립은 국가기관이 서로 견제하고 균형을 이루게
하기 위한 제도입니다.

> **왜 틀렸을까?**
> 지수: 우리나라의 주요 국가기관으로는 국회, 정부, 법원 등이 있
> 습니다.
> 나경: 국가기관들은 각 국가기관이 하는 일을 알고 견제합니다.

단원 실력 쌓기 — 40~43쪽

Step 1

1 국민 주권　　2 국회　　3 국무총리　　4 법

5 분립　　6 ㉢　　7 ②　　8 ㉢

9 ㉡　　10 ⑤　　11 ⑤　　12 ②, ④

13 ㉡　　14 ③

Step 2

15 선거

16 (1) 국회의원　(2) ⑩ 어린이들이
더 안전한 제품을 사용할 수 있게
된다. 물건을 살 때 어린이 제품이
라면 믿고 살 수 있게 된다.

17 (1) 정부　(2) ⑩ 나라를 지키는
것과 관련된 일을 한다.

15 주권
16 (1) 국회
　(2) 법
17 (1) 장관
　(2) 국방

Step 3

18 법원　　19 법　　20 ⑩ 국가 권력이 한 기관에
집중되지 않도록 서로 견제하고 균형을 이루게 하여 국민의
자유와 권리를 지키기 위해서이다.

1 우리나라 헌법을 보면 대한민국의 주권은 국민에게 있
다고 나와 있습니다.

2 국회는 국민의 대표인 국회의원들로 구성된 국민의 대
표 기관입니다.

3 국무총리는 대통령을 도와 정부의 각 부를 관리하는 등
나랏일을 합니다.

4 법관은 헌법과 법률에 의하여 양심에 따라 심판해야 합
니다.

5 국회, 정부, 법원이 국가 권력을 나누어서 맡고, 서로
견제할 수 있게 하는 것이 삼권 분립입니다.

6 입법권과 사법권에 대한 헌법 조항은 권력 분립의 원리
와 관련 있습니다.

7 국민은 선거에 참여하고, 정책을 제안하거나 정치적
의견을 나타냄으로써 국민 주권의 원리를 실현할 수 있
습니다.

8 둥근 모양의 지붕은 국민의 다양한 의견을 하나로 모으
겠다는 의미이고, 24개의 기둥은 24시간 내내 국민의
뜻을 살피겠다는 의미입니다.

9 어린이 보호 구역 내 교통사고가 급증하여 교통 안전시
설에 대한 요구가 커질 때 국회의원이 관련 법률안을
발의하여 법을 만들 수 있습니다.

더 알아보기

법이 만들어지는 과정

1 어린이 보호 구역 내 교통사고 급증: 유치원과 학교 주변 어린이 보호 구역 내에서 교통사고가 끊임없이 발생하고 있습니다. 교통사고를 줄일 수 있도록 어린이 보호 구역 내 안전 표지, 과속 방지 시설 등을 의무적으로 설치하는 법안이 마련되어야 합니다.

2 국회의원의 관련 법률안 발의: ○○○ 의원이 「어린이 보호 구역 내 교통 안전시설 설치 의무화 법안」을 발의하여 법이 만들어졌습니다.

3 어린이 보호 구역 내 교통 안전시설 설치: 법이 만들어진 후 어린이 보호 구역 내에 속도 제한용 안전표지, 무인 교통 단속용 장비, 과속 방지 시설 등이 의무적으로 설치되었습니다.

10 국무 회의에는 대통령과 국무총리, 정부의 각부 장관이 참석하여 정부의 중요한 일을 심의합니다.

국무 회의
- 행정부의 주요 정책을 심의하는 최고의 심의 기관입니다.
- 대통령과 국무총리, 국무 위원으로 구성됩니다.

11 기획 재정부 아래에는 국세청, 관세청, 조달청, 통계청 등이 있습니다. 국세청은 세금의 부과·감면 및 징수에 관한 사무를 맡아보고, 통계청은 인구 조사 및 각종 통계에 관한 사무를 맡아봅니다.

12 우리나라에서는 법을 적용하여 판단하는 일을 법원에서 담당하고 있습니다.

왜 틀렸을까?
①, ⑤ 국회가 하는 일, ③ 정부가 하는 일입니다.

13 법을 지키지 않으면 재판을 통해 처벌받기 때문에 유해 성분이 들어가지 않은 제품을 만드는 회사가 늘어나서 더 안전하게 생활할 수 있을 것입니다.

왜 틀렸을까?
㉠ 재판을 공개하여 방청석에 사람들이 앉아 있습니다.
㉢ 유해 제품을 만든 ○○ 회사는 재판을 통해 처벌을 받게 되었습니다.

14 정부를 이끄는 대통령이 국회에서 통과시킨 법률안을 거부할 수 있습니다.

왜 틀렸을까?
① 대통령이 하는 일입니다.
② 국회가 정부를 견제하는 모습입니다.
④ 국회가 법원을 견제하는 모습입니다.
⑤ 법원이 국회를 견제하는 모습입니다.

15 국민은 선거에 적극적으로 참여하면서 국민 주권의 원리를 실현할 수 있습니다.

16 「어린이 제품 안전 특별법」이 만들어져서 어린이들이 장난감을 걱정 없이 가지고 놀 수 있게 될 것입니다.

채점 기준

(1)	'국회의원'이라고 정확히 씀.	
(2)	**정답 키워드** 어린이 | 안전 '어린이들이 더 안전한 제품을 사용할 수 있게 된다.', '물건을 살 때 어린이 제품이라면 믿고 살 수 있게 된다.' 등의 내용을 정확히 씀.	상
	「어린이 제품 안전 특별법」을 만들었을 때 미치는 영향을 썼지만 표현이 부족함.	중

「어린이 제품 안전 특별법」이 만들어지기 전
- 위험한 물건인 줄 모르고 사용해서 다친 어린이가 있었을 것 같습니다.
- 어린이가 사용하는 제품에 독성이 강한 물질을 사용해서 만들었을 것 같습니다.

17 행정 각부는 하는 일에 따라 여러 개의 부, 처, 청, 그리고 위원회 등으로 구성됩니다. 행정 각부는 나라의 행정을 나누어 맡아서 국민이 안전하고 편리한 생활을 할 수 있도록 합니다.

채점 기준

(1)	'정부'에 ○표를 함.	
(2)	**정답 키워드** 나라 | 지키다. '나라를 지키는 것과 관련된 일을 한다.' 등의 내용을 정확히 씀.	상
	국방부에서 하는 일을 썼지만 표현이 부족함.	중

행정 각부의 역할
- 통일부: 통일 및 남북 대화, 교류 등을 위해 노력하며, 북한 이탈 주민이 우리 사회에 정착할 수 있도록 도움을 줍니다.
- 문화 체육 관광부: 국민이 즐길 수 있는 문화 정책을 만듭니다.
- 농림 축산 식품부: 농산물·축산물 등의 식량이 부족하거나 남지 않도록 관리하고, 먹거리의 안전을 감독합니다.
- 국토 교통부: 국토를 발전시키고, 대중교통을 만드는 일을 합니다.
- 해양 수산부: 해양의 개발·이용·보존에 관한 업무를 담당합니다.

18 우리나라에서는 법을 적용하여 판단하는 일을 법원에서 담당하고 있습니다.

19 법은 민주주의 국가에서 문제를 해결하는 기준이 되는 사회 규범입니다. 법원에서 하는 재판은 법적으로 문제가 되는 사건에 대해 법에 따라 판단하는 일입니다.

20 권력 분립은 국가기관이 권력을 나누어 맡도록 하는 것입니다.

대단원 평가 44~47쪽

1 ③, ④　　**2** ⑴ 박정희 ⑵ 예 많은 학생과 시민들이 민주화를 요구하며 전국에서 시위를 벌였다.　　**3** ⑤
4 ①　　**5** 박종철　　**6** ⑴ 예 대통령 직선제 내용이 포함되도록 헌법을 바꿀 것을 요구했다. ⑵ 6·29 민주화 선언
7 ④　　**8** ②　　**9** ④　　**10** ③　　**11** ⓒ
12 소민　　**13** ①, ④　　**14** ⑴ 국민 주권의 원리 ⑵ 예 국민은 선거를 통해 원하는 후보자에게 투표하여 자신의 뜻을 전한다.　　**15** ②　　**16** ⑤　　**17** 미린　　**18** ⑤
19 ⑤　　**20** ①

1 1960년 4월 19일, 주요 도시에서 부정 선거로 망가진 민주주의를 바로 세우고, 이승만 정부의 독재를 끝내고자 시민들이 대규모 시위를 벌였습니다.

2 1979년 12월, 전두환이 중심이 된 새로운 군인 세력이 또 군사 정변을 일으켜 권력을 장악했고, 이에 시민들은 민주화를 요구하며 대규모 시위를 일으켰습니다.

채점 기준

⑴	'박정희'라고 정확히 씀.	4점
⑵	**정답 키워드** 민주화 | 시위 '많은 학생과 시민들이 민주화를 요구하며 전국에서 시위를 벌였다.' 등의 내용을 정확히 씀.	6점
	신군부가 권력을 잡은 후 시민들이 한 일을 썼지만 표현이 부족함.	3점

3 1980년 5월, 전라남도 광주에서 계엄 해제와 민주주의 회복을 요구하는 대규모 시위가 일어나자 군인 세력은 계엄군을 투입하여 시위를 폭력으로 진압했습니다.

4 5·18 민주화 운동 기간 동안 시민들은 스스로 광주 시내의 질서를 지키려고 힘썼습니다.

5 정부가 박종철의 죽음을 숨겼다는 것이 드러나자 분노한 학생들과 시민들이 대통령 직선제의 내용이 포함되도록 헌법을 바꿀 것을 요구하며 시위했습니다.

6 시위에 참여한 이한열이 경찰이 쏜 최루탄에 맞아 쓰러졌고 이에 분노한 시민과 학생들은 1987년 6월에 전국에서 시위를 벌였습니다.

채점 기준

⑴	**정답 키워드** 직선제 | 헌법 '대통령 직선제 내용이 포함되도록 헌법을 바꿀 것을 요구했다.' 등의 내용을 정확히 씀.	6점
	6월 민주 항쟁에서 시민들이 요구한 내용을 썼지만 표현이 부족함.	3점
⑵	'6·29 민주화 선언'이라고 정확히 씀.	4점

7 오늘날 정보 통신 기술이 발달하면서 시민들은 국가기관의 누리집에 의견을 내거나, 누리 소통망 서비스(SNS)를 활용해 여러 사회 문제에 관한 의견을 제시하고 있습니다.

8 함께 해결해야 하는 공동의 문제를 원만하게 해결해 가는 과정을 정치라고 합니다.

9 오늘날 민주주의는 정치 형태를 넘어 일상생활에서도 실현되고 있습니다.

10 평등은 모든 사람이 성별, 인종, 재산, 신분 등에 의해 부당하게 차별받지 않고 동등하게 대우받는 것을 말합니다.

11 생활 속에서 민주주의를 실천하기 위해 지녀야 할 태도로는 양보와 타협, 관용, 비판적 태도 등이 있습니다.

12 민주적 의사 결정의 원리에 따라 주민 회의를 열어서 양보와 타협을 통해 문제를 해결할 수 있습니다.

13 다수결의 원칙을 활용할 때는 결정에 앞서 충분한 대화와 토론을 거치고, 소수의 의견도 존중하는 결정을 하려고 노력하는 자세가 필요합니다.

14 국민 주권의 원리는 주권이 국민에게 있으며, 나라의 중요한 일을 국민 스스로 결정할 수 있다는 것입니다.

채점 기준

⑴	'국민 주권의 원리'라고 정확히 씀.	4점
⑵	**정답 키워드** 선거 | 투표 '국민은 선거를 통해 원하는 후보자에게 투표하여 자신의 뜻을 전한다.' 등의 내용을 정확히 씀.	6점
	국민 주권의 원리를 실현하는 모습을 썼지만 표현이 부족함.	3점

15 선거에서 지켜야 할 기본 원칙은 보통·평등·직접·비밀 선거의 원칙입니다.

16 국회의원은 국민을 대신하여 나라의 중요한 일을 결정하는 국민의 대표로, 우리나라에서는 4년에 한 번씩 선거로 국회의원을 뽑습니다.

17 국회에서는 예산안을 심의하여 확정하고, 정부에서 예산을 제대로 사용했는지 심사합니다.

18 사람들 사이의 갈등을 해결하고, 법을 지키지 않은 사람을 처벌하는 것은 법원이 하는 일입니다.

19 법원은 법에 따라 재판을 하는 기관입니다.

20 우리나라는 권력 분립의 원리에 따라 국가 권력을 국회, 정부, 법원이 나누어 맡도록 하고 서로 견제할 수 있게 합니다.

2. 우리나라의 경제 발전

❶ 경제주체의 역할과 우리나라 경제체제

개념 다지기 55쪽

1 (2) ○ 2 ④ 3 ⓛ 4 ❶ 3 ❷ 2 ❸ 1
5 ❶ 많은 ❷ 줄일 6 ③

1 가계는 기업의 생산 활동에 참여해 소득을 얻습니다.

2 기업은 이윤을 얻기 위해 전문적으로 생산 활동을 하는 경제주체입니다.

3 가계의 소득은 한정되어 있으므로 소비를 할 때는 소득의 범위 안에서 합리적으로 선택해야 합니다.

4 여러 상품을 비교하고 가계의 소득 범위 안에서 가장 큰 만족을 얻는 소비 활동을 해야 합니다.

5 기업의 합리적 선택은 기업이 더 많은 이윤을 얻을 수 있도록 수입을 늘리고 생산 비용은 줄이는 의사 결정을 말합니다.

6 기업은 소비자들이 어떤 제품을 원하는지 소비자 분석을 합니다.

개념 다지기 59쪽

1 ⑤ 2 ②, ⑤ 3 성빈 4 (1) ○ (2) ○
5 시민 단체 6 ③

1 우리나라에서 개인은 경제활동으로 얻은 소득을 자유롭게 사용할 수 있습니다.

2 개인은 원하는 직업을 얻기 위해 다른 사람과 경쟁하고, 경쟁에서 앞서기 위해 자신의 능력을 키우려 노력합니다.

자신의 특기를 말해 보세요.

면접을 잘 보려면 영어 실력을 길러야겠어.

△ 직업을 얻기 위해 경쟁함. △ 자신의 능력을 발전시킴.

3 국가가 결정한 대로 경제활동을 하는 나라에서는 나라에서 돈을 주기 때문에 개인은 열심히 일하지 않습니다.

4 거짓·과장 광고와 같이 공정하지 않은 경제활동은 소비자에게 피해를 줍니다.

5 시민 단체는 기업의 불공정한 경제활동을 감시하고 정부에 해결을 요구합니다.

왜 틀렸을까?
국회의원은 국민의 대표로서 국회를 이루는 구성원입니다.

6 공정 거래 위원회는 기업의 공정하지 않은 경제활동을 규제해 소비자의 피해를 방지합니다.

단원 실력 쌓기 60~63쪽

Step 1
1 기업 2 시장 3 합리적 4 자유롭게
5 피해 6 ⑤ 7 ③ 8 ⑤
9 (2) ○ 10 영현 11 ③, ⑤ 12 ㄱ, ㄹ
13 ❶ 소비자 ❷ 없게 14 ①

Step 2
15 (1) 예 시장 (2) ❶ 예 소비
❷ 예 수입
16 (1) ㉠ (2) 예 가격이 비싸더라도 환경, 동물 복지, 인권 등의 가치를 지키는 것에서 만족감을 느끼기 때문이다.
17 예 거짓·과장 광고 때문에 피해가 발생하지 않도록 감시한다.

15 (1) 시장
(2) 기업
16 (1) 적은
(2) 가치
17 감시

Step 3
18 독과점 19 ❶ 낮아지고 ❷ 낮아
20 예 기업끼리 상의하여 가격을 올리는 것을 금지한다. 더 많은 기업이 물건을 만들어 팔 수 있도록 지원한다.

1 기업은 돈을 벌기 위해 물건이나 서비스를 만들어 판매합니다.

2 가계는 시장에서 물건이나 서비스를 소비하고, 기업은 물건이나 서비스를 생산하여 시장에 공급하고 수입을 얻습니다.

3 가계의 합리적 선택은 가장 적은 비용으로 가장 큰 만족을 얻을 수 있는 선택을 말합니다.

4 우리나라 경제의 특징은 개인과 기업의 자유와 경쟁입니다.

5 정부와 시민 단체는 공정한 경제활동이 이루어지도록 노력합니다.

> **더 알아보기**
> **불공정한 경제활동이 소비자에게 미치는 영향**
> • 소비자들에게 상품의 잘못된 정보를 전달하여 소비자가 바른 선택을 할 수 없게 합니다.
> • 기업들이 경쟁하지 않게 되어 상품의 품질이 떨어집니다.

6 기업은 이윤을 얻기 위해 전문적으로 생산 활동을 하는 경제주체입니다.

7 기업은 일자리를 제공하고 가계의 노동력을 활용하며, 가계와 기업은 시장에서 만나 서로 거래합니다.

8 가계와 기업이 하는 일은 서로에게 도움이 됩니다.

> **왜 틀렸을까?**
> ① 기업은 주로 생산 활동을 합니다.
> ② 가계는 주로 소비 활동을 합니다.
> ③ 가계와 기업이 하는 일은 서로에게 도움이 됩니다.
> ④ 할인 매장, 인터넷 쇼핑몰은 시장에 해당됩니다.

9 상표, 디자인, 품질 등 다양한 선택 기준을 고려해 가격이 비싸더라도 우수한 물건을 선택해 만족감을 높일 수도 있습니다.

10 기업은 더 많은 수입을 얻기 위해 소비자를 분석하여 생산할 물건이나 서비스를 선택합니다.

> **왜 틀렸을까?**
> 가연: 기업은 이윤을 늘리기 위해 합리적 선택을 합니다.
> 승호: 기업은 소비자를 분석하여 생산할 물건이나 서비스를 선택하고, 이를 토대로 합리적 선택을 합니다.

11 기업은 생산 비용을 줄이기 위해 해외에 공장을 짓기도 합니다. ⑤는 가계의 합리적 선택 과정입니다.

12 우리나라 경제는 자유로운 경쟁과 경제 정의를 추구합니다.

13 기업의 불공정한 경제활동은 소비자들에게 피해를 주고 기업의 경쟁력을 약화시킬 수 있습니다.

14 정부는 공정한 경제활동이 이루어지도록 법을 만들어 기업을 규제하고, 다른 기업을 지원하여 기업들의 경쟁을 촉진하기도 합니다.

15 가계는 기업에 노동력을 제공하고 얻은 소득으로 소비를 하며, 기업은 물건을 팔아 이윤을 얻습니다.

16 가계는 가장 적은 비용으로 가장 큰 만족을 얻을 수 있도록 합리적인 선택을 합니다.

채점 기준

(1)	'ㄱ'이라고 정확히 씀.	
(2)	**정답 키워드** 가치 | 만족 | 신념 | 선택 기준 '가격이 비싸더라도 환경, 동물 복지, 인권 등의 가치를 지키는 것에서 만족감을 느끼기 때문이다.', '자신이 중요하게 생각하는 가치나 신념을 선택 기준으로 삼아 소비하기 때문이다.' 등의 내용을 정확히 씀.	상
	사람들이 가치 소비를 하는 까닭에 관해 썼으나 표현이 부족함.	중

> **왜 틀렸을까?**
> ㉠ 가격이 가장 싼 제품입니다.
> ㉡ 새로운 디자인이 적용된 제품입니다.
> ㉢ 생산자의 노동에 정당한 대가를 지불하는 공정 무역 제품입니다.

17 시민 단체는 기업의 불공정한 경제활동을 감시하고 정부에 해결을 요구합니다.

채점 기준

정답 키워드 감시	
'거짓·과장 광고 때문에 피해가 발생하지 않도록 감시한다.', '기업의 경제활동이 다른 사람의 경제활동이나 생활에 피해를 주지 않도록 감시한다.' 등의 내용을 정확히 씀.	상
공정한 경제활동을 위해 시민 단체에서 하는 일을 썼으나 표현이 부족함.	중

18 독과점 기업의 가격 담합은 소비자가 사고 싶은 물건을 합리적인 가격에 소비할 수 없게 만듭니다. 왜냐하면 시장에 기업이 하나 또는 몇 개밖에 없어서 소비자들이 원하지 않아도 어쩔 수 없이 그 기업들의 상품을 이용해야 하기 때문입니다.

19 소비자가 상품을 선택할 수 있는 폭이 좁아지면 소비자가 원하는 품질이나 가격에 맞는 상품을 구매할 수 없습니다.

> **왜 틀렸을까?**
> ❶ 기업이 서로 경쟁하지 않으면 상품의 품질을 개선하지 않아 상품의 경쟁력이 떨어집니다.
> ❷ 독과점 기업의 불공정한 경제활동 때문에 제품이 경쟁력을 잃어 국가 발전에도 나쁜 영향을 줄 수 있습니다.

20 정부는 기업들의 불공정한 경제활동을 감시하고 규제합니다.

❷ 우리나라의 경제 성장과 경제생활의 변화

개념 다지기   67쪽

1 (1) ○   **2** ①   **3** ④   **4** 중화학 공업
5 ④   **6** 영민

1 우리나라는 1950년대에 전쟁으로 파괴된 시설을 다시 짓고 농업 중심의 산업을 공업 중심으로 발전시키기 위해 노력했습니다.

2 1960년대 우리나라는 풍부한 노동력을 바탕으로 경공업이 발전했습니다.

3 1970년대에는 중화학 공업을 발전시키기 위해 교육 시설, 발전소 등을 지었습니다.

4 우리나라 공업은 경공업에서 중화학 공업 중심으로 변화하였고, 세계에서도 인정받는 뛰어난 제품을 생산할 수 있게 되었습니다.

5 우리나라의 경제는 새로운 산업 발달에 힘입어 성장하고 있습니다.

6 국내 총생산을 보면 한 나라의 경제 수준을 알 수 있습니다.

> **더 알아보기**
>
> **국내 총생산(GDP)**
> • 국내 총생산은 일정 기간에 한 나라 안에서 생산된 물건과 서비스의 양을 돈으로 계산해 합한 것입니다.
> • 1960년대에는 낮았던 우리나라의 국내 총생산이 해마다 증가해 2020년에는 1,900조 원을 넘기는 것으로 보아 우리나라의 경제가 꾸준히 성장해 왔음을 알 수 있습니다.

개념 다지기   71쪽

1 ④   **2** 한류   **3** ⑤   **4** ③
5 이수   **6** ④

1 전화를 하기 위해 공중전화가 있는 곳에서 차례를 기다리는 것은 옛날의 모습입니다.

2 한류 열풍은 우리나라를 널리 알리고, 경제가 성장하는 데 도움을 주고 있습니다.

3 전태일은 1960년대 열악한 노동 현실을 개선하기 위해 노력했습니다.

4 우리나라 경제의 성장 과정에서 잘사는 사람과 그렇지 못한 사람의 소득 격차가 커지면서 빈부 격차 문제가 생겼습니다.

5 기업은 환경오염 문제를 해결하기 위해 친환경 제품을 개발하고 판매합니다.

6 인터넷과 정보 통신 기술의 발달로 사이버 폭력, 허위 정보 유포, 개인 정보 유출 등의 피해를 입는 사람들이 늘어나고 있습니다.

단원 실력 쌓기   72~75쪽

Step ①
1 노동력   **2** 중화학 공업   **3** 증가   **4** 줄었
5 빈부 격차 문제   **6** ④, ⑤   **7** ©
8 ②   **9** ④   **10** 희성   **11** ①, ④
12 ©   **13** (2) ○   **14** ③

Step ②
15 (1) ㈜ 노동력   (2) ❶ 경공업
❷ 중화학 공업
16 (1) 1990년대   (2) ㈜ 다양한 인터넷 관련 기업들이 생겨났다. 정보 통신 기술의 영향으로 다양한 산업이 발달했다.
17 ㈜ 시민들은 지역의 환경 보호를 위해 자원봉사 활동을 한다. 정부는 전기 차나 수소 차와 같은 친환경 자동차 보급을 지원한다.

> **15** (1) 기술
>   (2) 수출
> **16** (1) 정보화
>   (2) 인터넷
> **17** 친환경

Step ③
18 ㉠, ㉢, ㉣, ㉡
19 ❶ 경부 고속 국도   ❷ 스마트폰
20 ㈜ 해외여행이 증가했다. 우리나라의 문화를 즐기는 외국인들이 늘어났다. 개인용 컴퓨터와 컬러텔레비전이 보급되었다. 일상생활에서 인터넷을 사용한다.

1 가방, 신발, 섬유나 종이 등 일손이 많이 필요하고 가벼운 물건을 만드는 산업을 경공업이라고 합니다.

2 1970년대 정부는 경공업보다 돈과 기술이 더 많이 필요한 중화학 공업의 발전에 힘썼습니다.

3 우리나라는 '한강의 기적'이라고 불릴 만큼 빠른 경제 성장을 이루어 냈습니다.

> **더 알아보기**
>
> **한강의 기적**
> • 우리나라는 세계에 유례가 없을 정도로 빠른 경제 성장을 이뤘습니다.
> • 6·25 전쟁으로 산업 시설이 붕괴된 상태에서 이루어 낸 우리나라의 경제 성장을 세계에서는 '한강의 기적'이라고 부르기도 합니다.
>
>
> [출처: 뉴스뱅크]
> ⬆ 100억 달러 수출 달성 기념 조형물(1977)

4 우리나라의 경제가 성장하면서 사회 모습에 다양한 변화가 생기고 생활이 매우 편리해졌습니다.

5 정부는 「국민 기초 생활 보장법」을 만들어 시행하는 등 경제적 어려움을 겪는 사람들을 위한 지원을 하고 있습니다.

6 1950년대 우리나라는 생활에 필요한 제품을 만드는 소비재 산업이 발달했습니다.

7 1960년대 정부는 발전소, 도로, 항만 등 경제 발전의 기초가 되는 시설들을 건설했습니다.

8 우리나라는 1980년대부터 반도체를 개발하기 시작하였고, 오늘날 우리 경제를 이끄는 산업이 되었습니다.

9 중화학 공업은 철, 배, 자동차 등 무거운 제품이나 플라스틱, 고무 제품 등을 생산하는 산업입니다.

10 우리나라의 경제는 정부, 기업, 노동자들이 모두 노력했기 때문에 빠르게 성장할 수 있었습니다.

> **왜 틀렸을까?**
>
> 화영: 우리나라의 노동자들은 적은 임금을 받으며 노력하고 희생하여 기업이 낮은 가격으로 물건을 만들어 수출할 수 있게 도왔습니다.
> 지윤: 정부는 경제 개발 5개년 계획을 추진하여 산업 발전의 기반을 마련했고, 기업의 수출을 돕기 위해 수출을 하는 기업에 부과하는 세금을 줄여 주기도 했습니다.

11 경제가 성장하면서 방송, 통신, 교통 등 다양한 분야에서 큰 변화가 있었습니다.

12 오늘날 인공지능은 미래의 핵심 기술로 주목받고 있으며 다양한 분야에 활발하게 도입되고 있습니다.

13 사람들이 농촌을 떠나면서 일손 부족 문제가 생겼습니다.

14 우리나라는 급격한 경제 성장 과정에서 환경을 충분히 고려하지 못해 다양한 환경 문제가 발생했습니다.

15 중화학 공업의 발전으로 우리나라는 세계에서 인정받는 제품을 생산할 수 있게 되었습니다.

16 정보 통신 기술의 발달로 유용한 정보를 빠르게 주고받을 수 있게 되면서 다른 산업도 함께 발전했습니다.

채점 기준		
(1)	'1990년대'에 ○표를 함.	
(2)	**정답 키워드** 다양한 │ 인터넷 │ 정보 통신 기술 '다양한 인터넷 관련 기업들이 생겨났다.', '정보 통신 기술의 영향으로 다양한 산업이 발달했다.' 등의 내용을 정확히 씀.	상
	초고속 정보 통신망이 전국에 설치되면서 달라진 우리나라 산업의 모습을 썼으나 표현이 부족함.	중

> **더 알아보기**
>
> **초고속 정보 통신망의 설치**
> • 1990년대 후반에는 전국에 초고속 정보 통신망이 설치되었습니다.
> • 초고속 정보 통신망의 설치로 인터넷 관련 기업이 많이 생겨났고, 우리나라가 정보화 사회로 나아가는 데 큰 역할을 했습니다.

17 정부, 기업, 시민들은 환경오염을 막고 기후 변화에 대응하기 위해 다양한 노력을 하고 있습니다.

채점 기준		
	정답 키워드 자원봉사 │ 친환경 '시민들은 지역의 환경 보호를 위해 자원봉사 활동을 한다.', '정부는 전기 차나 수소 차와 같은 친환경 자동차 보급을 지원한다.' 등의 내용을 정확히 씀.	상
	환경오염 문제를 해결하기 위한 노력을 썼으나 표현이 부족함.	중

18 경제가 성장하면서 사회에도 많은 변화가 나타났습니다.

> **왜 틀렸을까?**
>
> ㉠ 1970년대의 모습입니다.
> ㉡ 2010년대의 모습입니다.
> ㉢ 1990년대의 모습입니다.
> ㉣ 2000년대의 모습입니다.

19 경제가 성장하면서 교통과 통신이 발달하고 전국이 하나의 생활권으로 연결되었습니다.

20 우리나라의 경제 성장으로 다른 나라와의 교류가 활발해졌으며 일상생활, 여가 생활에도 다양한 변화가 일어났습니다.

❸ 세계 속의 우리나라 경제

개념 다지기   79쪽

1 (1) ○   **2** ❶ 있어 ❷ 다르기   **3** ③
4 ④   **5** ⑤   **6** 윤철

1 오늘날 우리나라는 다른 나라와 경제 교류를 활발하게 하고 있습니다.

2 각 나라는 무역으로 경제적 이익을 얻습니다.

3 우리나라는 반도체, 자동차, 석유 제품 등을 주로 수출합니다.

> **더 알아보기**
>
> **우리나라의 주요 수출품**
> • 우리나라는 산업 발달에 필요한 자원이 부족하지만 기술력이 뛰어나 중화학 공업, 첨단 산업 등이 발달했습니다.
> • 오늘날에는 우리나라에서 생산한 반도체, 자동차, 휴대 전화, 세탁기, 선박 등이 세계 시장에서 인정받고 있습니다.

4 우리나라는 물건뿐만 아니라 다양한 서비스 분야에서 세계 여러 나라와 교류합니다.

5 우리나라와 세계 여러 나라는 경제 교류를 하면서 서로 의존하기도 하고 경쟁하기도 합니다.

6 우리나라는 세계 여러 나라와 자유 무역 협정을 맺고 있습니다.

개념 다지기   83쪽

1 ①   **2** ⑤   **3** ③   **4** ⑤
5 ②   **6** 세계 무역 기구

1 세계 여러 나라와 경제 교류가 활발해지면서 우리의 생활에도 많은 변화가 생겼습니다.

2 경제 교류가 활발해지면서 기업은 다른 나라에 공장을 세워 생산 비용을 줄이고, 운반 비용을 줄여 다른 기업과의 경쟁에서 앞서 나갈 수 있게 되었습니다.

3 자기 나라의 경제를 보호하려는 법이나 제도 때문에 무역 문제가 발생합니다.

4 우리나라는 필요한 자원 대부분을 수입해 오기 때문에 다른 나라에 의존해야 하는 물건의 수입 문제가 발생하기도 합니다.

5 관세는 수입품에 매기는 세금으로, 수입품에 높은 관세를 매겨 가격을 높이는 방식으로 국내 산업을 보호할 수도 있습니다.

6 세계 무역 기구는 1995년 세계 125개국이 참여하여 설립된 국제기구로 국가 간 무역 분쟁을 해결하기 위해 만들어졌습니다.

단원 실력 쌓기   84~87쪽

Step ①

1 무역   **2** 협력   **3** 줄일   **4** 관세
5 낮춥니다   **6** 소현   **7** (1) ㉠, ㉡ (2) ㉢, ㉣
8 ④   **9** ③   **10** (1) ○   **11** ⑤
12 ②   **13** (2) ○   **14** ④

Step ②

15 (1) 수입 (2) ❶ 예 재료 ❷ 예 기술

16 (1) ㉠ (2) 예 다른 나라의 새로운 기술과 아이디어를 주고받을 수 있다. 다른 나라에 공장을 세워 값싼 노동력을 활용해 생산 비용을 줄일 수 있다.

15 (1) 수출
    (2) 예 협력
16 (1) 선택
    (2) 기업
17 보호

17 예 국내 산업이 다른 나라 산업보다 경쟁력이 부족하기 때문이다. 국내 근로자의 실업을 방지해야 하기 때문이다. 나라의 기본이 되는 산업을 보호하기 위해서이다.

Step ③

18 열대 과일

19 ❶ 자연환경 ❷ 이익

20 예 무역 문제에 대해 서로 협상하고 합의한다. 세계 무역 기구에 도움을 요청한다. ㉠ 나라를 제외하고 상품을 수출할 수 있는 다른 나라를 찾아본다.

1 다른 나라에 물건이나 서비스를 파는 것을 수출, 사 오는 것을 수입이라고 합니다.

2 우리나라와 세계 여러 나라는 경제 교류를 하면서 서로 의존하기도 하고 경쟁하기도 합니다.

3 다른 나라와의 경제 교류가 활발해지면서 개인과 기업의 경제활동 모습도 변화했습니다.

4 각 나라는 무역을 하다가 불리한 상황이 생기면 관세를 높이거나 수입량을 제한하기도 합니다.

5 세계 무역 기구는 가입한 나라의 자유롭고 공정한 무역을 위해 노력합니다.

> **왜 틀렸을까?**
>
> 세계 무역 기구는 무역이 쉽게 이루어지지 않았던 분야도 개방할 수 있도록 무역 장벽을 낮추기 위해 노력합니다.

6 국가와 국가 사이에 이루어지는 교환을 무역이라고 합니다.

7 ○○ 나라는 천연자원이 풍부하고 △△ 나라는 기술력이 뛰어나기 때문에 무역을 통해 서로에게 필요한 것을 구할 수 있습니다.

8 나라마다 자연환경, 자원, 기술 등의 차이로 더 잘 만들 수 있는 물건이나 서비스가 다르기 때문에 무역을 합니다.

9 우리나라는 중국, 미국과 가장 많이 무역을 합니다.

> **더 알아보기**
>
> **세계 경제 상황이 우리나라 경제에 미치는 영향**
> • 우리나라는 반도체, 자동차 등의 10대 수출품이 전체 수출품 중 절반 이상을 차지하고, 반도체, 원유 등의 10대 수입품이 전체 수입품 중 절반 가까이를 차지합니다.
> • 우리나라의 주요 무역 상대국은 중국, 미국, 일본 등으로 한정적입니다.
> • 위와 같이 우리나라는 주요 수출입품이 한정적이고, 주요 무역 상대국이 많지 않아 다른 나라의 경제 상황과 국가 관계에 따라 수입과 수출에 큰 타격을 받을 수 있습니다.

10 우리나라는 기술력이 뛰어나 스마트폰, 자동차와 같은 제품을 만들어 수출합니다.

11 우리나라와 다른 나라는 같은 종류의 물건을 팔기 위해 서로 경쟁합니다.

12 다른 나라와의 경제 교류가 활발해지면서 외국 사람이 운영하는 음식점에서 외국 음식을 먹을 수 있게 되었습니다.

13 미국 정부가 대한민국의 철강 수출품에 높은 관세를 부과해 무역 문제가 발생했습니다.

14 무역 문제를 해결하기 위해 세계 무역 기구의 도움을 받기도 합니다.

15 각 나라의 특징을 살려 다른 나라와 경제 교류를 하면 더 효율적으로 상품을 생산할 수 있습니다.

16 경제 교류로 소비자들은 제품을 선택할 수 있는 폭이 넓어졌고, 기업의 경제활동이 다양해졌습니다.

채점 기준		
(1)	'ㄱ'이라고 정확히 씀.	
(2)	**정답 키워드** 기술 | 아이디어 | 노동력 | 생산 비용 '다른 나라의 새로운 기술과 아이디어를 주고받을 수 있다.', '다른 나라에 공장을 세워 값싼 노동력을 활용해 생산 비용을 줄일 수 있다.' 등의 내용을 정확히 씀.	상
	경제 교류가 기업에게 미친 영향에 관해 썼으나 표현이 부족함.	중

> **왜 틀렸을까?**
>
> ㉡, ㉢은 경제 교류가 기업에게 미친 영향으로, 기업은 다른 나라의 새로운 기술과 아이디어를 주고받으며, 다른 나라에 공장을 세워 값싼 노동력을 활용해 생산 비용을 줄이거나 운반 비용을 줄일 수도 있습니다.

17 자기 나라의 경제를 보호하려는 법이나 제도 때문에 무역 문제가 발생하기도 합니다.

채점 기준	
정답 키워드 경쟁력 부족 | 실업 방지 | 산업 보호 '국내 산업이 다른 나라 산업보다 경쟁력이 부족하기 때문이다.', '국내 근로자들의 실업을 방지해야 하기 때문이다.', '나라의 기본이 되는 산업을 보호하기 위해서이다.' 등의 내용을 정확히 씀.	상
세계 여러 나라가 자기 나라 경제를 보호하려는 까닭에 관해 썼으나 표현이 부족함.	중

18 ㉠ 나라는 자원이 풍부한 대신 전자 제품을 만드는 기술이 부족하기 때문에 열대 과일을 수출하고 스마트폰, 텔레비전 등의 물건을 수입합니다.

19 경제 교류를 통해 두 나라 모두 경제 교류 이전에는 사용할 수 없었던 물건을 사용할 수 있게 되었습니다.

20 무역 문제가 발생하면 상대 나라의 정책으로 우리나라가 입는 피해를 줄일 수 있도록 대책을 마련해야 합니다.

> **더 알아보기**
>
> **한 나라가 다른 나라 물건의 수입을 제한하는 이유**
> • 다른 나라 상품이 자기 나라 상품보다 잘 팔리면 자기 나라의 기업이 어려워지기 때문입니다.
> • 자기 나라의 산업이 다른 나라의 산업보다 경쟁력이 부족하기 때문입니다.
> • 자기 나라의 물건이 잘 팔리지 않아서 생기는 국내 근로자들의 실업을 방지해야 하기 때문입니다.

대단원 평가 88~91쪽

1 ①   **2** 시장   **3** 우선순위   **4** ②
5 ⑤   **6** (1) 경쟁 (2) 예 자신의 능력을 발전시키고
잘 발휘할 수 있다.   **7** ③   **8** 경공업
9 ❶ 중화학 ❷ 늘었습니다   **10** ③   **11** ④
12 ⑤   **13** (1) 안전 (2) 예 정부는 「산업 안전 보건법」
을 만들어 시행한다. 기업은 산업 안전을 강조하고 직원을 교
육한다.   **14** (1) ○   **15** ①, ④   **16** 지현
17 예 다른 나라의 재료, 값싼 노동력, 뛰어난 기술 등을 활
용해 더 좋은 물건이나 서비스를 생산할 수 있다.
18 ①   **19** ⑤   **20** ④

1 기업은 가계의 노동력을 활용해 생산 활동을 합니다.

2 시장에서는 물건을 사고팔기도 하고, 여러 나라의 돈
이나 회사의 일부를 소유할 수 있는 권리, 집이나 땅
등을 사고팔기도 합니다.

3 가계가 합리적인 선택을 하려면 더 필요한 물건이 무엇
인지 우선순위를 정해야 합니다.

4 가계의 소득은 한정되어 있으므로 가장 적은 비용으로
가장 큰 만족을 얻도록 소비할 물건을 선택하는 것이
합리적 소비입니다.

> **왜 틀렸을까?**
> ② 가격이 가장 비싼 제품을 고르는 것은 합리적인 소비가 아닙
> 니다.

5 기업은 소비자들이 제품을 접하는 방식을 분석하여 어떤
홍보 방법이 가장 효과적일지 고민합니다.

6 우리나라는 개인과 기업이 경제활동의 자유를 누리면서
경쟁합니다.

채점 기준		
(1)	'경쟁'에 ○표를 함.	4점
(2)	**정답 키워드** 능력 I 발전 I 좋은 물건 '자신의 능력을 발전시키고 잘 발휘할 수 있다.', '더 싸고 질 좋은 물건이나 서비스를 선택할 수 있다.' 등의 내용을 정확히 씀.	6점
	경제활동에 있어 개인과 기업의 자유로운 경쟁이 개인의 생활에 주는 도움에 관해 썼으나 표현이 부족함.	3점

7 정부는 더 많은 기업이 물건을 만들어 팔아 서로 경쟁
할 수 있게 기업을 지원하기도 합니다.

8 1960년대에 우리나라는 주로 경공업 제품을 만들어 수
출했습니다.

9 중화학 공업이 발전하면서 수출액과 국민 소득도 함께
늘어나 사람들의 생활 수준이 향상되었습니다.

10 1990년대에는 정보 통신 기술의 영향으로 관련된 산업이
발전했습니다. 또한 기존에 발달한 산업들도 정보 통신
기술의 영향을 받아 더욱 발전했습니다.

11 2000년대에는 고속 철도가 개통되어 지역과 지역을 오
가는 이동 시간이 크게 줄어들었습니다.

12 노동자들은 시위를 하고, 기업과 협상을 하는 등 다양
한 방법을 통해 노동 환경을 개선하려고 노력합니다.

13 산업 재해로 인해 노동자들의 안전이 위험해졌고, 경
제적 손실이 커졌습니다.

채점 기준		
(1)	'안전'이라고 정확히 씀.	4점
(2)	**정답 키워드** 산업 안전 보건법 I 교육 '정부는 「산업 안전 보건법」을 만들어 시행한다.', '기업은 산업 안전을 강조하고 직원을 교육한다.' 등의 내용을 정확히 씀.	6점
	산업 재해 문제를 해결하기 위한 노력에 관해 썼으나 표현이 부족함.	3점

14 나라마다 더 잘 만들 수 있는 물건이나 서비스가 다르
기 때문에 무역을 합니다.

15 우리나라는 천연자원이 부족한 대신 기술력이 뛰어납
니다.

16 교실에서 볼 수 있는 물건들의 특징을 정리한 표를 통해
여러 나라가 한 상품을 만들기 위해 협력하는 것을 알
수 있습니다.

17 우리나라와 다른 나라는 세계 시장에서 서로 의존하기도
하고 경쟁하기도 합니다.

채점 기준		
	정답 키워드 다른 나라 I 활용 I 더 좋은 '다른 나라의 재료, 값싼 노동력, 뛰어난 기술 등을 활용해 더 좋은 물건이나 서비스를 생산할 수 있다.' 등의 내용을 정확히 씀.	8점
	다양한 나라가 한 물건을 만들기 위해 서로 협력할 때의 장점에 관해 썼으나 표현이 부족함.	4점

18 ①은 다른 나라와 하는 경제 교류와 관련 없는 내용입
니다.

19 필리핀 정부가 자기 나라의 경제를 보호하고 산업을 더
키우려고 해서 무역 문제가 발생했습니다.

20 나라 간의 무역 갈등을 해결해 주는 국제기구는 세계
무역 기구입니다.

1. 우리나라의 정치 발전

① 민주주의의 발전과 시민 참여

개념 확인하기
4쪽

1 ㉢	2 ㉡	3 ㉣	4 ㉤	5 ㉠

1 3·15 부정 선거에서 유권자들에게 돈이나 물건을 주며 이승만 정부에 투표하게 했습니다.

2 3·15 부정 선거 소식이 알려지자, 시민들은 부정 선거에 항의하는 시위를 전개했습니다.

3 이승만 정부의 독재와 3·15 부정 선거를 바로잡고 싶었기 때문에 시민들은 4·19 혁명을 일으켰습니다.

4 우리나라의 첫 번째 대통령이었던 이승만은 무리하게 헌법을 바꾸며 독재 정치를 이어 나갔습니다. 더욱이 이승만 정부는 부정부패가 심하여 국민의 생활은 더욱 어려워졌습니다.

> **왜 틀렸을까?**
> ㉠ 6·29 민주화 선언을 발표한 것은 노태우입니다.

5 4·19 혁명 당시 시위가 거세지자 이승만은 국민들의 요구를 더 이상 무시할 수 없었고, 결국 대통령 자리에서 물러났습니다. 그리고 재선거를 실시하여 새로운 정부가 들어섰습니다.

개념 확인하기
5쪽

1 ㉢	2 ㉠	3 ㉠	4 ㉡	5 ㉡

1 전두환 정부는 직선제 내용을 포함하도록 헌법을 바꿔야 한다는 국민의 요구를 거부했고, 이후 시민들의 시위가 이어졌습니다.

2 6월 민주 항쟁은 1987년 6월, 시민들과 학생들이 전국 각지에서 전두환 정부의 독재에 반대하고 대통령 직선제를 요구하며 대규모 시위를 전개한 사건입니다.

3 직선제는 국민이 직접 대표를 뽑는 선거 제도입니다.

4 노태우가 대통령 후보이자 여당 대표였을 때 6·29 민주화 선언을 발표했습니다.

5 6·29 민주화 선언은 대통령 직선제, 언론의 자유 보장, 지방 자치제 시행 등의 내용을 담고 있습니다.

실력 평가
6~7쪽

1 지아	2 ③	3 ②, ⑤	4 ㉡	5 ③
6 ①, ④	7 ㉢	8 ②	9 ③	10 다미

1 3·15 부정 선거에서는 전체 유권자의 약 40%에 해당하는 표가 선거 전에 미리 투표함에 있었고, 투표한 용지를 불에 태워 없애거나 조작된 투표지를 넣어 투표함을 바꾸기도 했습니다.

2 3·15 부정 선거에 항의하는 학생과 시민들의 시위가 마산 지역에서 일어났습니다. 이승만 정부는 경찰을 동원하여 시위를 진압하였고, 이 과정에서 학생과 시민들이 죽거나 다쳤습니다.

3 4·19 혁명 이후 새로운 정부가 들어선 지 1년도 되지 않아 박정희를 중심으로 한 일부 군인이 군사 정변을 일으켜 정권을 잡았습니다.

4 유신 헌법은 1972년에 개정된 헌법으로, 이 헌법에 따라 대통령을 간선제로 뽑았으며, 대통령을 여러 번 할 수 있었습니다.

> **왜 틀렸을까?**
> ㉠은 노태우, ㉢은 전두환이 한 일입니다.

5 1980년 5월, 전라남도 광주에서 계엄 해제와 민주주의 회복을 요구하는 대규모 시위가 일어났습니다.

6 박정희, 전두환은 모두 간선제를 악용하여 대통령이 되었습니다.

> **왜 틀렸을까?**
> ② 김대중(제15대 대통령), ③ 김영삼(제14대 대통령), ⑤ 노무현(제16대 대통령)은 직선제로 대통령이 되었습니다.

7 6월 민주 항쟁 이후 우리 사회는 여러 분야에서 민주적인 제도를 만들고, 자유, 평등, 인권, 복지 등 민주주의의 다양한 가치들을 펼치기 위해 노력했습니다.

8 지역 주민들이 직접 선출하는 지역 대표에는 시장, 도지사, 구청장, 군수, 지방 의회 의원 등이 있고, 지역 대표들은 주민들의 의견을 받아들여 여러 가지 문제를 해결하고 있습니다.

9 노동, 여성, 환경, 사회적 약자 등 여러 분야의 시민운동으로 우리나라의 시민 사회는 성숙해졌으며, 민주주의도 더욱 발전하게 되었습니다.

10 오늘날 시민들은 사회 공동의 문제를 평화적이고 민주적인 방법으로 해결하고 있습니다.

서술형·논술형 평가 8~9쪽

1 (1) 이승만

(2) 3·15 부정 선거

(3) 예 부정 선거를 통해 정권을 계속 차지하고 싶었기 때문이다.

2 (1) 박정희

(2) ㉢

(3) 예 정권을 계속 유지하려고 만들었다.

3 (1) (전라남도) 광주

(2) ㉠

(3) 예 정부가 신문과 방송을 통제했기 때문이다. 정부가 광주에 사람들이 오고 가는 것을 막았기 때문이다.

4 (1) ㉠

(2) 예 1인 시위, 캠페인, 서명 운동

(3) 예 평화적이고 민주적인 방법으로 사회 문제를 해결하고 있다. 더 많은 시민이 사회 공동의 문제를 해결하는 데 참여하게 되었다.

1 (1) 이승만은 광복 후 1948년에 초대 대통령으로 취임한 이후 장기 집권을 위한 부정 선거를 자행하다 1960년 4·19 혁명으로 대통령 자리에서 물러났습니다.

(2) 이승만 정부는 여러 가지 부정한 방법으로 선거에서 이기려고 했습니다.

(3) 이승만 정부는 독재 정치를 이어 가기 위해 1960년 3월 15일 정부통령 선거를 앞두고 부정 선거를 계획했습니다.

채점 기준

(1)	'이승만'이라고 정확히 씀.	2점
(2)	'3·15 부정 선거'라고 정확히 씀.	2점
(3)	**정답 키워드** 부정 선거 | 정권 '부정 선거를 통해 정권을 계속 차지하고 싶었기 때문이다.', '독재 정치를 이어 가고 싶었기 때문이다.' 등의 내용을 정확히 씀.	4점
	부정 선거를 한 까닭을 썼지만 표현이 부족함.	2점

2 (1) 박정희가 5·16 군사 정변을 주도하였습니다.

(2) 박정희 정부가 공포한 유신 헌법의 내용에는 대통령을 할 수 있는 횟수 제한을 없애고, 대통령 직선제를 간선제로 바꾸는 것 등이 있습니다.

(3) 시민들은 박정희 정부의 독재 정치에 반대하고 유신 헌법을 바꿀 것을 주장하며 민주화 운동을 전개했습니다.

채점 기준

(1)	'박정희'라고 정확히 씀.	2점
(2)	'㉢'이라고 정확히 씀.	2점
(3)	**정답 키워드** 정권 | 독재 정치 '정권을 계속 유지하려고 만들었다.', '대통령의 자리를 유지하며 독재 정치를 하려고 만들었다.' 등의 내용을 정확히 씀.	6점
	유신 헌법을 만든 까닭을 썼지만 표현이 부족함.	3점

3 (1) 1980년 5월, 계엄 해제와 민주주의 회복을 요구하는 대규모 시위가 멈추지 않고 계속된 곳은 전라남도 광주입니다.

(2) 박정희 사망 이후 시민들은 민주 사회가 될 것이라고 기대했습니다. 그러나 전두환을 중심으로 한 군인들이 다시 정변을 일으켰고, 이에 많은 학생과 시민들은 민주화를 요구하며 전국에서 시위를 벌였습니다.

(3) 광주에서 5·18 민주화 운동이 일어났을 때, 광주에 살지 않는 사람들은 이 같은 상황을 잘 몰랐습니다.

채점 기준

(1)	'전라남도 광주' 또는 '광주'라고 정확히 씀.	2점
(2)	'㉠'이라고 정확히 씀.	2점
(3)	**정답 키워드** 통제 | 막다. '정부가 신문과 방송을 통제했기 때문이다.', '정부가 광주에 사람들이 오고 가는 것을 막았기 때문이다.' 등의 내용을 정확히 씀.	6점
	5·18 민주화 운동 당시 국민들이 그 상황을 모르고 있었던 까닭을 썼지만 표현이 부족함.	3점

4 (1) 촛불 집회는 사람들이 광장 등 옥외에서 어떤 사안에 대해 항의나 추모의 목적으로 모여 촛불을 들고 진행하는 집회를 가르킵니다.

(2) 1인 시위는 혼자하는 시위를 말합니다.

(3) 오늘날 사람들은 다양한 방식으로 사회 문제 해결에 참여하고 있습니다.

채점 기준

(1)	'㉠'이라고 정확히 씀.	2점
(2)	'1인 시위', '캠페인', '서명 운동' 중 한 가지를 씀.	2점
(3)	**정답 키워드** 민주적 | 더 많은 '평화적이고 민주적인 방법으로 사회 문제를 해결하고 있다.', '더 많은 시민이 사회 공동의 문제를 해결하는 데 참여하게 되었다.' 등의 내용을 정확히 씀.	6점
	오늘날 달라진 정치 참여의 모습을 썼지만 표현이 부족함.	3점

❷ 일상생활과 민주주의

1 ㉠   **2** ㉡   **3** ㉠   **4** ㉡   **5** ㉡

1 민주주의에서는 권력을 지닌 소수의 사람이 아닌 국민이 나라의 주인입니다.

2 민주주의는 국민이 권력을 가지고 그 권력을 스스로 행사하는 제도입니다.

> **더 알아보기**
>
> **민주주의가 우리 생활 속에서 중요한 까닭**
> • 모든 사람은 인간이라는 까닭으로 존중받아야 하기 때문입니다.
> • 공동체의 구성원으로서 자유와 평등을 실현할 수 있게 하기 때문입니다.

3 자유란 국가나 다른 사람의 간섭을 받지 않고 자신이 원하는 대로 판단하여 행동할 수 있는 것입니다.

4 모든 사람은 인간으로서 존중받을 가치와 권리가 있습니다. 민주주의는 이러한 인간 존엄성을 실현하는 것을 목표로 합니다.

5 평등은 모든 사람이 성별, 재산, 종교 등을 이유로 차별받지 않고 동등하게 대우받는 것입니다.

1 ㉠   **2** ㉢   **3** ㉠   **4** ㉠   **5** ㉢

1 다수결의 원칙은 단체나 기관에서 의사 결정을 할 때, 다수의 의견을 따르는 방법으로, 의사를 통일하는 민주주의의 기본 원칙 가운데 하나입니다.

2 언제나 대화와 토론을 거쳐 양보와 타협에 이르는 것은 아니기 때문에 양보와 타협이 어려운 경우 사람들은 다수결의 원칙으로 문제를 해결합니다.

3 다수결의 원칙이란 다수의 의견이 소수의 의견보다 합리적일 것이라 가정하고 다수의 의견을 채택하는 방법입니다.

4 다수결의 원칙을 따르면 쉽고 빠르게 문제를 해결할 수 있습니다.

5 다수결의 원칙에 따라 의사를 결정하려면 대화할 때 사회적 지위나 성별, 나이 등에 따른 차별 없이 의견을 말할 기회가 동등하게 주어져야 합니다.

1 ⑤   **2** 지성   **3** ①, ③   **4** ①   **5** ④
6 ①   **7** ③   **8** ①   **9** 다수결의 원칙
10 ㉢

1 사람들이 공동체 속에서 함께 살아가다 보면 각자 원하는 것이 달라 서로 다투거나, 함께 해결해야 하는 공동의 문제가 생길 수 있습니다. 이러한 문제를 원만하게 해결해 가는 과정이 정치입니다.

2 학급이나 지역에서 발생한 공동의 문제를 해결하는 것, 구성원 간의 다툼을 해결하는 것 등은 정치에 해당합니다.

3 민주주의는 모든 국민이 나라의 주인으로서, 자유롭고 평등하게 정치에 참여하는 제도입니다.

> **왜 틀렸을까?**
>
> ② 우리나라는 민주주의 사회입니다.
> ④ 독재는 특정한 개인이나 단체가 권력을 독차지하여 모든 일을 홀로 처리하는 것을 말합니다.
> ⑤ 민주주의는 국민이 나라의 주인으로서 권리를 지니고 정치에 참여하는 것입니다.

4 우리는 모두 인간으로서 소중한 가치를 지니므로 태어날 때부터 존중받을 권리가 있습니다.

5 ㉠은 종교를 선택할 자유를 박탈당했고, ㉡은 평등의 원칙이 지켜지지 않았습니다.

6 학급에서 운동장 청소를 언제 할지 결정하기 위해 학급 회의를 열었습니다.

7 민우는 내가 속한 공동체의 일에 관심을 가지고 적극적으로 의견을 내고 있습니다.

8 아파트에서 일어나는 문제는 주민 회의를 열어 해결할 방법을 논의할 수 있습니다.

9 다수결의 원칙은 다수의 의견이 소수의 의견보다 합리적일 것이라 가정하고 다수의 의견을 채택하는 방법입니다.

10 문제를 해결할 때 '공동의 문제 확인, 문제 발생 원인 파악, 문제 해결 방안 탐색, 문제 해결 방안 결정과 실천'의 순으로 민주주의를 실천합니다.

온라인 학습북 8~13쪽

서술형·논술형 평가 14~15쪽

1 (1) ㈎ ㉡ ㈏ ㉠

(2) ㉠

(3) 예 모두의 의견을 반영할 수 있다. 스스로 결정해 행동하므로 일을 자발적으로 하게 된다.

2 (1) 기본 정신

(2) 진수

(3) 예 모든 사람이 인간으로서 존중받을 가치와 권리이다.

3 (1) 민주주의

(2) ㉡

(3) 예 나와 다른 의견을 인정하고 포용하는 태도이다.

4 (1) 다수결의 원칙

(2) ㉢

(3) 예 소수의 의견도 존중해야 한다.

1 (1) 옛날에는 왕이나 신분이 높은 사람만 정치에 참여할 수 있었습니다. 하지만 오늘날에는 직업이나 재산, 성별 등에 관계없이 누구나 정치에 참여할 수 있습니다.

(2) 오늘날 우리는 정치 형태를 넘어 일상생활에서 다양한 방법으로 민주주의를 실천할 수 있습니다. 이를 실천하려면 자유로운 대화와 토론이 바탕이 되어야 합니다.

(3) 민주주의는 영어로 데모크라시인데, 이는 고대 그리스어의 '국민'을 뜻하는 말과 '지배'를 뜻하는 말을 합친 단어로, '국민이 지배한다'는 뜻입니다.

채점 기준

(1)	㈎에 '㉡', ㈏에 '㉠'을 바르게 연결함.	2점
(2)	'㉠'이라고 정확히 씀.	2점
(3)	**정답 키워드** 의견 | 반영 | 자발적 '모두의 의견을 반영할 수 있다.', '스스로 결정해 행동하므로 일을 자발적으로 하게 된다.' 등의 내용을 정확히 씀.	4점
	여러 사람이 함께 문제를 해결하면 좋은 점을 썼지만 표현이 부족함.	2점

2 (1) 민주주의의 기본 정신에는 인간의 존엄성, 자유, 평등이 있습니다.

(2) 민주주의는 인간 존엄성을 실현하는 것을 목표로 합니다.

(3) 민주주의의 기본 정신 중 자유와 평등은 조화와 균형을 이루어야 합니다.

채점 기준

(1)	'기본 정신'이라고 정확히 씀.	2점
(2)	'진수'라고 정확히 씀.	2점
(3)	**정답 키워드** 존중 | 권리 '모든 사람이 인간으로서 존중받을 가치와 권리이다.' 등의 내용을 정확히 씀.	6점
	인간의 존엄성의 의미를 썼지만 표현이 부족함.	3점

3 (1) 학급에서 자리를 바꾸는 문제 때문에 갈등이 생겼지만, 대화와 토론을 통해 해결하려고 어린이들이 다양한 의견을 이야기하고 있습니다.

(2) 비판적 태도란 사실이나 의견의 옳고 그름을 따져 살펴보는 태도입니다.

(3) 일상생활에서 부딪히는 다양한 문제와 갈등을 해결하려면 나와 다른 의견을 인정하고 포용하는 관용의 자세가 필요합니다.

채점 기준

(1)	'민주주의'에 ○표를 함.	2점
(2)	'㉡'이라고 정확히 씀.	2점
(3)	**정답 키워드** 인정 | 포용 '나와 다른 의견을 인정하고 포용하는 태도이다.' 등의 내용을 정확히 씀.	6점
	관용의 의미를 썼지만 표현이 부족함.	3점

4 (1) 다수결의 원칙을 사용할 때에는 다수의 의견이 소수의 의견보다 합리적일 것이라 가정합니다. 우리는 일상생활에서 선거를 통해 대표를 뽑을 때, 학급이나 학교 같은 공동체에서 중요한 의사를 결정해야 할 때 다수결의 원칙을 종종 활용합니다.

(2) 양보와 타협으로 공동의 문제를 해결하기 어려운 경우에는 많은 사람이 원하는 방향으로 결정하는 것이 합리적입니다.

(3) 다수결의 원칙을 사용하면 사람들끼리 양보와 타협이 어려울 때 쉽고 빠르게 문제를 해결할 수 있다는 장점이 있습니다.

채점 기준

(1)	'다수결의 원칙'이라고 정확히 씀.	2점
(2)	'㉢'이라고 정확히 씀.	2점
(3)	**정답 키워드** 소수의 의견 | 대화와 토론 '소수의 의견도 존중해야 한다.', '충분한 대화와 토론을 거쳐야 한다.' 등의 내용을 정확히 씀.	6점
	다수결의 원칙을 활용할 때 주의할 점을 썼지만 표현이 부족함.	3점

❸ 민주정치의 원리와 국가기관의 역할

개념 확인하기   16쪽

| 1 ⓛ | 2 ㉠ | 3 ㉠ | 4 ㉠ | 5 ⓛ |

1 국회는 국회의원들이 모여 법을 만들고, 나라의 중요한 일을 의논하여 결정하는 국가기관입니다.

2 둥근 모양의 지붕은 국민의 다양한 의견을 하나로 모으겠다는 의미가 담겨 있습니다.

> **왜 틀렸을까?**
> ⓛ 건물을 둘러싼 24개의 기둥은 24시간 내내 국민의 뜻을 살피겠다는 의미입니다.
> ⓒ 국회 정문 앞에 서 있는 해태는 사악한 기운을 물리치고, 옳고 그름을 지혜롭게 판단한다는 상상 속 동물입니다.

3 국회는 법을 만들거나 고치고 없애는 일을 합니다.

4 정부가 법에 따라 일을 잘하고 있는지 살펴보기 위해 국정감사를 합니다.

5 예산안을 심의하는 것은 나라의 살림에 필요한 예산이 적절한지 판단하는 것입니다.

개념 확인하기   17쪽

| 1 ⓛ | 2 ㉠ | 3 ⓒ | 4 ㉠ | 5 ⓛ |

1 정부는 법에 따라 나라 살림을 맡아 하는 기관입니다.

2 정부는 법률에 따라 사회질서를 유지하고 국민을 보호하는 일, 각종 정책을 만들고 실행하는 일, 공공시설을 만들고 관리하는 일 등을 합니다.

> **왜 틀렸을까?**
> ⓛ 국회가 하는 일입니다.
> ⓒ 법원이 하는 일입니다.

3 대통령은 행정부의 최고 책임자로서 나라의 중요한 일을 결정하고 국무총리, 행정 각부 장관 등을 임명합니다.

4 국무총리는 대통령을 도와 행정 각부를 관리하고 감독하며, 대통령이 외국을 방문하거나 특별한 이유로 일하지 못하면 대통령의 임무를 대신합니다.

5 국방부는 국가 방위에 관련된 군정 및 사무를 맡아봅니다.

1 국가기관이 행정권, 입법권, 사법권 등을 나누어 맡아 서로 견제하고 균형을 이루는 것은 권력 분립의 원리입니다.

2 직접 선거는 선거권이 있는 사람이 직접 투표를 해야 하는 원칙입니다.

3 국회의원은 4년에 한 번씩 국민이 선거로 뽑고, 지역 주민들이 뽑아 주면 몇 번이고 다시 할 수 있습니다.

4 교통사고를 줄일 수 있도록 어린이 보호 구역 내 안전 표지, 과속 방지 시설 등을 의무적으로 설치하는 법안이 마련되어야 한다는 필요성을 느끼고, 국회의원이 관련 법률안을 발의했습니다.

5 국회에서 하는 국정감사에서는 나랏일을 하는 공무원에게 궁금한 점을 질문하고, 잘못한 일이 있다면 바로잡도록 요구합니다.

6 장관은 국무를 나누어 맡아 처리하는 행정 각부의 우두머리입니다.

7 교육부는 어린이들이 자신의 꿈을 키워 나갈 수 있게 도움을 주는 일을 하고, 기획 재정부는 경제 정책을 세우기도 합니다.

8 법을 위반하는 일이 발생하거나 사람들 사이에 다툼이 생겼을 때 법원은 분쟁을 해결하고 사회질서를 유지하고자 법을 적용하여 판단합니다. 법무부와 국방부는 정부에 속해 있는 행정 각부입니다.

> **왜 틀렸을까?**
> ① 국회는 법을 만드는 국가기관입니다.
> ③ 법무부는 행정 각부 중 하나로, 법률에 대한 사무를 맡아봅니다.
> ④ 국방부는 나라를 지키는 것과 관련 있는 일을 합니다.
> ⑤ 헌법 재판소는 법률이 헌법에 어긋나지 않는지, 국가기관이 국민의 기본권을 침해했는지 등을 판단하는 기관입니다.

9 제시된 재판을 통해 해로운 성분이 포함된 제품을 만드는 회사가 줄어들고, 안전한 제품을 만드는 회사가 더 늘어날 것입니다.

10 국회, 정부, 법원이 국가 권력을 나누어 맡고, 서로 견제할 수 있게 하는 것을 삼권 분립이라고 합니다.

서술형·논술형 평가 20~21쪽

1 (1) 국민 주권

(2) ㉠

(3) 예 국민 주권을 지키려면 끊임없이 노력해야 한다. 정치에 항상 관심을 가지고 적극적으로 정치에 참여해야 한다.

2 (1) 국회

(2) 국정감사

(3) 예 예산의 대부분은 국민이 낸 세금으로 마련하기 때문이다.

3 (1) ㉣

(2) 대통령

(3) 예 국민들의 안전과 생명을 지켜 준다. 국민들이 편리하고 행복한 생활을 하도록 해 준다.

4 (1) ㉠ 국회 ㉡ 정부 ㉢ 법원

(2) 권력 분립

(3) 예 한 기관이 국가의 중요한 일을 마음대로 처리할 수 없도록 서로 견제하고 균형을 이루기 위해서이다. 국민의 자유와 권리를 지키기 위해서이다.

1 (1) 국민 주권이란 국민이 한 나라의 주인으로서 나라의 중요한 일을 스스로 결정하는 권리를 말합니다.

(2) 우리나라 헌법에서는 주권이 국민에게 있음을 밝히고 있으며, 이를 실현하고자 국민의 자유와 권리를 법으로 보장하고 있습니다.

(3) 우리는 국민 주권의 원리를 실현하기 위해 나라의 중요한 일을 결정할 때 적극적으로 참여해야 합니다.

채점 기준

(1)	'국민 주권'이라고 정확히 씀.	2점
(2)	'㉠'이라고 정확히 씀.	2점
(3)	**정답 키워드** 주권 │ 정치 │ 참여 '국민 주권을 지키려면 끊임없이 노력해야 한다.', '정치에 항상 관심을 가지고 적극적으로 정치에 참여해야 한다.' 등의 내용을 정확히 씀.	4점
	국민 주권을 지키기 위해 우리가 할 수 있는 일을 썼지만 표현이 부족함.	2점

2 (1) 국회는 국민의 대표인 국회의원들로 구성된 국민의 대표 기관입니다.

(2) 공무원에게 궁금한 점을 질문하고, 잘못한 일이 있으면 바로잡도록 요구하는 것이 국정감사입니다.

(3) 국민의 의사를 반영하기 위해 국민을 대표하는 국회의원이 예산을 심의·확정합니다.

채점 기준

(1)	'국회'라고 정확히 씀.	2점
(2)	'국정감사'라고 정확히 씀.	2점
(3)	**정답 키워드** 예산 │ 세금 '예산의 대부분은 국민이 낸 세금으로 마련하기 때문이다.', '국민의 의사를 반영하기 위해서이다.' 등의 내용을 정확히 씀.	6점
	예산안을 심의하는 까닭을 썼지만 표현이 부족함.	3점

3 (1) ㉠은 식품 의약품 안전처, ㉡은 교육부, ㉢은 국방부, ㉣은 소방청이 하는 일입니다.

(2) 대통령은 정부의 최고 책임자로서 정부를 이끄는 역할을 합니다.

(3) 행정 각부에 속한 장관과 차관, 그리고 많은 공무원은 국민의 안전과 행복을 위해 여러 가지 일을 합니다.

채점 기준

(1)	'㉣'이라고 정확히 씀.	2점
(2)	'대통령'이라고 정확히 씀.	2점
(3)	**정답 키워드** 안전 │ 행복 '국민들의 안전과 생명을 지켜 준다.', '국민들이 편리하고 행복한 생활을 하도록 해 준다.' 등의 내용을 정확히 씀.	6점
	정부가 하는 일을 통해 국민에게 주는 이로움을 썼지만 표현이 부족함.	3점

4 (1) 국가를 다스리는 법을 만드는 것은 국회, 법에 따라 국가 살림을 하는 것은 정부, 법에 따라 재판을 하는 것은 법원입니다.

(2) 권력 분립은 국가기관이 권력을 나누어 맡도록 하는 것입니다.

(3) 나라의 모든 일을 한 사람이나 한 기관이 결정하면 국민의 의견을 나랏일에 반영하지 못할 것입니다.

채점 기준

(1)	㉠에 '국회', ㉡에 '정부', ㉢에 '법원'이라고 정확히 씀.	3점
(2)	'권력 분립'이라고 정확히 씀.	2점
(3)	**정답 키워드** 균형 │ 자유와 권리 '한 기관이 국가의 중요한 일을 마음대로 처리할 수 없도록 서로 견제하고 균형을 이루기 위해서이다.', '국민의 자유와 권리를 지키기 위해서이다.' 등의 내용을 정확히 씀.	5점
	삼권 분립을 시행하는 까닭을 썼지만 표현이 부족함.	2점

온라인 학습 단원평가의 **정답**과 함께 **문항 분석**도 확인하세요.

문항 번호	정답	평가 내용	난이도
1	④	4·19 혁명의 원인 알기	쉬움
2	⑤	4·19 혁명 이후 일어난 일 알기	어려움
3	②	유신 헌법에 대해 알기	보통
4	④	박정희 정부 시기에 있었던 일 알기	보통
5	④	5·18 민주화 운동에 대해 알기	보통
6	⑤	5·18 민주화 운동에 대해 알기	보통
7	⑤	사회 공동의 문제 해결하는 방법 알기	쉬움
8	⑤	옛날의 정치 참여 모습 알기	쉬움
9	①	정치의 의미 알기	쉬움
10	②	민주주의의 모습 알기	어려움
11	④	민주주의를 실천하는 태도 알기	보통
12	④	다수결의 원칙에 대해 알기	쉬움
13	①	민주적 의사 결정 과정에 대해 알기	보통
14	②	권력 분립을 하는 까닭 알기	쉬움
15	④	법이 만들어지는 과정 알기	어려움
16	⑤	국회가 하는 일 알기	보통
17	②	정부에 대해 알기	보통
18	④	정부에 속하는 사람 알기	어려움
19	②	정의의 여신상의 의미 알기	보통
20	③	법원에서 하는 일 알기	보통

1 4월 19일, 서울을 비롯한 전국에서 시민들과 학생들은 이승만 정부의 독재와 3·15 부정 선거를 바로잡고자 거리로 나섰습니다.

2 이승만이 우리나라의 첫 대통령이었습니다.

3 유신 헌법을 공포한 후 박정희 정부는 국민의 기본 권리를 침해하며 독재 정치를 했습니다.

4 박정희 정부 시기에는 나라에서 머리카락이나 차림새 등을 단속했습니다.

5 1980년 5월, 5·18 민주화 운동 당시 전남도청 앞 광장은 자유와 민주주의를 지키려는 사람들로 가득했습니다.

6 광주에서 대규모 시위가 일어나자 군인 세력은 계엄군을 투입하여 시위를 폭력적으로 진압했습니다.

7 오늘날 더 많은 사람이 정치에 참여하게 되었고, 그에 따라 민주주의가 정착되었습니다.

8 오늘날에는 직업이나 재산, 성별 등에 관계 없이 누구나 정치에 참여할 수 있습니다.

9 우리는 생활 속에서 정치를 하고 있습니다.

10 다수결의 원칙을 따르는 것이 항상 최선의 선택은 아닙니다.

11 다양한 의견의 장단점을 고민하고 비판적으로 살펴보아야 합니다.

12 다수결의 원칙을 활용할 때는 결정에 앞서 충분한 대화와 토론을 거쳐야 합니다.

13 재우네 학교에 운동장을 사용하는 문제로 다툼이 발생하여 문제 발생 원인에 대해 이야기하고 있습니다.

14 국민의 자유와 권리를 지키기 위해 국가 권력을 여러 기관이 나누어 맡고 있습니다.

15 학교 주변에서 교통사고가 많이 발생하여 국회의원이 관련 법률안을 발의한 후 법이 만들어졌습니다.

16 국정감사는 국회에서 행정부가 법에 따라 일을 잘하고 있는지 확인하는 것입니다.

17 정부는 법에 따라 나라의 살림살이를 하는 곳입니다.

18 대법관은 법원에 속해서 판결을 하는 사람입니다.

19 법은 모든 사람에게 공정하게 적용되어야 합니다.

20 법원에서는 사회에 피해를 준 사람에게 벌을 주어 사회 질서를 바로잡습니다.

온라인 학습 단원평가의 **정답**과 함께 **문항 분석**도 확인하세요.

단원평가 2회   26~29쪽

문항 번호	정답	평가 내용	난이도
1	⑤	우리나라 역대 대통령 알기	쉬움
2	③	3·15 부정 선거에 대해 알기	어려움
3	③	4·19 혁명에 대해 알기	쉬움
4	③	5·16 군사 정변에 대해 알기	어려움
5	⑤	전두환이 정변을 일으킨 이후 상황 알기	보통
6	①	6월 민주 항쟁 이후 민주화 과정 알기	보통
7	③	사회 문제 해결 방법 알기	보통
8	①	생활 속 정치 모습 알기	쉬움
9	⑤	민주주의의 기본 정신 알기	쉬움
10	④	민주주의를 실천할 때 좋은 점 알기	보통
11	①	링컨의 연설문의 의미 알기	보통
12	③	다수결의 원칙에 대해 알기	어려움
13	③	민주적 의사 결정 과정에 대해 알기	쉬움
14	①	선거의 원칙 알기	보통
15	④	국회의원 선출 방법 알기	보통
16	④	국회가 하는 일 알기	쉬움
17	④	국무 회의에 대해 알기	보통
18	③	국무총리가 하는 일 알기	보통
19	⑤	재판에 참여하는 사람 알기	보통
20	①	국가기관이 견제하는 모습 알기	어려움

1 우리나라의 첫 대통령이었던 이승만은 헌법을 바꾸어 두 번의 선거에서 잇달아 대통령이 되었습니다.

2 이승만 정부는 1960년 3월 15일에 치러질 정부통령 선거에서 이기려고 부정 선거를 계획했습니다.

3 이승만 정부는 경찰을 동원하여 시위를 진압했고, 이 과정에서 학생과 시민들이 죽거나 다쳤습니다.

4 4·19 혁명 이후 박정희를 중심으로 한 일부 군인이 군사 정변을 일으켰습니다.

5 박정희 정부가 무너진 후 전두환이 중심이 된 새로운 군인 세력이 또 군사 정변을 일으켜 권력을 장악했습니다.

6 6월 민주 항쟁에서 시민들의 요구에 따라 6·29 민주화 선언이 발표되었습니다.

7 정당이나 시민 단체를 만들어 사회 문제 해결에 참여하면 혼자서 해결하는 것보다 효과적으로 사회 문제 해결에 참여할 수 있습니다.

8 물건을 구입하는 것은 경제활동입니다.

9 오늘날의 민주주의 국가는 법과 제도로 모든 사람이 존중받고 행복하게 살 수 있도록 노력하고 있습니다.

10 민주주의는 인간의 존엄성과 자유, 평등을 누릴 수 있는 바탕이라는 점에서 매우 중요합니다.

11 링컨의 연설문 중 '국민의 정부'란 나라의 주인은 왕이나 대통령이 아니라 국민이라는 뜻입니다.

12 민아네 반에서는 친구들의 의견을 모아서 다수결의 원칙에 따라 체험 학습 장소를 결정하기로 했습니다.

13 우리 학교나 지역에서 나타나는 여러 가지 문제를 민주적인 의사 결정 원리에 따라 해결할 수 있습니다.

14 선거는 국민 주권을 행사하는 가장 기본적인 방법입니다.

15 4년에 한 번씩 선거로 국회의원을 뽑습니다.

16 공정한 재판을 하는 국가기관은 법원입니다.

17 국무 회의는 행정부의 중요 정책을 심의하는 최고의 심의 기관으로 대통령, 국무총리, 각부 장관이 참석합니다.

18 국무총리는 대통령을 도와 행정 각부를 관리합니다.

19 법무부 장관은 정부에 속하는 사람이므로 재판 과정에 참여하지 않습니다.

20 국회의원들이 법원의 대표인 대법원장을 임명하는 데 동의할지 결정하고 있기 때문에 국회가 법원을 견제하는 사례입니다.

2. 우리나라의 경제 발전

① 경제주체의 역할과 우리나라 경제체제

1 ⓛ   **2** ⓙ   **3** ⓛ   **4** ⓛ   **5** ⓛ

1 가정 살림을 같이하는 생활 공동체는 가계입니다.

2 가계는 기업의 생산 활동에 참여해 소득을 얻고, 얻은 소득으로 소비 활동을 합니다.

3 가계는 일자리에 노동력을 제공하고, 기업은 노동력을 활용해 물건이나 서비스를 생산합니다.

4 가계의 소비 활동은 기업의 생산 활동, 이윤 추구와 밀접한 관계가 있습니다.

5 시장은 물건이나 서비스를 사려는 사람과 팔려고 하는 사람이 모여 거래하는 곳으로 전통 시장, 대형 마트와 같이 만질 수 있는 물건을 사고파는 곳도 있지만 외환 시장, 주식 시장, 부동산 시장 등 만질 수 없는 물건을 사고파는 시장도 있습니다.

1 ㉠   **2** ⓛ   **3** ⓛ   **4** ⓛ   **5** ⓛ

1 우리나라는 개인과 기업의 경제활동의 자유를 보장합니다.

2 기업은 많은 이윤을 얻기 위해 경쟁에서 앞서려고 노력하며, 보다 싸고 질 좋은 상품을 만들어 판매하려고 노력합니다.

3 개인은 자유로운 경쟁을 통해 자신의 능력을 발전시키고 잘 발휘할 수 있으며, 기업은 더 좋은 물건이나 서비스를 개발해 보다 많은 이윤을 얻을 수 있습니다.

4 기업의 불공정한 경제활동은 소비자로 하여금 품질에 비해 비싼 물건을 어쩔 수 없이 사게 만들고, 소비자들에게 상품의 잘못된 정보를 전달하여 올바른 선택을 할 수 없게 만듭니다.

5 법과 제도를 만들어 기업의 경제활동을 규제하는 곳은 정부입니다.

1 (1) ㉠ (2) ⓛ   **2** ①   **3** 가치 소비
4 ③   **5** ④   **6** ⑤   **7** ④
8 독과점   **9** ④   **10** ㉠, ⓛ

1 가계는 생산 활동에 참여하여 얻은 소득으로 소비 활동을 하는 경제주체이고, 기업은 전문적으로 생산 활동을 하는 경제주체입니다.

2 가계의 소득은 한정되어 있으므로 가장 적은 비용으로 가장 큰 만족을 얻을 수 있도록 선택하는 것을 합리적 선택이라고 합니다.

> **왜 틀렸을까?**
> ② 사람마다 중요하게 생각하는 선택 기준은 모두 다릅니다.
> ③ 가계 구성원마다 필요한 물건이 모두 다르기 때문에 우선순위를 정해야 합니다.
> ④ 가계의 소득이 한정되어 있기 때문에 구매하고 싶은 물건을 모두 구매할 수는 없습니다.
> ⑤ 가계의 합리적 선택은 가장 적은 비용으로 가장 큰 만족을 얻는 의사 결정 과정입니다.

3 소비를 할 때 가격 외에도 자신이 추구하는 가치를 고려하는 소비를 가치 소비라고 합니다. 넓고 쾌적한 환경에서 자란 닭이 낳은 달걀을 구매한다는 것으로 보아, 자료에 나타난 사람이 중요하게 여기는 가치는 동물 복지입니다.

4 기업은 수입을 늘리고 생산 비용은 줄이는 의사 결정을 합니다.

> **왜 틀렸을까?**
> ③은 개인의 합리적 선택 과정입니다.

5 국내 생산 비용보다 해외 생산 비용이 봉지당 2,000원이 더 적으므로 기업은 해외에 공장을 세워 물건을 생산할 것입니다.

6 기업은 이윤을 얻기 위해 다른 기업과 경쟁합니다.

7 개인과 기업의 자유로운 경쟁은 개인과 기업, 국가의 발전에 도움을 줍니다.

8 독과점 기업의 가격 인상은 소비자가 사고 싶은 물건을 합리적인 가격에 소비할 수 없게 합니다.

9 정부는 공정하고 자유로운 경쟁을 보장하기 위해 공정 거래 위원회를 만들었습니다.

10 정부는 기업의 불공정한 경제활동을 감시하고 규제합니다.

서술형·논술형 평가 　　　　34~35 쪽

1 (1) ㉠

(2) 시장

(3) 예 가계의 생산과 소비 활동은 기업의 생산 및 이윤 추구와 밀접한 관계가 있다.

2 (1) 가격

(2) ㉠

(3) 예 소득의 범위 안에서 적은 비용으로 가장 큰 만족을 얻도록 합리적으로 소비한다.

3 (1) ㉠

(2) 생산 품목

(3) 예 보다 많은 이윤을 얻기 위해서이다.

4 (1) ㉡

(2) ㈎ 이윤 ㈏ 경쟁

(3) 예 식당이 가격을 올려도 이용할 수밖에 없다. 음식의 질이나 서비스가 나빠져도 어쩔 수 없이 이용할 수밖에 없다.

1 (1) 가계는 가정 살림을 같이하는 공동체로 기업의 생산 활동에 참여하는 대가로 소득을 얻어 소비 활동을 합니다.

(2) 가계와 기업은 시장에서 만나 물건이나 서비스를 사고팝니다. 시장은 물건이나 서비스를 사고파는 사람이 모여 거래하는 곳으로, 기업은 시장에 물건을 공급하고 가계는 시장에서 물건을 소비합니다.

(3) 가계 구성원과 기업이 하는 일은 서로에게 도움이 됩니다.

채점 기준

(1)	'㉠'이라고 정확히 씀.	2점
(2)	'시장'이라고 정확히 씀.	2점
(3)	**정답 키워드** 생산 | 소비 | 이윤 '가계의 생산과 소비 활동은 기업의 생산 및 이윤 추구와 밀접한 관계가 있다.' 등의 내용을 정확히 씀.	4점
	가계와 기업의 경제활동의 관계에 관해 썼으나 표현이 부족함.	2점

2 (1) 소영이네 가족은 가격이 더 싼 텔레비전을 고르려고 합니다.

(2) 소영이네 가족은 가격이 50,000원 더 싼 ㉠ 텔레비전을 고를 것입니다.

(3) 합리적인 선택을 위해서 품질, 디자인, 가격 등을 고려해 가장 적은 비용으로 큰 만족감을 얻을 수 있도록 선택합니다.

채점 기준

(1)	'가격'이라고 정확히 씀.	2점
(2)	'㉠'이라고 정확히 씀.	2점
(3)	**정답 키워드** 적은 비용 | 큰 만족 '소득의 범위 안에서 적은 비용으로 가장 큰 만족을 얻도록 합리적으로 소비한다.' 등의 내용을 정확히 씀.	6점
	합리적인 소비를 할 수 있는 방법에 관해 썼으나 표현이 부족함.	3점

3 (1) 필통 판매량과 관련된 자료는 ㉠입니다.

(2) ㉡은 생산 품목들의 판매량을 나타낸 그래프입니다. 천 필통이 약 80만 개로 가장 잘 팔리고, 철제 필통이 약 30만 개로 가장 적게 팔리고 있습니다.

(3) 기업은 적은 비용으로 많은 수입을 얻을 수 있도록 합리적 선택을 합니다. 소비자에게 인기 있는 제품의 생산을 늘리거나, 새로운 제품 개발에 힘을 쏟을 수도 있습니다.

채점 기준

(1)	'㉠'이라고 정확히 씀.	2점
(2)	'생산 품목'이라고 정확히 씀.	2점
(3)	**정답 키워드** 많은 이윤 '보다 많은 이윤을 얻기 위해서이다.' 등의 내용을 정확히 씀.	6점
	기업이 합리적인 선택을 하는 까닭에 관해 썼으나 표현이 부족함.	3점

4 (1) 송이는 서비스를 가장 우선적으로 고려하여 선택 기준을 세웠습니다.

(2) 기업은 경쟁에서 앞서기 위해 보다 싸고 질 좋은 상품을 만들어 판매합니다.

(3) 식당 중 하나의 식당만 남고 나머지가 모두 사라진다면 식당 음식의 가격이 오르거나 맛이 떨어져도 어쩔 수 없이 이용할 수밖에 없습니다. 여러 식당들이 서로 자유롭게 경쟁하는 것이 소비자에게 좋습니다.

채점 기준

(1)	'㉡'이라고 정확히 씀.	2점
(2)	㈎ '이윤', ㈏ '경쟁'에 각각 ○표를 함.	4점
(3)	**정답 키워드** 이용할 수밖에 없다. '식당이 가격을 올려도 이용할 수밖에 없다.', '음식의 질이나 서비스가 나빠져도 어쩔 수 없이 이용할 수밖에 없다.' 등의 내용을 정확히 씀.	6점
	기업이 경쟁하지 않을 때 소비자가 입는 피해에 관해 썼으나 표현이 부족함.	3점

❷ 우리나라의 경제 성장과 경제생활의 변화

1 1950년대 우리나라는 설탕, 밀가루 등 식료품이나 옷과 같이 생활에 필요한 제품을 만드는 소비재 산업이 발달했습니다.

2 우리나라는 1960년대 풍부한 노동력을 바탕으로 의류, 신발, 가발 등을 만드는 경공업이 발전했습니다.

3 정부는 1970년대 중화학 공업에 필요한 높은 기술력을 갖추려고 교육 시설과 연구소 등을 설립했습니다.

4 1980년대에는 중화학 공업이 발전하면서 수출액과 국민 소득도 함께 늘어나 사람들의 생활 수준이 향상되었습니다.

5 우리나라는 1980년대부터 반도체를 개발하기 시작하여 오늘날에는 주요 수출품으로 자리 잡았습니다.

1 1960년대에는 흑백텔레비전이 보급되어 사람들의 여가 생활에 변화가 생겼습니다.

2 서울과 부산을 잇는 경부 고속 국도의 개통으로 지역과 지역을 오가는 시간이 줄었습니다.

3 오늘날에는 사람들이 주로 스마트폰을 이용합니다.

4 오늘날에는 다양한 매체를 활용하여 과거보다 더 쾌적한 환경에서 교육을 받을 수 있게 되었고, 한 교실에서 수업을 받는 학생 수가 많이 줄었습니다.

5 2000년대에 들어서는 고속 철도의 개통으로 지역과 지역을 오가는 이동 시간이 크게 줄어들었습니다.

1 6·25 전쟁 직후 정부와 국민은 파괴된 여러 시설을 다시 짓고 공업을 발전시켜 경제를 되살리기 위해 노력했습니다.

> **왜 틀렸을까?**
> ① 1990년대의 모습입니다.
> ② 우리나라는 1950년대에 외국에서 많은 원조를 받았습니다.
> ④ 2010년 이후 첨단 산업의 발전에 관련된 내용입니다.

2 1950년대에는 밀가루, 설탕, 옷 등을 만드는 소비재 산업이 발달했습니다.

3 1960년대 정부는 경제 개발 5개년 계획을 세우고 수출로 경제 성장을 이루고자 했습니다.

4 1970년대 들어 정부는 중화학 공업 발전에 힘을 쏟았고, 그 결과 수출과 국민 소득이 늘어났습니다.

5 2000년대 이후 우리나라의 경제는 새로운 산업 발달에 힘입어 성장하고 있습니다.

6 우리나라의 대중문화 요소가 외국에서 유행하는 현상을 한류라고 합니다.

> **더 알아보기**
> **한류의 확산**
> • 한류는 우리나라의 영화, 드라마, 대중가요 등 우리 문화가 외국에서 유행하는 현상입니다.
> • 우리나라의 오락과 방송 산업이 발달하면서 우수한 콘텐츠가 많이 만들어지고 있고, 오늘날 세계의 많은 사람들이 우리나라의 문화 콘텐츠를 즐기고 있습니다.

7 스마트폰의 보급으로 사람들이 더욱 쉽게 정보를 찾거나 이용할 수 있게 되었습니다.

8 1960년대 이후 젊은 사람들이 일자리를 찾아 도시로 떠나면서 농촌에는 일할 사람이 부족해졌습니다.

9 산업 재해 문제를 해결하기 위해 정부는 「산업 안전 보건법」을 시행하고, 기업은 산업 현장에서 안전을 강조하며 직원들을 교육합니다. 노동자들은 안전 교육을 받고 안전 규칙을 지키기 위해 노력합니다.

10 시민들은 지역의 환경을 보호하기 위해 정부와 기업의 친환경 정책과 제품을 감시하거나, 자원봉사 활동을 하기도 합니다.

서술형·논술형 평가 40~41 쪽

1 (1) 경제 개발 5개년 계획

(2) ㉠, ㉡

(3) 예 국내에서 생산한 제품을 해외로 수출해 경제 성장을 이루고자 노력했다.

2 (1) 중화학 공업

(2) 예 기술력

(3) 예 교육 시설과 연구소 등을 설립했다.

3 (1) 컬러텔레비전

(2) 빠르게

(3) 예 경제가 성장하면서 국민의 생활 수준도 높아졌다.

4 (1) ㉠ 정부 ㉡ 시민 단체

(2) 예 경제적 양극화

(3) 예 가난한 사람에게도 경제적으로 발전할 수 있는 기회를 공평하게 제공하기 위해서이다.

1 (1) 정부는 1960년대 경제 발전을 목표로 5년 단위로 추진한 경제 계획을 세웠습니다. 이를 경제 개발 5개년 계획이라고 합니다.

(2) ㉡, ㉢은 물건의 운송을 쉽게 하여 기업의 수출을 돕기 위해 지어진 시설입니다.

(3) 정부는 산업 발전에 기반이 되는 시설을 건설하고 기업이 제품을 생산해 수출할 수 있도록 노력했습니다.

채점 기준

(1)	'경제 개발 5개년 계획'이라고 정확히 씀.	2점
(2)	'㉠, ㉡'이라고 정확히 씀.	2점
(3)	**정답 키워드** 해외 | 수출 | 성장 '국내에서 생산한 제품을 해외로 수출해 경제 성장을 이루고자 노력했다.' 등의 내용을 정확히 씀.	4점
	산업 발전에 기반이 되는 시설이 우리나라의 경제 발전에 미친 영향에 관해 썼으나 표현이 부족함.	2점

2 (1) 1970년대 정부는 중화학 공업을 발전시키기 위해 노력했습니다. 그 결과 1970년에는 경공업의 수출 비중이 훨씬 높았지만 차츰 중화학 공업의 수출 비중이 높아졌고, 1985년에는 중화학 공업의 수출 비중이 경공업보다 커졌습니다.

(2) 중화학 공업은 높은 기술력이 필요한 산업입니다.

(3) 정부는 높은 기술력을 갖추고자 교육 시설과 연구소 등을 설립했고, 기업에게는 낮은 이자로 돈을 많이 빌려 주었습니다.

채점 기준

(1)	'중화학 공업'이라고 정확히 씀.	2점
(2)	'기술력' 등의 내용을 정확히 씀.	2점
(3)	**정답 키워드** 교육 시설 | 연구소 '교육 시설과 연구소 등을 설립했다.' 등의 내용을 정확히 씀.	6점
	정부가 1970년대 중화학 공업 발전에 필요한 기술력을 갖추기 위해 했던 노력에 관해 썼으나 표현이 부족함.	3점

3 (1) 1980년대 우리나라에 컬러텔레비전이 보급되면서 사람들의 여가 생활에 영향을 미쳤습니다.

(2) 1990년대에는 자가용 자동차가 보급되고 교통과 교통수단에 변화가 생겼습니다. 자가용 자동차의 보급으로 사람들이 자유롭고 편리하게 지역을 오갈 수 있게 되었습니다.

(3) 우리나라 경제가 성장하면서 방송, 통신, 교통, 여가 생활 등 다양한 분야에서 큰 변화가 생겼습니다.

채점 기준

(1)	'컬러텔레비전'이라고 정확히 씀.	2점
(2)	'빠르게'에 ○표를 함.	2점
(3)	**정답 키워드** 생활 수준 | 높아짐 '경제가 성장하면서 국민의 생활 수준도 높아졌다.' 등의 내용을 정확히 씀.	6점
	경제 성장에 따른 우리나라 국민의 생활 수준 변화에 관해 썼으나 표현이 부족함.	3점

4 (1) 정부는 여러 법률을 제정해 시행하여 저소득층을 돕고, 시민 단체는 사람들을 돕기 위한 봉사 활동 등을 진행합니다.

(2) 경제의 성장 과정에서 잘사는 사람과 그렇지 못한 사람의 소득 격차가 커지는 문제가 발생하고 있습니다.

(3) 사람들의 인권을 보호하기 위해 경제적으로 어려운 사람을 돕고 있습니다.

채점 기준

(1)	㉠ '정부', ㉡ '시민 단체'를 모두 정확히 씀.	2점
(2)	'경제적 양극화' 등의 내용을 정확히 씀.	2점
(3)	**정답 키워드** 가난한 사람 | 기회 | 공평 '가난한 사람에게도 경제적으로 발전할 수 있는 기회를 공평하게 제공하기 위해서이다.' 등의 내용을 정확히 씀.	6점
	경제적 양극화를 해결해야 하는 까닭에 관해 썼으나 표현이 부족함.	3점

❸ 세계 속의 우리나라 경제

개념 확인하기 42쪽

| 1 ㉠ | 2 ㉡ | 3 ㉢ | 4 ㉡ | 5 ㉠ |

1 다른 나라에서 물건이나 서비스를 사 오는 것을 수입, 파는 것을 수출이라고 합니다.

2 나라마다 더 잘 만들 수 있는 물건이나 서비스가 다르고, 경제 교류를 통해 이익을 얻을 수 있기 때문에 무역을 합니다.

3 우리나라의 주요 수출품에는 반도체, 자동차, 석유 제품 등이 있습니다.

4 다른 나라의 재료, 노동력, 기술 등을 활용하여 더 좋은 상품이나 서비스를 생산할 수 있기 때문에 여러 나라들이 협력하여 물건을 만들기도 합니다.

5 기업들의 경쟁은 상품의 품질을 좋게 만들고 소비자의 선택지를 늘려 줍니다.

개념 확인하기 43쪽

| 1 ㉠ | 2 ㉡ | 3 ㉡ | 4 ㉠ | 5 ㉡ |

1 수입품에 매기는 관세를 높여 수입품의 가격을 올리는 방식으로 국내 산업을 보호할 수도 있습니다.

2 한 나라가 물건이나 서비스의 수입을 제한하거나 거부하면 무역 문제가 발생할 수 있습니다.

3 많은 나라는 나라의 기본이 되는 산업을 보호하기 위해, 국내 근로자의 실업을 방지하기 위해, 다른 나라보다 경쟁력이 부족한 우리나라 산업을 보호하기 위해서 등 다양한 이유로 자기 나라의 경제를 보호하기 위해 여러 가지 방법을 이용합니다.

4 무역 문제를 해결하기 위해서는 문제가 발생한 나라끼리 서로 협상하고 합의해야 합니다.

5 세계 무역 기구에서는 나라 간의 무역 갈등을 조정하고 판결을 하여 해결합니다.

실력 평가 44~45쪽

1 스마트폰	2 ⑤	3 ⑤	4 아영
5 ㉠	6 ③	7 (2) ○	8 ③, ⑤
9 ③	10 ②		

1 △△ 나라는 자원이 부족하기 때문에 천연자원을 주로 수입하고, 기술력이 좋아 배, 반도체, 스마트폰 등을 주로 수출합니다.

2 무역을 통해 기업은 생산 비용을 줄일 수 있고, 소비자는 더 싸고 질 좋은 제품을 살 수 있습니다.

3 우리나라는 천연자원이 부족하지만 기술력이 뛰어나 반도체, 자동차 등을 주로 수출합니다.

4 우리나라와 다른 나라는 더 좋은 상품이나 서비스를 생산하기 위해 함께 협력하기도 합니다.

왜 틀렸을까?
선호: 우리나라와 다른 나라는 서로 의존하기도 하고, 경쟁하기도 합니다.
정은: 우리나라는 다른 나라의 재료나 기술을 활용하여 물건을 만들어 판매하기도 합니다.

5 나라 간 자유 무역 협정 체결이 활발해지면서 나라 간 경제적 상호 의존 관계가 더욱 긴밀해지고 있습니다.

6 세계 여러 나라와 경제 교류가 활발해지면서 우리의 의식주 및 여가 생활, 취업 활동에도 여러 변화가 생겼습니다.

7 경제 교류가 활발해지면서 기업은 다른 나라의 기업과 기술, 정보 등을 주고받으며 발전합니다.

왜 틀렸을까?
⑴ 경제 교류로 기업은 다른 나라에 공장을 세워 그 나라의 값싼 노동력을 활용해 생산 비용을 줄일 수 있게 되었습니다.

8 서로 자기 나라의 경제를 보호하고 산업을 더 키우려고 해서 무역 문제가 발생합니다.

9 ○○ 나라의 관세 인상과 수입량 제한으로 우리나라와 무역 문제가 생겼습니다.

10 서로 자기 나라의 경제만 보호하려고 한다면 무역을 통해 얻을 수 있는 이익을 얻지 못하게 됩니다. 무역 문제를 해결하기 위해서는 서로 협상하고 합의하며, 국제기구에 도움을 요청하고, 우리나라 상품을 수출할 수 있는 다른 나라를 찾아보는 등 피해를 줄일 수 있는 대책을 마련해야 합니다.

서술형·논술형 평가 46~47쪽

1 (1) 천연가스

(2) ㉠

(3) 예 나라마다 자연환경, 자원, 기술, 노동력 등의 차이가 있기 때문이다.

2 (1) ㉠

(2) 원유

(3) 예 우리나라는 원유를 많이 수입하지만 원유를 가공·처리하는 기술이 뛰어나 다양한 석유 제품을 수출한다.

3 (1) 식생활

(2) 무역

(3) 예 전 세계의 값싸고 다양한 상품을 선택할 수 있는 기회가 늘어났다.

4 (1) 의존

(2) 자유 무역 협정

(3) 예 각 나라의 특징을 살린 활발한 경제 교류로 이익을 얻기 위해서이다.

1 (1) ㉠ 나라는 원유, 천연가스 등 천연자원이 부족합니다. 따라서 ㉠ 나라는 ㉡ 나라에서 천연가스를 수입할 것입니다.

(2) ㉡ 나라는 문화 콘텐츠 산업이 발달하여 다른 나라에 수출할 것입니다.

(3) 각 나라는 경제 교류를 통해 이전에는 사용할 수 없었던 물건이나 서비스를 이용할 수 있습니다. ㉠ 나라는 자기 나라에 부족한 천연자원과 문화 콘텐츠 산업을 ㉡ 나라로부터 수입하고, ㉡ 나라는 ㉠ 나라의 반도체, 자동차 등을 수입합니다.

채점 기준

(1)	'천연가스'라고 정확히 씀.	2점
(2)	'㉡'이라고 정확히 씀.	2점
(3)	정답 키워드 자연환경 │ 자원 │ 기술 '나라마다 자연환경, 자원, 기술, 노동력 등의 차이가 있기 때문이다.' 등의 내용을 정확히 씀.	4점
	나라마다 잘 생산할 수 있는 물건이나 서비스가 다른 까닭에 관해 썼으나 표현이 부족함.	2점

2 (1) 우리나라는 주로 반도체, 석유 제품, 자동차 등을 수출합니다.

(2) 우리나라는 원유를 대부분 수입하여 이용합니다.

(3) 우리나라는 원유의 수입액이 가장 많은 대신 석유 제품의 수출액이 많습니다. 왜냐하면 우리나라는 가공 무역이 발달했기 때문입니다.

채점 기준

(1)	'㉠'이라고 정확히 씀.	2점
(2)	'원유'라고 정확히 씀.	2점
(3)	정답 키워드 원유 │ 가공 │ 기술 │ 석유 제품 '우리나라는 원유를 많이 수입하지만 원유를 가공·처리하는 기술이 뛰어나 다양한 석유 제품을 수출한다.' 등의 내용을 정확히 씀.	6점
	우리나라의 원유 수입 및 석유 제품 수출과 관련된 무역의 특징에 관해 썼으나 표현이 부족함.	3점

3 (1) 태국 음식점에서 팟타이를 먹었다는 말을 통해 식생활에 관련된 내용임을 알 수 있습니다.

(2) 무역을 통해 이전에는 사용할 수 없었던 물건이나 서비스를 이용할 수 있습니다.

(3) 다른 나라와의 경제 교류는 개인의 의식주 및 여가 생활, 취업 활동에도 영향을 미칩니다.

채점 기준

(1)	'식생활'이라고 정확히 씀.	2점
(2)	'무역'이라고 정확히 씀.	2점
(3)	정답 키워드 전 세계 │ 선택 │ 기회 '전 세계의 값싸고 다양한 상품을 선택할 수 있는 기회가 늘어났다.' 등의 내용을 정확히 씀.	6점
	무역이 개인의 경제생활에 미친 영향에 관해 썼으나 표현이 부족함.	3점

4 (1) 우리나라는 필요한 물건을 다른 나라에서 수입하고, 잘 만드는 물건을 수출합니다. 이처럼 우리나라는 다른 나라와 상호 의존하며 살아갑니다.

(2) 자유 무역 협정은 나라 간 물건이나 서비스의 이동을 자유롭게 하는 약속입니다. 최근에는 나라 간 자유 무역 협정 체결이 활발해지면서 나라 간 경제적 상호 의존 관계가 더욱 긴밀해지고 있습니다.

(3) 우리나라는 다른 나라와 서로 의존하고 경쟁하며 경제적으로 교류합니다.

채점 기준

(1)	'의존'이라고 정확히 씀.	2점
(2)	'자유 무역 협정'이라고 정확히 씀.	2점
(3)	정답 키워드 나라의 특징 │ 이익 '각 나라의 특징을 살린 활발한 경제 교류로 이익을 얻기 위해서이다.' 등의 내용을 정확히 씀.	6점
	나라 간에 무역을 하는 까닭에 관해 썼으나 표현이 부족함.	3점

온라인 학습 단원평가의 **정답**과 함께 **문항 분석**도 확인하세요.

문항 번호	정답	평가 내용	난이도
1	①	가계가 하는 일 알기	쉬움
2	③	시장의 의미 알기	보통
3	⑤	가치 소비 알기	보통
4	④	기업의 합리적 의사 결정 과정 알기	보통
5	②	기업의 합리적 선택 알기	보통
6	②	우리나라 경제의 특징 알기	쉬움
7	⑤	불공정한 경제활동을 막기 위한 시민 단체의 노력 알기	보통
8	④	1960년대 우리나라의 경제 성장 알기	쉬움
9	④	1980년대 우리나라의 경제 성장 알기	어려움
10	④	우리나라 경제가 빠르게 성장할 수 있었던 까닭 알기	보통
11	⑤	1990년대 우리나라의 경제 성장 알기	보통
12	②	경제 성장으로 변화한 사회 모습 알기	쉬움
13	①	인터넷 발달의 부작용 알기	어려움
14	①	환경오염 문제를 해결하기 위한 노력 알기	보통
15	③	무역의 의미 알기	어려움
16	④	우리나라와 다른 나라의 경제 교류 알기	보통
17	①	우리나라가 무역을 하는 까닭 알기	쉬움
18	⑤	우리나라와 다른 나라의 경제 관계 알기	보통
19	②	무역 문제 알기	어려움
20	③	세계 무역 기구가 하는 일 알기	쉬움

1 가계는 기업에 노동력을 제공하고 얻은 소득으로 필요한 물건을 구입합니다.

2 시장은 물건을 사고파는 사람이 모여 거래하는 곳입니다.

3 공정 무역은 생산자의 노동에 정당한 대가를 지불하는 윤리적인 무역입니다.

4 천 필통의 판매량과 플라스틱 필통의 판매량을 비교해 보면 사람들이 플라스틱 필통을 더 선호한다는 것을 알 수 있습니다.

5 기업의 합리적 선택은 생산 비용을 줄이고 수입을 늘리는 의사 결정을 말합니다.

6 개인과 기업은 경제활동의 자유를 누리면서 자신의 이익을 얻기 위해 경쟁합니다.

7 시민 단체는 특정 기업에서만 물건을 만들어 가격을 마음대로 올리지 못하도록 감시합니다.

8 정부는 1950년대에 농업 중심의 산업 구조를 공업 중심의 산업 구조로 변화시키려고 노력했습니다.

9 자동차 산업은 1980년대에 본격적으로 세계 시장에 제품을 수출하면서 크게 성장했습니다.

10 정부, 기업, 노동자들이 모두 노력했기 때문에 우리나라의 경제가 빠르게 성장할 수 있었습니다.

11 1990년대 후반부터 정부와 기업은 정보화 사회의 경제 발전을 위해 전국에 걸쳐 초고속 정보 통신망을 만들었습니다.

12 경제가 성장하면서 해외여행이 증가했고 우리나라를 찾는 외국인도 많아졌습니다.

13 오늘날에는 인터넷 발달의 부작용을 줄이기 위해 법과 제도를 시행하는 등 다양한 노력을 하고 있습니다.

14 우리나라는 경제 성장 과정에서 주변의 자연환경이 오염되어 사람들의 건강을 위협하고 있습니다.

15 무역을 통해 각 나라는 서로 경제적인 이익을 얻습니다.

16 한국과 몽골의 의료 교류는 몽골의 의료 환경 개선에 도움이 될 것입니다.

17 각 나라의 특징을 살린 활발한 경제 교류 활동으로 서로 이익을 얻을 수 있습니다.

18 뛰어난 기술력이 필요한 휴대 전화, 전자 기기, 자동차 시장에서의 경쟁은 치열합니다.

19 우리나라 물건에 높은 관세를 매기게 되면 가격이 올라 경쟁에서 불리합니다.

20 세계 무역 기구는 나라 사이의 무역 문제를 심판하고 무역 장벽을 낮추기 위해 노력합니다.

온라인 학습 단원평가의 **정답**과 함께 **문항 분석**도 확인하세요.

단원평가 2회 52~55쪽

문항 번호	정답	평가 내용	난이도
1	④	기업이 하는 일 알기	쉬움
2	⑤	가계의 합리적 선택 알기	보통
3	③	기업의 합리적 선택 알기	보통
4	④	우리나라 경제의 특징 알기	어려움
5	③	자유롭게 경쟁하는 경제활동의 장점 알기	보통
6	④	기업의 불공정한 경제활동이 소비자에게 미치는 영향 알기	보통
7	④	불공정한 경제활동을 해결하기 위한 노력 알기	어려움
8	④	1950년대 우리나라의 경제 성장 알기	쉬움
9	②	1960년대 우리나라의 경제 성장 알기	보통
10	③	우리나라의 반도체 수출 알기	어려움
11	②	경제 성장으로 변화한 사회 모습 알기	보통
12	①	경제 성장에 따른 농촌 문제 알기	보통
13	⑤	경제 성장에 따른 빈부 격차 문제 알기	보통
14	⑤	무역을 하는 까닭 알기	쉬움
15	②	우리나라의 무역 상대국 알기	쉬움
16	②	우리나라와 다른 나라의 경제 관계 알기	쉬움
17	①	경제 교류가 우리 생활에 미친 영향 알기	보통
18	⑤	경제 교류가 취업 활동에 미친 영향 알기	보통
19	⑤	무역 문제가 발생하는 까닭 알기	쉬움
20	④	세계 무역 기구 알기	어려움

1 가계는 소득으로 생활에 필요한 물건을 구입하는 소비 활동을 합니다.

2 가계는 소득의 범위 안에서 적은 비용으로 가장 큰 만족을 얻는 합리적 선택을 해야 합니다.

3 기업이 합리적 선택을 하지 않으면 다른 기업과의 경쟁에서 밀려 손해를 볼 수 있습니다.

4 우리나라는 개인과 기업의 자유로운 경제활동이 보장됩니다.

5 기업의 자유로운 경쟁은 소비자가 좋은 서비스를 받을 수 있게 합니다.

6 기업의 불공정한 경제활동은 소비자들에게 피해를 줄 수 있습니다.

7 ①은 시민 단체, ③과 ⑤는 정부가 하는 노력입니다.

8 우리나라는 1960년대 들어서 경제 개발 5개년 계획을 세우고 수출 위주로 경제를 발전시키려고 했습니다.

9 우리나라는 선진국보다 자원과 기술은 부족했지만 노동력이 풍부했습니다.

10 우리나라의 기업들은 1990년대에 들어 세계적으로 성능이 뛰어난 반도체를 생산할 수 있게 되었습니다.

11 ①은 1960년대, ③은 1990년대, ④는 1970년대의 사회 모습입니다.

12 1960년대 이후 공업화로 젊은 사람들이 도시로 떠나 농촌에 일손이 부족해졌습니다.

13 정부와 사회 각계각층의 사람들은 모두 잘사는 사회를 만들려고 노력하고 있습니다.

14 나라마다 자연환경, 자원, 기술, 노동력 등이 다르므로 더 잘 생산할 수 있는 물건이나 서비스가 다릅니다.

15 중국은 우리나라 수출액의 34.9%, 수입액의 26.3%를 차지하고 있습니다.

16 세계 여러 나라가 서로 의존하며 자유롭게 교류하면 모두 이익을 얻을 수 있습니다.

17 오늘날 다른 나라와의 경제 교류가 활발해지면서 의식주 및 여가 생활에 많은 영향을 미쳤습니다.

18 오늘날에는 외국 기업에 취업하는 우리나라 사람도 많아졌습니다.

19 세계 여러 나라는 자기 나라 경제를 보호하려고 새로운 법이나 제도를 만들기도 합니다.

20 세계 무역 기구는 1995년 1월, 스위스 제네바에 본부를 두고 설립된 국제기구입니다.

나는 그 누구보다도 실수를 많이 한다.
그리고 그 실수들 대부분에서
특허를 받아낸다.

I make more mistakes than anybody
and get a patent from those mistakes.

토마스 에디슨

실수는 '이제 난 안돼, 끝났어'라는 의미가 아니에요.
성공에 한 발자국 가까이 다가갔으니, 더 도전해보면 성공할 수 있다는
메시지랍니다. 그러니 실수를 두려워하지 마세요.

정답은
이안에
있어！